河出書房新社

須藤靖×伊勢田哲治

科学を語るとはどういうことか
科学者、哲学者にモノ申す
増補版

目次

第5章 科学者の理解しにくい科学哲学的テーマ②
――実在論と反実在論をめぐる応酬

第6章 答えの出ない問いを考え続けることについて

増補版刊行にあたって

科学哲学がとりあげる諸命題は、現代の科学者にとって意義があるのだろうか。そのような疑問にとりつかれた私は二〇一一年、東京大学教養学部の学生に対して「文科系のための物理学的世界観入門」という半年間の講義を行った。まさに、東日本大震災の直後で、科学の社会的信頼と責任が議論となった時期である。毎回の講義後に私が学生に公開した講義録が、全く知らないうちに拡散され、一部で批判を受けていたらしい。その内容に興味をもってくれた河出書房新社の朝田明子さんの紹介で、伊勢田哲治氏と対談した結果を書籍化したものが本書である。

両親の介護の関係で定期的に故郷の高知に帰省していた私が、その帰りに京都大学にお邪魔し、午後まるまる激烈な議論をした後、疲労困憊のまま新幹線に乗車して東京に戻る、ということを二回繰り返した。本書をお読みいただければわかるように、我々の議論はほとんど平行線だったかもしれないが、哲学者と科学者の科学に対する捉え方の違いは理解できるであろう。

この経験を通じて、私は科学哲学者の考え方や価値観をある程度理解できたように思う。とはいえ、それらにほとんど同意できないままだったのもまた事実である。それ以降、この問題にはあまり向き合ってこなかったし、持病の高血圧も悪化することなく過ごしてきた。

今回の増補版に合わせて、伊勢田さんと再び対談が企画されたが、新型コロナウイルスの状況を考慮してリモートで行うこととなった。しかしその当日、突然右脇腹あたりが痛み始めた私は、対談を一時間ほどで切り上げさせてもらった。その夜は自宅で激痛に悩まされるも、ある時点で突然嘘のようにおさまった。その後の検査では、腎臓結石が排出されたのだろうと診断された。伊勢田さんとの対談を控えて、防御本能が働いたのかもしれない。いずれにせよ後日、対談の続きを行うことができた。

今回の対談の部分を読み返すと、私の基本的な考え方は以前と何も変化していないことが確認できる。一方で今回は、伊勢田さんとの議論を通じて強い不快感を感じることはなかった。これは、前回の対談のおかげで、私の体内に蓄積されていた科哲結石がすでに排出されていたためかもしれない。あるいはすでに免疫を獲得してしまったのか。

全く異なる価値観を持つ人間どうしが、率直に歯に衣着せぬ議論を行うにはかなりの苦痛が伴うし、結果として、合意できるとは限らない。にもかかわらずそのような痛みの経験は、分断や対立が激化する一方の現代社会において、不可欠な作業なのではないかと気づかされた。

須藤靖

＊＊＊

早いもので、この本の初版が出版されてから八年になるという。その間に、科学哲学やその周辺領域の哲学者と科学者が意見を交換するという機会が何度かあった。その一つとして、森田邦久編著『〈現在〉という謎』（勁草書房、二〇一九年）は、時間をめぐって哲学者と科学者がお互いの文章にコメントを寄せるという形式になっていた。この本は、寄稿者のひとりの谷村省吾さんがネット上で追加の覚書を公表したことでかなり話題になり、両方の立場からいろいろな意見がネット上でかわされた。これに類することがあるたびに、本書に誰かしらが言及してくださって、それはとてもありがたいことだと思う。

ただ、そういう機会が異なる立場の人同士の理解を深め合う方向に働いてきたかというと、残念ながらそううまくいっていない場合の方が多いように思う。特に、ＳＮＳでのやりとりは、いたずらに対立をあおり、お互いへの誤解を深めるものが多くなりがちであるように思う。これは、発言が断片的・抽象的になりがちで、しかも自分の意見は言いっぱなしにしてしまえる、というようなＳＮＳというメディアの特性もあるのではないかと思う。そうしたやりとりを日々目にしてきたあとで本書を久しぶりに読み返すと、須藤さんが誠実に息の長い対話に応じてくださっていることにあらためて感謝の念をおぼえる。

巻末の追加の対談でも少し触れたが、本書については、とても同じ本を読んだとは思えないくらい正反対の反応をいただいてきた。「伊勢田の言うような学問のあり方も理解はできる」という人もいれば「伊勢田が言い逃ればかりしてまともに批判に答えようとしないのでがっかりした」という人もいた。なので、ぜひ、本書については、いろいろな背景を持つ人どうしで読んだ感想を交換してみてほしい。そして、自分と違う印象を持つ人と出会ったら、頭ごなしに否定するのではなく、「あなたはなぜそういう印象を抱いたの？」とお互いに質問してみてほしい。そういう議論をするときには、抽象的な印象論にとどまらずに、具体的にどの部分をどう読んだかを比べた方が生産的な会話ができる。そうやって、自分と違うものの見方について視野を広げる一助として本書を利用していただければ望外の幸せである。

伊勢田哲治

＊＊＊

最後に、著者二人より、増補版の対談のために、刺激的な視点を提供していただいた松王政浩さんと谷村省吾さんに心から感謝する。

はじめに

科学哲学と科学の間の埋めがたき違和感

須藤靖

この世界は君の哲学などでは語り尽くせないような驚きにみちあふれているんだよ、カテツショ《科哲諸》君。
（『ハムレット』より。須藤超訳）

一　前置き

本書は、一応物理学者の端くれであると自称する私が、科学哲学者の伊勢田哲治氏から科学哲学とは何かについて教えを乞う、というスタイルの対談集である。本書の背景と目的を理解していただくために、本書が実現するにいたった経緯を、以下、少し詳しく紹介してみたい。

私は宇宙論と太陽系外惑星の研究を専門としている。まず正直に告白しておくなら、哲学をはじめとする他の学問分野についてはほとんど無知である。決して謙遜しているわけではない。ところがたまたま目にした科学哲学に関する文章を読んだ際、そこで語られている決定論・因果論という考え方の解釈に強い違和感を持った。率直に言えば、私自身の無知というレベル以前に、全く的外れでナンセンスな議論であるとしか思えなかったのである。その際に受けた驚きは本当に忘れられないほど強烈なものであった。

その文章で展開されている議論を私の理解した範囲で要約すれば以下の通りである。

世の中が原因と結果という因果論に支配されている具体例として取り上げられることの多いビリヤード問題を考える。実はじっくりと眺めるならば、ふたつのボールの衝突という原因とそれらのボールの速度が変化するという結果には、時間差は認められず、それらは同時に起こる。このように原因と結果とはおよそ分離することができない一体のものであり、原因→結果ではなく、原因＝結果なのである。

目を疑った。繰り返し読んでみたが本気でこのように主張しているらしい。このような無内容の主張を大真面目に展開している学術書が存在しているなどとは考えたこともなかった。世間では一般に哲学という分野にどのような印象を持っているのだろうか。頭の良い人でなければできないとても難解な学問。人生や世の中の本質についてとことん突き詰めて考える重要な研究分野。歴史的にもすべての学問の源流であったほどで、我々には全く理解できないものの、重要な役割を果たしている。まあ、こんなところではないかと想像する。

私は哲学が本来持っているはずのそのような本質を否定するつもりは全く無い。それどころか、宇宙論や太陽系外惑星といった、物理学の中でも哲学的とも言える問いかけを研究している立場からも、大いに共感し応援したいと考えている。

一方で、物理屋である以上、「自分は理解できないほど難解だからおそらく立派な研究成果であろう」という価値観は全く持っていない。内容が薄い結果を無意味に難解な言い回しを用いて虚飾する、数式の羅列のみで物理的な解釈を欠いている、狭い同分野の研究者にしか理解されないような研究テーマの設定。これらはいずれも、学生に対して常に戒めている悪例である。そして、一般に哲学はその内容に比して、わかりやすく説明するという努力を怠っているのではないか、という偏見すら持っている。

ただし、自らの不勉強を棚に上げてこのような偏見を哲学一般について述べ立てる意図は毛頭無い。しかしながら、自分が関係している科学に関する限り、それなりの経験とそれにもとづいた判断力はある程度持っているつもりである。そして、それから考えるに、あまりに的外れな議論が「科学哲学」においてなされているとするならば、あまり愉快ではない。

二　哲学者の考える「因果論」と物理学における「因果律」

先述の例は、「世界は本当に因果論に従っているのか」に対する回答を提示したものらしい。となるとまず「因果論」とは何かを理解しておく必要がある。私が読んだ範囲ではどうも「すべての結果には原因がある」という考えを指す哲学業界でよく用いられている言葉のようだ。実は物理屋も「因果律」という言葉を多用するが、これとは全く異なっている。すなわち物理屋が言うところの「因果律」とは、「情報は光速を超えて伝わることはない」という法則を指す。念のためにつけ加えておくならば、因果律に矛盾する観測事実は何ひとつ知られていないという意味においてこれを疑う必然性は全く無い。

そこで以前、法学部のある先生に「物理学者は因果論を信じていますか?」と聞かれたことを思い出した。そのときはすかさず「もちろんです。因果律は物理法則の最も基本的なものであり、それと矛盾する事実はありませんし、それを認めないような理論はおよそ認められるものではありません」と答えたものだ。しかし今思えば、その先生は少し怪訝な顔をされていたような記憶がある。実は因果律ではなく「因果論」に対する見解をお聞きになったのだろう。今さらではあるが、それに対する私の回答は「物理屋は、ある結果に対してどれが原因か、といった意味づけはあまりしないと思います」である。

もちろん、特定の現象に注目し、ある条件のもとで次に何が起こるかを予言し実験結果と比較しながらその現象の理解を深めることは科学の最も基本的な営みである。しかし、逆にある実験結果が得られたときにその原因は何か、といった一対一対応的な解釈はしないはずだ。むろん実験が失敗した場合にはその（無数に考えられる可能性において最も重要な）原因は何だったか、という表現は頻繁に用いられる。しかしこの「ひとつの原因」は、上述の因果論において用いられている「総体としての原因」とは意味が異なっている。

前述の因果論的な意味において「すべての結果に対して、一対一対応的に理由を説明し尽くせるような原因が存在する」という単純な価値観を持っている物理屋はいないのではあるまいか。というかこのような問いかけを真面目に考察したことすらないであろう。そもそも物理学においては、初期条件を与えれば原理的には結果が決定するはずの系であっても、ほんのわずかだけ初期条件を変化させただけで結果が全く異なってしまう場合（カオス）があることはよく知られている。この「初期条件に対する敏感さ」という事実を知っていれば、「すべての」結果に原因を特定し尽くすことが事実上不可能であり、そのような問いかけが不毛であることは自明である。さらに古典物理学のみならず、量子物理学を考えるならば、本質的な意味での決定論自体成立しない。原因と結果という一対一的な描像そのものが存在しないのである。

その後、少し調べたところでは、この因果論は科学哲学に限らず哲学という分野における本質的なテーマのひとつであるようだ。しかしながら、私のように哲学の素養が皆無の人間ですら名前だけは知っているほどの高名な哲学者の意見であっても、どれもが正直なところ全く意義を見出せないような内容に思えた。ただしこれは私の認識不足である可能性を否定するものではない。とにかく私の意見（価値観）は以下に尽きる。

「すべての物事において原因を特定することは不可能である。そもそも物事を原因と結果に分離することすら自明ではない。ただし、無限にあるはずの原因の中で、特に少数のものが最終的な結果に重要な影響を及ぼしていることがわかる場合もある。そのときには、結果に対してある原因を特定することは近似的に正当化されるし、それによって世界の一部を理解することができる気になるならばそうする意義もある。因果論とはそれ以上のものではなかろう」

誤解しないでほしいのだが、私はこのような浅薄な解釈を押しつけようとする意図など全く無い。単に因果論という考え方に必要以上に拘泥すること自体に意味を見出せないのである。しかしながら、だからといって哲学者がこの因果論をとことん考え抜き議論を展開することに異議を唱えるほど偏狭な人間ではないつもりである。私が問題としているのは、ビリヤードのような系をその具体例としてこの因果論を議論すること自体の愚かしさなのである。

複雑に絡まり合ってどうしようもないことがむしろ普通である一般の現象を、どこまでも基本構成要素に分割してその素過程の振る舞いを理解する。このいわゆる要素還元的手法は物理学の進歩において重要な役割を果たしてきた。ビリヤードなどむしろこのように還元された要素のひとつの例として引き合いに出されるものなのである。つまり、ふたつの球の衝突に関する限り、初期条件を与えればその後の振る舞いが完全に予言できるという意味で、原因と結果が明確に分離できる完全な決定論的系なのである。したがって、因果論あるいは決定論に対する本質的な考察を行うのであれば、もっと重要な例があるはずである。少し難しくなるかもしれないが、ちょっとだけ例を挙げてみる。

(1) 物理現象の記述において頻繁に登場する波動方程式は、遅延解 $f(t-r/c)$ と先進解 $f(t+r/c)$ のふたつの解を持つ。[1] 通常、先進解は「因果律」を破るものとして無視される（あるいはそのような境界条件を仮定する）が、それには必然性があるのか。[2]

(2) そもそもこの世界には時間の向きに非対称性があるように見えるが、基本法則のほとんどは時間の反転に対して対称である。[3] 世の中の現象は一般にエントロピー（乱雑さ）が増大する方向に進む。また宇宙は現在膨張していることがわかっているが、これもある意味での時間の向きを決める。これらは「時間の矢」の問題として古くから知られている。

(3) 微視的なスケールでの世界を支配する量子論では、素過程は決定論的ではなく確率的な振る舞いをするものと考えられる。素過程が決定論的ではないことがわかっているのに、それらが多数集まった巨視的な系（日常生活のスケールでの世界）ではなぜかくも高い精度で決定論的な記述が可能なのか。

(4) 少数の自由度しか無い系であっても、初期条件に対する強い依存性のため、原理的には決定論的な系であるにもかかわらず事実上現実的な精度での予言が困難な場合があることが知られている（力学系のカオス）。にもかかわらず世の中は決定論的に見えるのはなぜか。そのように見える部分だけに着目してそれ以外には単に目をつぶっているだけなのか。

これらはいずれも因果論を考える上で避けて通れない本質的な問題であろう。悩んで考え抜くに値する内容を十分持つ。しかしそれらを取り上げることなく、ビリヤードのような例だけに終始しているのであれば、本質を無視した議論に過ぎないというそしりは免れまい。

このビリヤードの例が哲学で用いられるようになったのがいつなのかは知らないが、それがたとえば一九世紀以前であれば文句を言うつもりは無い。先述の事実は主として二〇世紀の物理学が明らかにした結果にもとづいているからだ。しかし、逆に言えば、そのような物理学の進展を無視して、昔ながらの例を用いて議論を続けているとすれば、的外れであるし、時間の無駄でしかない。

自然科学においては、間違った仮説が提案されてもその後の実験や独立した検証を経ることでやがては修正される（これ自身が私の思い込みだとそしられるかもしれないが）。一方、自然科学以外の分野においては、このような検証が困難なことが多い。その場合に最も大切なのは、同業者間の建設的な批判である。それさえあれば、たとえば今回たまたま私が目にしたビリヤードのような議論に対して、私が反論する必要など全く無い。しかし、驚くべきことにどう読んでも好意的としか解釈できない書評が他の哲学者によってなされているのだ。

いずれにせよ、この因果論の話題は、私が「科学哲学」について疑問を持つきっかけとなったものなので長々と書いてみた。もちろん科学哲学は極めて広範な対象を取り扱う学問であるはずだ。それらをすべて議論することは不可能であるから、いくつかのテーマに絞って議論する予定である。しかしながら、それを通じて「科学哲学」が何を目指しているのかはぜひとも理解したいと思っている。

「科学哲学」という名前だけから私が予想するのは、科学の最新の成果にもとづいて従来は手が出なかったような哲学的テーマについて新たな結論を得る、あるいは科学者がおそらく無意識のうちに用いている論理体系を追究することで科学がより進歩するための提案を行う、といったものである。ただしこれは「科学哲学者」の念頭にある問題意識とはかなり乖離している可能性がある。しかし、いずれにせよ、科学者との共同作業を通じて研究を進め、最終的には科学者への提言を行うことが必須なのではあるまいか。にもかかわらず、私は科学哲学が物理学者に対して何らかの助言をしたなどということは聞いたことがないし、おそらく科学哲学と一般の科学者はほとんど没交渉であると言って差し支えない状況なのであろう。

三　科学哲学と科学の断絶

私が知り合いの物理学・天文学関係者一〇人以上にこのビリヤードの話をして意見を求めたところ、彼らは全員ただあきれて大笑いするだけであった。つまり私と価値観を同じくしていることだけは確認できた。私を含めて科学者の認識が低すぎるためなのだろうか。科学哲学者と科学者の価値観の溝が深いことは確実だ。

二〇世紀が生んだ最も偉大な物理学者の一人であるリチャード・ファインマンが述べたとされる有名な言葉に「科学哲学は鳥類学者が鳥の役に立つ程度にしか科学者の役に立たない」が

ある。とすれば、ここまで述べてきたことは、単に一部の科学哲学者と一人の無知な物理屋だけの問題にはとどまらないように思える。ただし、科学者が一般に抱いている偏見と傲慢にもとづくものなのか、あるいは科学哲学者に内在する問題なのかはわからない。かつて私がこの言葉を引用した講演をした際に、「鳥類学は鳥のためにやっているわけでないし、科学哲学もまた科学のために存在するのではない」という反論をもらったことがある。確かに、科学哲学が科学のためのものである必要は無い。無邪気にそう信じていた私のような物理屋の認識不足なのかもしれない。とすれば、このままでは不毛な水掛け論になるだけであろう。

　科学は、この世界を支えている法則と構造を明らかにするという明確な目標を持つ。それが本当に実現するかどうかわからない。しかしそれ故にゴールとしての意義を持つのである。確かに科学の分野が異様なまでに細分化されてしまった現状ではそのゴールを見失い、個々の研究テーマに埋没してしまっている科学者が多いのかもしれない。だからこそ、それを補完するべくより高い視野に立って今後の科学の方向性を議論してくれるのであれば「科学哲学」と呼んでもよかろう。[4] それが私の抱いている「科学哲学」のイメージである。

　しかるに、最新の自然科学の成果を取り込むことなく、ずっと以前から繰り返されている哲学者のための哲学的疑問をいじることのどこに意味があるのだろう。科学哲学は科学を、あるいは世界を本当に語ろうとしているのだろうか。倫理や道徳を論ずる哲学の他の分野は別としても、「世界」の法則を論じたければ科学哲学者がある程度科学を理解していることが必須である。その一方で、（私と同程度に無知な）科学者にとって、科学哲学のゴールとは何なのかを理解することもまた必要であろう。さもなければ、大多数の科学者は単に上述のファインマンの見解に共感を覚えるだけである。そしてこのままでは科学者と科学哲学者との溝が埋まることなどあり得ない。

四　本書の目指すもの

さて、このような疑問を抱いていた私に、河出書房新社の朝田明子さんから突然メイルが届いた。科学哲学者の伊勢田氏とともに「科学を考えるとはどういうことか」、一緒に対談してもらえないかというのである。それに対する私の返事は以下の通り。

すでにご存じのようですが、私は一部の科学哲学あるいは哲学という分野についてはかなり懐疑的な意見を持っています。一方、本当の科学哲学をやっている方がいればぜひお話を伺って私の偏見を払拭するとともに、偏見無しに正しく科学哲学／哲学の現状を理解したいものだと思っていました。伊勢田先生が建設的な議論をしていただけるような方であればお話ししてみたいという気持ちはあります。

これが本書のきっかけである。

私としては、科学哲学者と科学者がお互いに理解し合い価値観を共有する、という類いのいかにも予定調和的な結末は期待していない。一方で、それぞれの考え方、背後に潜んでいる価値観や疑問を、具体的に論じることで、無意味な偏見や誤解は取り除きたいと思っている。

私は、すべての異なる意見は、十分に議論を尽くせば最終的には赤が好きか、白が好きかという、論理というよりも価値観の違いに過ぎないような命題の選択に帰着するものと信じている。仮にそのレベルまで議論を深めることができたとすれば、大成功である。どちらが正しいかという問題ではなく、その相違点の起源を明らかにすることで、最後の判断や選択はこれを読んだ方々に委ねるべきである。残念なことに、少なくとも大多数の科学者は、科学哲学に対する偏見からか、科学哲学者の言うことに十分耳を傾ける時間も興味も持っていない。一方、なぜか科学哲学者にしても自分たちの考察を科学者に提示し批判してもらうという習慣は持っていないようだ。これはお互いにとって不幸なことである。

本書がそのような溝を埋めることはできずとも、少なくともその溝の原因を特定する役割を果たしてくれることを期待して止まない。

1　原点から距離 r だけ離れた地点での情報が届くには、それが光速 c で伝播するための時間差 r/c が必要である。したがって原点の時刻 t における状態に影響を与えるのは、r だけ離れた地点での t-r/c における状態である。これが遅延解 f (t-r/c) に対応する。しかし、数学的には波動方程式は未来の情報に対応する f (t+r/c) の形の解をも許すのである。これを先進解と呼ぶ。

2　これは有名なホイーラーとファインマンの論文で議論されたテーマである。具体的には以下の論文を参照のこと。J. A. Wheeler and R. P. Feynman, "Interaction with the Absorber as the Mechanism of Radiation," *Reviews of Modern Physics*, 17, 157–161 (1945).

3　微視的レベルでは時間反転に対して対称ではない反応の存在も知られているが、ここでは論じない。

4　批判ばかりするのではなく、具体例を挙げる方が適切かもしれない。あまりその方面の書物には詳しくないのだが、少なくともジョン・バロー氏や佐藤文隆氏による一連の著作はまさに科学者が読むべき内容を含む「科学哲学」書の好例だと思う。

科学を語るとはどういうことか

科学者、哲学者にモノ申す　増補版

第1章

科学者が抱く科学哲学者への不信

科学者・須藤氏が、アホなことを言っているとしか思えないと感じた一部の「科学哲学」。本章では、そういう「科学哲学」がそれでも「大学で研究されている学問であること」に怒りと疑問を感じている須藤氏が、自らの考える「科学哲学」像の真偽を確かめながら素朴な疑念をぶつけつつ、「そもそも科学哲学とは何か」を問いかけ、それに科学哲学者・伊勢田氏が答えていく。「科学者から見えている哲学の姿」から見出される科学哲学の問題点とは何だろうか。

『「知」の欺瞞』に見る科学用語を乱用した詐欺的文章

伊勢田　どうもよろしくお願いします。専門分野は科学哲学と倫理学で、科学哲学は私にとって中心的な研究分野のひとつです。また、日本には科学哲学を名前に持つ大学の研究室がふたつありまして、そのうちのひとつである京都大学の科学哲学科学史専修というところの教員をしています。そういう意味でも、科学哲学に対するクレームには対応する責任が私にはあるんじゃないかと思ってこうして須藤さんとお話をさせていただいている次第です。

科学哲学というのがどういう分野か、ということはまたおいおい説明させていただくとして、簡単に触れておきますと、「科学についての哲学的な分析」という以外ではあまり共通点の無いいろいろな研究課題が集まってできている分野です。哲学的な認識論の問題関心の延長線上で科学の方法論についても考える、というような研究もありますし、物理学や生物学の基礎的な問題について考える研究もあります。

須藤　序文にも書いた通り、私の科学哲学への疑念のすべての始まりは、哲学では定番の議論とされているらしい、ビリヤードを例にした因果論への疑問でした。たまたま、ある哲学書を読んで、本当に仰天してしまいました。

伊勢田　「はじめに」でお書きになった事例について簡単にここでコメントしてもよいですか？ビリヤードなどの単純なモデルを使って因果について考える、というのは確かに一八世紀のデヴィッド・ヒューム（一七一一－一七七六）以来、（科学哲学に限らず）伝統的な哲学の問題となっています（ビリヤードの例自体もヒュームが使って以来伝統的に使われ続けています）。私はこの問題領域自体は十分存在意義があると思っているので、おいおい弁護したいと思います。

ただ、原因と結果が分離できるかできないか、というのは、須藤さんがお読みになった本のかなり特異な問題意識だと思います（また、この著者の方は科学哲学というよりはもっと一般的な哲学の文献読解を本職とされている方だと思います）。なので、因果とは何かと考える、という一般的な話と、その方の個別の問題設定の話は分けて考えていただければと思います。また、「あらゆる結果には原因がある」という命題の真偽というのは、因果をめぐる問題のひとつではありますが、今の科学哲学ではあまり主流の問題ではありませんし、ビリヤードボールを使ってこの命題について論じている人というのはあまりいないと思います。
すいません、話の腰を折ってしまいました。続けてください。

須藤　確かに私が、科学哲学が何をやっているのかという本流を正しく理解していないのは事実でしょう。疑問を持っているのも科学哲学全般というよりも、その中の過激な一部分に過ぎないのかもしれませんし、そう誤解しているのであってほしいと願っています。まさにそれが今回の対談を通じて教えていただきたいことのひとつです。しかしながら科学哲学と呼ぶかどうかの定義は別として、文系の大学教員や知識人とされている人々の一部に、科学を全く理解していないにもかかわらずその誤解を臆面もなく展開し、偏狭な自説を学生や世間に堂々と伝えている事例が少なくないこともわかってきました。その典型的な例が、有名なソーカル＆ブリクモン『「知」の欺瞞』(岩波文庫、二〇一一年。原書は一九九八年)において数多く指摘されていますね。

『「知」の欺瞞』は、ある分野では世界的に有名だとされているらしい知識人の一部が、自らが全く理解していない物理学の概念を理解不能な文脈で振りかざして荒唐無稽な議論を行っていることを、物理学者のアラン・ソーカル(一九五五-)とジャン・ブリクモン(一九五二-)が具体的に示し批判したものです。ソーカルはそのような状況をそもそも憂いており、意味の無い物理学用語を並べ立てた論文を「権威がある」とされる哲学雑誌に投稿し、それが掲載された後に、あれは全く内容の無いパロディ論文でしかないことを公表しました。これが有名なソーカル事件です。

詳しい本の内容はぜひともお読みいただくことをお勧めしたいのですが、少なくとも普通の科学者があれを読むと、あまりの驚きに声を失い、その後爆笑させられることが確実です。もちろん、同様に荒唐無稽な「科学」本も巷にはあふれています。しかしそれらは、あくまで「トンデモ」系の人々によって書かれたものであり、まともな科学者による書物とは一線を画しています。ところが、『「知」の欺瞞』に取り上げられている人々は、どうもその分野では一流とされているらしい。となると、そもそも「その分野」というものからして怪しいのではないかと邪推せざるを得なくなってきます。

伊勢田　ソーカルのパロディ論文の載った『ソーシャル・テクスト』が権威のある哲学雑誌かというと、異論も多いと思います。まず、あれは哲学というよりは現代思想系の雑誌だ、と哲学を専門としている人なら言うでしょう。権威ということで言えば、現代思想系の雑誌としては歴史もあり、大学出版会から出ている雑誌であるという意味での権威はあると思います。ただ、哲学の雑誌として見たときは、あまり権威がある方ではないと思います。そもそも査読のある雑誌でもなかったようですし。

今、「現代思想系」と言いましたが、『「知」の欺瞞』で批判の対象になっている人の中にはそもそも哲学者ですらない人も含まれているんです。ラカン（一九〇一－一九八一）は精神分析家ですし、ラトゥール（一九四七－）やボードリヤール（一九二九－二〇〇七）は社会学者です。それから、ラカンは数学的な言語を大々的に使うという意味で、ソーカルとブリクモンの批判が一番典型的にあてはまる相手だと思いますが、ラカンについての評価は哲学業界内でもかなり分かれます。よくわからないので評価できない、という面も強いでしょうが。

須藤　恥ずかしながら私は当初『「知」の欺瞞』に登場する人々はすべてある意味で科学哲学

者に分類されるのだと思い込んでいました。ただし、それは必ずしも正しくはなく、ポスト・モダンと呼ばれる何やら怪しげな名前を標榜している一部の「知識人」たちにありがちな思想の表現パターンのようですね。しかしながら私はポスト・モダンというのが何を指しているのかすら未だにわからないのですが。

伊勢田　そういう誤解は珍しいものではなくて、『「知」の欺瞞』を読んで、あれが科学哲学だと思っている人はたくさんいます。

問題の論文を書いたソーカルは、アメリカの科学哲学者とは交流がある人で、彼にとっての「哲学者」とは、科学哲学をしている人たちでした。彼は、彼のイメージする哲学者たちを擁護するために、変なことを言っているポスト・モダンの人たちを批判しようとしたのです。なお、ポスト・モダンという言葉自体も文化現象を指したりある種の思想を指したりいろいろです。「大文字の真理」とか「大きな物語」とか「主体」とか、まあ近代の思考法とされるものを乗り越えるというのが思想としてのポスト・モダンの特徴だと思いますが、私も説明できるほどよく知らないので自分ではあまり使わないようにしています。

ソーカルが例の論文を書いた後に、科学哲学協会（Philosophy of Science Association）がソーカルの論文に関するシンポジウムを組みました。そこにソーカル本人が参加したんですね。ソーカルは当然みんなから満場の拍手で迎えられると思っていたのに、科学哲学者の側から、「もっと寛容であるべき」「やり方がおかしい」など批判が噴出したのです。

須藤　それはまた私には全く理解できません。ソーカルがかわいそうだとしか思えません。仮にそのような批判が大多数の科学哲学者の意見を代表しているのだとすれば、単に『「知」の欺瞞』で取り上げられた一部のトンデモ知識人たちにとどまらず、その分野自身が自浄作用を欠いていると言われても仕方ないのではないでしょうか。そもそも『「知」の欺瞞』であれだけこけにされたポスト・モダン系の人は、今でも同じような恥ずかしい文章を書き続けているのですか。まともな社会であれば、もはや立ち直れないはずですが。

伊勢田　「自浄作用」と言いますが、繰り返しになりますけど、ソーカルがパロディの対象にした領域と科学哲学の領域は別分野だというのは関係者みんなの共通了解だと思います。

あと、この際なのでついでに言っておくと、科学論（科学社会学を中心として科学についてどちらかというと人文・社会系的な視点から研究する学際的分野）の業界では科学が社会的な構成物だという考え方を「社会構成主義」（social constructivism）というんですが、これもまた、ポスト・モダニズムとはちょっと別の運動です。ソーカルは社会構成主義とポスト・モダニズムをまとめて攻撃しているので、ソーカルの側の文章だけ見ているとわかりにくいと思いますが（『「知」の欺瞞』で例に挙がっている人の大半はポスト・モダン系の知識人の人たちで、ラトゥールだけが社会構成主義者です）。まあそれはともかく、ソーカル事件の後、社会構成主義者の物言いはだいぶ穏やかになり、言い方に気をつけるようになったと思います。

須藤　だとすれば、ソーカル事件はある程度のフィードバックの役割は果たしたのですね。そうであることを切に望んでいます。私は、科学の専門家ではない人に対して専門外の科学を理解しているべきだ、といった主張をするつもりは毛頭ありません。むしろ、科学以外の自分の専門分野を語る際、どうして自分がわかってもいない科学の用語を乱用したいのか。比喩だから科学において用いられている意味とは異なっていても良いのだなどという、信じがたい態度で平然としていられるのか。それがわからないのです。
本来、比喩というのは、そのままではわからないことをより平易な例を用いて理解してもらうために用いるべきものです。内容が無いからこそ、誰も理解できないだろう、とたかをくくって、めちゃくちゃな科学用語の乱用で煙に巻く。そんなことは決して許されるべきではありません。専門家だとかいう以前に、人間としての誠実さと良心が欠如しているとしか思えません。

伊勢田　ですから、私もそれは全く評価していません。『「知」の欺瞞』に挙げてある例はあからさまに間違っている、単に言葉の定義を知らないだけのレベルのものがとても多いんですよね。

須藤　そう言っていただければ少しは安心です。
ところで、科学論文が専門誌に掲載されるためには、同分野の専門家による匿名の審査を受け、それで内容の新しさや正しさがある程度認められる必要があります（ピア・レビュー、ないし日本語では査読と呼ばれるシステムです）。どの科学の分野でも、ある割合でトンデモ論文は投稿されています。物理学では、一般相対論とか素粒子論とかのように、割と目立ちやすい分野にその種の論文が集中しがちな傾向があります。もちろん、それらはピア・レビューによって振り分けられ、専門雑誌に掲載されることはありません（査読を行わない通常の学会発表では、すべては発表者の責任という了解のもと、そのような発表を認めている場合もあります）。いわばそのシステムを通じて、物理学研究の健全性を担保してくれているわけです。『「知」の欺瞞』で取り上げられている文章は、そのようなピア・レビューを受けているのですか。万が一、それらがピア・レビューを通過しているのだとすれば、著者にとどまらずその分野や学会全体が腐っているとしか言いようがないですよね。

伊勢田　『「知」の欺瞞』でやり玉に上がっているのは、ほとんど書籍ではないでしょうか。書籍のピア・レビューというのは国によってはやりますが、あそこで取り上げられているのはフランス系の人が多かったですよね。フランスで書籍についてピア・レビューを行っているかどうかは、私はよく知りません。

須藤　確かに研究成果を論文として発表する科学分野と、書籍として発表する文系分野とではピア・レビューなどの評価のシステムが異なっているのも当然でしょう。それにしても、「物理の中の流体力学は女性であり……」とか書かれているのを読むと、アホとしか思えません。

伊勢田　そういうことを書いている人も、それを書いているから評価されているわけではなく、誰が読んでも、多少はなるほどと思える部分で評価されているわけです。特に『「知」の欺瞞』は、筆が滑ったような点を中心に集めているというところはあると思います。

須藤　筆が滑った程度のことで済ませて良いようなレベルなのでしょうかねえ。ソーカルがでっち上げたパロディ論文が評価されて専門哲学雑誌に掲載されたという時点で、その雑誌関係分野研究者の科学に対する理解度の低さは明らかですよね。ただし本当の問題はそこではなく、自分たちが理解できないものをあたかも理解したかのようなふりをするという体質、そしてそれがマイナスに作用しないという状況です。わからなければ、わからないとはっきり言うべきですよね。それ自体は何ら恥じることではありませんし、むしろ文字通り「学んで問う」という学問の出発点ですらあります。

伊勢田　確かソーカルの曝露の後で『ソーシャル・テクスト』の編集者側もコメントを出して

いて、いろいろ問題のある論文だったので書き直しを要請したがこのまま載せるか載せないかだ、とつっぱねられた、でも物理学者がポスト・モダニズムを理解しようとしているということ自体に記録として価値があると思ったから掲載することにした、というようなことを書いていましたね。どの程度言い訳でどの程度真実かはわかりませんが、「論文として優れている」というのとはまた違う評価軸が働いたということはあり得ると思います。そうだとすれば、彼らの犯したミスは「理解できないものをあたかも理解したかのようなふり」をした、というのは、ちょっと違うのかもしれません。

科学哲学はなぜ旧態依然とした「哲学的な問い」を追いかけ続けるのか

須藤　天文学、物理学、生物学など、科学の最先端では、かつて哲学的考察以外手が出なかった難問（たとえば、宇宙の起源・未来、時空間の本質、因果的法則性、生命の起源と唯一性）をも、科学的な手法に従って研究できる対象として扱うことを可能としつつあります。それらの成果を取り込むことなく、（理解できていないだけならまだしも、全く誤解したままで）かつての偉大な哲学者が展開した思弁的な議論の枠内でしか考えることができないとすれば、哲学の存在意義は何でしょうか？　科学史のような歴史の研究は別として、いつまでも数百年前の哲学者と同じ問題意識を同じ土俵で考えているのでは、あまりにお粗末と言われても仕方がないのではないでしょうか？

伊勢田　まず、断っておきますが、科学哲学の中でも、どんどん新しい科学的知見を取り入れて新しい問題に取り組んでいる人たちもたくさんいます。ただ、それと並行して、「因果とは何か」などの昔ながらの問題も扱われ続けているのは確かです。その理由を一言で言えば「興味を持っているポイントが違うから」ということになるでしょうか。たとえば須藤さんは、「物理学の視点からすれば哲学で言うところの因果という概念自体が疑似概念なのだ」とおっしゃると思いますが、同じことを我々の側から逆に見れば、「ということは物理学は我々が興味を持っているこの問題には答えをくれない学問なのだな」と見えるわけです。原因という概念を我々は使っているし、理解していると思っているし、自然科学・社会科学にまたがって重要な役割を果たしてもいるわけです（「発癌物質」「地震の原因」「デフレの原因」などなど）。それなのにこの概念をちゃんと分析しようとするとうまく分析できないというのはやはり大きな問題ではないでしょうか。

もちろん、科学を誤解した上で使うのは大いに問題ですし、客観的な時間の話をする際に相対論的な時空の概念を踏まえていないのはどうかと私も思います。主観的な経験としての時間に興味がある場合はまた話が違ってくるでしょうが。

須藤　確かに価値観の違いと言ってしまえばそれまでです。また決して、科学者の価値観が正しくてそれ以外は間違っているといった偏狭な世界観を押しつけているつもりはありません。この価値観の違いを理解したいというのがこの対談の主目的です。

とはいえ、すでに述べてきたような科学用語を乱用して誰も理解できない文章を書きなぐる人々が存在することは、そのような価値観の違いを超えて、決して許すべきではないと思うのです。まあ個人的には、そのような人たちには決して近寄らないよう気をつけるしかないのですが。

そもそものような人々が改めるべきポイントは、『「知」の欺瞞』のエピローグに明快かつ簡潔にまとめられています。念のために、それらを引用しておきましょう。

1　自分が何を言っているのかわかっていることは良いことだ
2　不明瞭なものがすべて深遠なわけではない
3　科学は「テクスト」ではない
4　自然科学の猿真似はやめよう
5　権威を笠に着た議論には気をつけよう
6　個別的な懐疑と極端な懐疑主義を混同してはならない
7　曖昧さは逃げ道なのだ

およそ科学の教育を受けたものにとっては、いずれも至極当たり前でしかなく、そのようなことをあえて繰り返し注意されなければならないような業界が学問分野として成立していることと自体、信じられないはずです。科学では、研究成果はできるだけ明確に平易に書くようにと繰り返し教育されますし、私も学生に対して毎年そのような指導を繰り返しています。それに反して、多くの哲学的文章は、無意味に難解に書くことをもって良しとする、明らかに間違った風習が定着しているようです。これらの指摘に対して、伊勢田さんはどうお考えになりますか？　哲学の本をいくつか眺めてみたところ、これらに該当する哲学者がかなりの割合で生息しているような気がしてなりません。

伊勢田　まず、私が考える「哲学的な考え方」は、筋道を立て、隠れた前提を明らかにしながら、できる限り明晰に考えること、要するにクリティカルシンキングを実践することを言います。後で詳しく説明しますが、哲学的な考え方のイメージはこれだけではないので、ここでは一応「クリシン型」の哲学と呼んでおくことにします。その上で、二段階に分けて考えることができると思います。まず、第一段階ですが、私の考える「クリシン型」の評価軸では、この七項目にはほぼ同意することになります。

少し気になるのは3番と7番です。3番については、私なら「科学の用語は定義に注意して使おう」と言うところでしょうか。本文を見ると、ソーカルらの意図としては要するに単なるメタファーの倉庫じゃないんだから、科学的概念はちゃんと定義を確認して使ってくれ、ということだと思います。「科学は「テクスト」ではない」という言い方だとそういう意味にはあまりならないし、誤解を招きますね。その上で、きちんと定義や概念間の関係を踏まえた上で使うのであれば、一定のメタファーとしての使用は発見法として役立つこともあるでしょう。ソーカルとブリクモンが指摘しているような、あからさまに無意味だったり混乱のもとでしかなかったりするメタファーは困りものですが。

7番は日本語訳の問題ですが「曖昧さ」というよりは「多義性」と訳した方がいいですね。曖昧な対象について曖昧な語り方をするのは曖昧でない語り方よりもむしろ正確である場合もあります。たとえば私が住んでいるのは京都の西陣と呼ばれるあたりですが、これは現在の行政区画には存在しない地名で、はっきりした範囲が決まっていません。この場合、「西陣ってどこですか」と聞かれたら「だいたいこの辺が西陣です」と曖昧に答えるのが正しい答え方で、むしろ「ここからここまでが西陣である」などと明確な境界を示したらその方が不正確だし、「私はここからここまでを西陣と定義する」と言おうものなら、お前何様だということになります。ただ、もちろん、ソーカルとブリクモンが指摘している、過激な主張と穏健な主張のどっちともとれる多義的な発言はクリシン型の評価基準においては厳しくツッコミを入れることになります。

荒唐無稽な主張がなぜ哲学界でまかり通るのか

須藤　ここまでのお答えから判断するに、伊勢田さんは、私のような価値観の人間から見ても「まっとうな哲学者」であるようです。とすれば、そのような方が、私が不快感を禁じ得ない一部の人々と同じ業界で共存していることが不思議でなりません。実はやはりほとんどの人は「まっとうな哲学者」なのだが、ごく少数のまっとうでない人々の方が大々的に取り上げられやすい。したがって、私のような外野から見るとむしろ彼らが業界標準であるかの如く見えてしまうだけなのでしょうか？　もちろん科学においてもそのような人々は存在します。マスコミにおける露出度の高さとその人の学問的業績の間の相関はほとんど無い、あるいは逆相関している場合すらあると言っても良いでしょう（ただし私に近い分野で言えば、真に世界的な学者が優れた啓蒙書を出版し、それらが大ベストセラーとなる例が増えています。従来は、あまりレベルの高くない人々が啓蒙書を書くという傾向が多かったことを考えると、最近の状況は本当に素晴らしいと思っています)。哲学者の場合はどうなのでしょうか。

そもそも業界内で、哲学者同士はどのような基準を拠り所として評価し合っているのでしょう。荒唐無稽としか思えない主張を繰り返す人々を野放しにしているような気がしてなりません。そのような人々と伊勢田さんのような方々はどのようなバランスでつきあっているのでしょうか。

伊勢田　ソーカル&ブリクモンとの距離のとり方は、須藤さんと私とではだいぶ違うと思います。一言で言えば、ソーカルらが批判するような人たちとも上手につきあっていき、得られるものは得る、というのが私も含めて哲学業界全体の空気ではないかと思います。

さきほども言いましたが、英米のクリシン系の哲学においては、ラカンはじめポスト・モダン系思想への評価は非常に低いと言っていいと思います。ですので、「ラカンみたいなやりすぎなのはまあ別として」という断り書きを踏まえた上で言いますと、哲学という分野全体で言えば、1〜7に違反するような発言が少々あっても許容する空気はあると思います。変なことをいろいろ言っていても、ひとつでも、我々の思考を触発してくれるような、他の誰も思いつかなかったような鋭いことを言っていれば、それで評価されるところはあります。

科学哲学の業界では、クリシン型でお互いを評価します。私が相対性理論についての無理解をさらした論文を書いたら、他の論文も真面目に読んでもらえなくなるでしょう。しかし、そういう科学哲学業界に住む我々でも、それと違う基準で書かれたものが哲学業界全体を見れば存在し、違う基準で評価する人が存在するということは理解しているし、しかもそういうものを読んで思考を触発されることもあればうがった見方に感心することもあるわけです。

こういう考え方が哲学者の身に染みついているひとつの理由として、哲学では古典を読む訓練があるというのが大きいと思います。昔の哲学者は時代的な制約もあり、今から見れば変なことも言っています。しかし、今に生きるような議論もしているからこそ現在でも読まれ、研究されているわけです。その意味で、哲学は「良いところをすくい上げて読む」という読み方が自然に身につく業界だと言っていいかもしれません。

わかりにくければ、科学史と比較してみるのもよいかもしれません。ケプラー（一五七一－一六三〇）が占星術師でもあったとか、ニュートン（一六四二－一七二七）が錬金術にはまっていた（物理学について書いたものより錬金術について書いたものの方が多いくらい）といって、ケプラーの法則の発見や『プリンキピア』の評価が下がるわけではないし、ケプラーやニュートンの名前が天文学や物理学の歴史から抹殺されるわけでもないですよね。

須藤　その点は、全くおっしゃる通りです。科学では「是々非々」という取捨選択、あるいは「罪を憎んで人を憎まず」という規範は明確です。ケプラー、ニュートン、アインシュタイン（一八七九－一九五五）、さらにはハッブル（一八八九－一九五三）といった歴史的な貢献を成し遂げた科学者であっても、ある場合には現代的視点からは間違っている主張を展開した例も少なくありません。もちろんそれらはその時代においては決して間違っているわけではなく、十分科学的な議論だったことは確かです。しかしそれらは現在にいたる科学の進歩の過程で「健全に」無視されており、彼らのプラスの業績だけが現在の科学に生かされています。その意味では、科学は権威主義には陥っていないと言えるでしょう。そしてそれはやはり、実験や観測によって主張の正否をかなりのレベルで定量的に検証できるおかげです。どんな偉人が主張しようと、実験と矛盾してしまえばそれは間違っている、ということになります（このような牧歌的な科学観を疑うのが科学哲学のひとつの重要テーマなのでしょうから、それについてはこの対談を通じておいおい議論させていただくつもりです）。

一方で、「哲学は良いところをすくい上げて読む」とおっしゃいますが、それは本当でしょうか？　有名な哲学者の言ったことをその権威のもとに原理主義的に研究するといった風潮はありませんか？　私が読んだ科学哲学関係の書物は極めて限られているのでそれをどこまで一般化できるかわかりませんが、目につくのは「すでに○○が述べているように」という調子の権威をもって証明とするような論調です。

科学では「すでに○○が述べているように」というのは歴史的な先取権を明確にする目的での言明です。その主張の正しさは、述べた人の権威によってではなく、その後の実験や観測によって示されているのです。科学史家や科学哲学者であればこの単純な科学観への反例を直ちに挙げることでしょうが、それはあくまで例外的な事例にとどまっているはずです。

カント（一七二四－一八〇四）とかヘーゲル（一七七〇－一八三一）といった過去の大哲学者の仕事を勉強してそれを振りかざすだけで、自分では何も新しいことをつけ加えられないような「哲学者」もいるのではないでしょうか？　やっぱりこれは私の偏見ですか？　そもそも一〇〇年前に比べて現在の哲学は進歩しているのでしょうか？

伊勢田　確認ですが、なぜポスト・モダンの人たちがあんな変なことを書いても（またそのことをこのように曝露されても）社会的に抹殺されないか、については一応「罪を憎んで人を憎まず」の精神だということで納得いただけたということでよろしいですね。

さて、それで哲学が権威主義かどうかということですが、「すでに〇〇〇が述べているように」という書き方自体は、哲学でも権威をつけるためではなくクレジットを明示するためであることが多いと思います。誰でも知っている古典的な議論をあたかも自分の議論であるかのように書いたらその方が問題です。ただ、哲学における議論の多くは実験や観測で白黒つくわけではありません。そのため、「カント先生がそう言うならちょっと真面目に考えてみようか」というような、発言者が誰かということによる信ぴょう性の差というのは確かに生じることがあります。ただそれは権威をうのみにしているわけでも権威によって証明しているわけでもありません。

それから、哲学の進歩についてですが、もしカントやヘーゲルの言っていることに何もつけ加えていないとか、過去の解釈者の解釈をなぞっているだけだとかの論文があったら、あまり評価できないですね。しかし、独り立ちした研究者である以上は、カントなりヘーゲルなりから、何かしら新しいものを汲み取ってきているというつもりはあると思います。

これと関連して、理系の人から非常に理解しにくいだろう哲学業界の文化として、「翻訳が業績になる」というものがあります。自分の単著よりも翻訳の仕事の方で評価されている人というのは多々います。クリシン型の基準にそって書かれた明快な本であれば誰が訳しても大同小異の訳になります。しかし、解釈の余地の大きいテキストであればあるだけ、どういう訳語をあてるか、どういう構文を選択するか、といったことに訳している人のそのテキストへの理解度が関わってきます。もっともらしい解釈がいくつかある場合にはどの解釈にも読めるように訳すべきでしょうし、意味の通らないように見える文章がある解釈で意味が通るようになるなら、積極的にそれを採用するというのもひとつの翻訳のあり方でしょう。特に、時代的に古い文献の場合、本人はクリシン型を意図して書いているのだけれども、クリシンの技術が今ほど発達していなかったとか、まだ概念がうまく整理されていなかったとか、そういう時代的な制約によって、今から見るといろいろな解釈が可能になってしまうこともあります。つまり、哲学書(特に古典)の翻訳は哲学のエキスパートとしての能力が必要になるわけです。

また、さらに一歩進んで、解釈をしているふりをして「創造的に誤読する」などという場合もあります。この例としてはソウル・クリプキ(一九四〇－)という人のウィトゲンシュタイン(一八八九－一九五一)解釈が有名で、解釈としては全く間違っているのだけど、その解釈の結果出てきた議論が非常に面白いので「クリプケンシュタイン」と呼ばれて評価されています。

須藤　過去の研究が結果的に間違っていることが多いのは全く当然で、それこそが健全な科学の進歩そのものです。「罪を憎んで人を憎まず」というのは、その当時は判断できないが結果的に間違っていた理論を念頭においたもので、同時代においてすでに荒唐無稽であることが明らかな言明について述べたものではありません。

それはそれとして、本人自身の主張はともかく、他の人に内容を汲み取ってもらえればそれで良しと評価する立場ですと、『「知」の欺瞞』に出てくるようなラカンのような人ですら問題ではないということですか？　書いている本人が全く誤解している数学や物理の用語がちりばめられている書物であろうと、読者がそれによって啓発されるのであれば意義があると。そのような誤解を通じて新たなブレイクスルーを生み出す可能性が皆無だとは言えませんが、たいていの場合は、アホがアホを再生産するという危険な悪循環に陥るだけだと思いますよ。

伊勢田　ラカンのように中心的な主張でわざとそういうことをやっている人はやっぱり別扱いになると思います。また、「アホがアホを再生産する」というのは言い方がきついですが、本人の意図にかかわらず、そういう文章が数学や物理の用語はいいかげんに使っていいのだ、という悪しきメッセージを送ってしまっているという面は確かにあると思います。そこはきちんと批判しないといけないですね。ただ、それがぜんぶではないでしょう。

須藤　科学においては、主張が明確に伝わるような文章を書くことが徹底的に求められます。もしも、複数の解釈があり得るのならば、それらを曖昧にするのではなく、具体的に並列し列挙する。私は大学院の学生が論文を書くときにはそのように繰り返し指導しています。無意味に難解な言い回しも認めません。真に科学的な内容があるのなら、修辞的な文章で内容の無さを補う必要はありませんし、単にマイナスになるだけです。そのような教育を受け、またそのような指導をしている立場からは、多くの哲学書はそもそも文章として受け入れられません。もし文章力の無さで難解になっているのだとすればそれは最低限度の推敲をしてもらわなければ読者に失礼ですし、万が一自分すらわかっていない、あるいはまだ曖昧なままの考えを修辞的に書きなぐっているのだとすれば、百害あって一利無しなのでその段階の文章は人前に出すべきではありません。若い学生たちが、そんなことを知らずに難解な書物をありがたがって苦労して読んでいるとすれば、本当にかわいそうです。無駄な時間から解放してあげるべきです。

伊勢田　私も、哲学の他の分野の書いた人のものを「もっとクリアに書けよ」と思いながら読むことはよくあります。「クリシン型」が基本の分析系の哲学でも、ジョン・マクダウェル（一九四二－）という難解な文章で知られる哲学者がいて、院生時代に彼の文章に苦しめられていたときもそんなことを思っていました。

でも、何度も繰り返し読んでいるうちに読み取れてくるところはあって、そこにはやはり彼特有のアイデアや視点があり、大変啓発されるわけです。そして、彼はおそらくそういう書き方しかできなくて、この形でアイデアを発表するか、何も書かないか、の二択になるような人なわけです。そうなると、「もっとクリアに書けよ」から、「しょうがないなあ、できればもっとクリアに書いてほしいなあ」というぼやきに変わるわけですね。

哲学の正しさはどの程度客観的に評価できるのか

須藤　自然科学における学問的主張は実験・観測を通じて検証可能であるという前提がありま す。一方、哲学の学術論文あるいは主張の正しさやまっとうさは、どのように検証し正当化するのでしょうか。もしそれが不可能なのだとすれば、結局なんでもありとなり、どんなに「クリシン」だとか言っても限界がありますよね。

そもそも哲学は論文によって新たな説を提案し、それによって評価されるのですか？　自然科学とは異なり、文系では査読論文よりも書籍によって業績が評価されるようですね。しかし、書籍には査読は無い。とすれば実はかなり危険で、品質保証のされていない書物が出版されることでそれを正しく評価できない人々によって、業績だと勘違いされている可能性がある。

私は東大出版会の企画委員をしていますが、自然科学ではお願いしても書籍を書いてくれる先生はなかなかいません。一方、文系では出版依頼がどんどん飛び込んでくる（念のためにつけ加えておくと、東大出版会の本には低レベルのものはほとんどありません。皆無とまでは断言できませんが）。

伊勢田　でも、本を出せばなんでも評価されるわけではありませんよ。著者に実績があれば、その人の新刊が多くの研究者の間で話題になって読まれますし、合評会を行うこともあります。それに学術誌に書評を載せる際に、その人のそれまでの活動なんかを踏まえて本の評価が形成されていくという面もあります。

須藤　書評で批判することは本当にあり得るのですか。冒頭で述べた私が驚かされた哲学書に対する書評を読んだことがあるのですが、どう解釈しても絶賛しているような表現なので、むしろそちらの方により驚かされた記憶があります。こうやって互助会的な仕組みで権威が形成されるのだな、と。記名である以上、人間関係を考えると辛辣な書評を書くのはなかなか勇気が必要です。書評が客観的な評価に寄与するとはなかなか信じがたいですね。

伊勢田　新聞などの書評と学術誌での書評は異なります。たとえば、日本科学哲学会が発行している雑誌『科学哲学』にも書評が掲載されています。翻訳書と日本人の書いた単行本と両方取り上げられます。いいことも書きますけれども、こういう点に疑問があるといったことも書いてあります。もちろん、単に本の紹介にとどまっているものもあります。翻訳書に関してはそもそもそこで批判しても著者が読むわけではありませんし。それでも書評で批判する場合は多いですし、言うべきことが多い場合には、書評論文という普通の書評とは異なる論文枠で本について「ここがおかしい」と徹底的に論じることもあります。

科学哲学の分野では、もうひとつ、科学基礎論学会の『科学基礎論研究』というのがありますが、これらの雑誌にちゃんと論文が掲載されているかどうかということが、特に若い研究者に関しては業績評価の重要な判断基準になります。

理系と業績評価のスタイルは違いますが、本も出しただけでは、それが評価になるということではないんです。本を出したものの、同業者の間で全く無視されることもあれば、出したらすぐにみんなが読んで、書評などでも取り上げられて、批判すべきところもあるが価値ある本だとして定着するものもあります。ちなみに、日本と英米でもずいぶん出版文化が違っていて、アメリカの大学出版会などは書籍もピア・レビューがあって、哲学系の本も、ピア・レビューするんです。

須藤 当然そうあるべきですね。業績を本で評価するのであれば、当然ピア・レビューをしないとおかしい。それがその分野にいる人々の責任でもあります。

伊勢田 日本で書籍の査読というのはあまり聞きませんが、私が関わっている学会は、すべてなんらかの形で論文の査読をしています。たとえば引用している文献の引用の仕方が間違っているといった、技術的な指摘ももちろんありますし、同業者が読むと、「この人は何もわからずに書いている」というのが見えてきて、「リジェクト」という判断をすることもあるんです。そういう意味で、客観的な査読も可能です。

須藤 確かに理系に比べて査読は難しいとは思います。理系は、計算の間違い、見過ごされている効果、実験の条件の不備や信頼性、統計的処理とその解釈の妥当性など、かなりの部分は客観的に議論が共有できる問題点の指摘が一般的です。一方で、文系、とりわけ哲学などの論文においては、つまるところ査読者が「こうではないと思います」と指摘したとしても、「いや、私はこう思うのです」と答えたら議論が平行線になるだけのように思えます。

伊勢田　いえ、「こうではない」というのとはまた違う指摘ができるんです。

須藤　議論は深まるでしょうが、白黒をつけることは結局不可能なのではありませんか？　もちろんだからといって哲学が悪いと言っているわけではなく、あくまで分野の性格の違いでしかありません。自然科学はある程度の客観性が担保されているおかげで進歩できる「得な」分野だという言い方も可能なのでしょう。

第2章

ツッコミながら教わる科学哲学

科学者が科学哲学に対して共感するどころか、なぜうさん臭さを覚えるのか。前章ではその具体例が出された。

それらをさらに深めていく前に、そもそも科学哲学とはどのような学問なのか俯瞰しておこう。須藤氏には生徒役に回って率直なツッコミ（質問）をしてもらいつつ、伊勢田氏がレクチャーする。

科学者は科学哲学という学問をどのように受け止めるのか。

哲学分野における科学哲学の位置づけ

伊勢田　科学哲学への具体的な疑問にお答えする前に、須藤さんにとってはそもそも「哲学」が全く未知の国のようですので、最初に、ちょっとだけ土地勘をつけていただくための道案内をしておきましょう。

そもそも「哲学」という言葉をきちんと定義して使っている人はほとんどいません。自分の本でも冒頭に書いたことがありますが、「哲学者の数だけ哲学の定義がある」と言っていいでしょう。須藤さんが批判されているポスト・モダンの人たちの議論を、哲学だと言っている人も、絶対に今もいます。とはいえ、おそらくプロの哲学者の中には少ないとは思いますが。

須藤　確かにそこにはかなり私の誤解があったようですね。内部から見ると違いがはっきりしていても、少し外から眺めると区別できないということはよく起こります。私も大学で物理学を教えていると言うと、地震についても詳しいに違いないと勘違いされがちです。恥ずかしながら、地震に関する知識は一般の方々とほとんど同じ程度でしかないのですが。その意味では、本来はそう分類するのは適切でないものまで含めて私が「科学哲学」だと思い込んでしまっていた可能性があります。ではまず、「哲学」の研究スタイルあたりから教えていただけますか。

伊勢田　そうですね。「哲学」の流儀にはいろいろあります。ひとつは、さきほども言いましたように、私がとっている立場である、「クリシン型」の評価軸です。

これに対し、「読者を考えさせるのがよい哲学的文章だ」という視点で哲学を捉える研究者もいます。哲学的な文章を「思考触発装置」として捉えるわけです。このルールで判断すると、一読すればわかるような文章はむしろ哲学的な文章として格が落ちることになります。この哲学の流儀を「思考触発型」と呼ぶことにします。

さらに、アカデミックな哲学の周辺には、「うがったことを言ったものが勝ち」というルールでゲームをしている人たちもいるようです。言っていることの根拠がどうこうではなく、誰も思いつかないような、「へー」と感心するようなことを言ったらいいわけです。「うがったもの勝ち型」と呼びます。

この三つの他に、圧倒的に多くの哲学研究者が、カントやヘーゲルなどの古典の読解研究を行っています。この古典読解という「ゲーム」のルールは非常に複雑ですが、「実際に書いてあることについての読解の正確さ」「解釈のもっともらしさ」「解釈の面白さ・新しさ」などの複合的な評価になります。この作業自体を「哲学的」な思考プロセスだとはやっている本人たちもあまり言わないはずです。このタイプの研究をしている人たちは「哲学者」ではなく「哲学の研究者」と呼べると思います。ただ、アカデミックな業界としての哲学においてはこの評価軸で評価される研究が大きな割合を占めます。「文献読解型」としておきましょう。

この四つのタイプの評価軸は多かれ少なかれ哲学の中のどのサブフィールドにも混在していると思います。日本で「哲学」という学問の名前で明治から存在するのは文献読解型の研究で、研究対象や使用する言語によって「ギリシャ哲学」「中世哲学」「ドイツ哲学」「フランス哲学」「イギリス哲学」などに分かれています。同じ文献読解型でも言語による断絶はけっこうあります。これらの領域では、研究対象については思考触発型、自分たちの書くものについては文献読解型、と評価軸を使い分けているのではないかと思います。

須藤　伊勢田さんの流儀である「クリシン」についてもう少し説明していただきましょう。外国語のカタカナ省略語を避けるべく、無理矢理日本語にすれば、「極限思考」といった感じでしょうか。いずれにせよ、私が想定していると思われる科学哲学者は、皆さんこのスタイルに従って研究しているのですよね?

伊勢田　ここでの「クリティカル」という言葉自体には「極限」というニュアンスは無いですが、突き詰めて考える、という性格づけも哲学の思考法の特徴としてよく挙げられますね。

今のクリティカルシンキングにおける「クリティカル」という言葉の使い方の源泉になったのはカントです。カントには『純粋理性批判』をはじめとする『〇〇批判』と題する一連の著作がありますが、そこで言う「批判」という言葉が、今言う意味での「クリティカル」の原点になっています。

須藤　カントというのは、そこまで突き詰めて物事を考えた人なのですか？

伊勢田　今から見ると穴がある議論ですが、彼は、一番基本までさかのぼる議論を追究しました。たとえば、「原因と結果という形式で、我々が世界を解釈するのはなぜなのだろう」という点を、丁寧にさかのぼって考えるとします。それは一方で、「いったいどこまでが我々が得るデータとして還元できるのか」という話になり、これを突き詰めて考えていくと、「どうも我々は生まれたときから原因と結果について知っているらしい」という結果が導かれるというように追っていった。

須藤　そのように単純にまとめられてしまうと、ホンマかいなと思わざるを得ませんが……。その結論の真偽はともかく、疑問を持って考え抜くこと自体はとても大切ですし、その問いかけ自体が根源的な意義を持つ点には同意します。

伊勢田　カントは一八世紀の人です。もちろんその前からそういった考え方自体は存在していましたが、それが自然科学にもなり、哲学にもなったわけです。

ただ、哲学に固有なやり方としてひとつ言えるのは、「そこを疑っても仕方ないだろう」というところまで疑う点でしょう。反対に自然科学として成立している分野は、とりあえず自分のやっている領域においては、その方法論で一応自然について研究していいということになっていて、皆それを受け入れた上で研究をしていると思います。

さきほど出された「極限思考」と「クリシン」を使って言うと、哲学（私がやっているタイプの哲学）も科学もクリシンを基本とする領域なのだけれども、科学では普通クリシンの対象にしないところまでクリシンをあてはめる、という面で、須藤さんから見て哲学は「極限」に一歩近づいている、とは言えるかもしれません。

私も、いろいろな専門研究を行っている人たちに向けて、クリティカルシンキングについて話してきましたが、「いや、それはうちの分野でもやっているよ」とたいてい言われます。ただ、そのときのひとつのお答えのパターンとして、「他の人がやらない異常なところまで哲学はやることがあります」と言っています。偉いというわけではないのですけれどね（笑）。

須藤　科学者は普通自分の立ち位置をそこまで深く考えてなどいないのですけどね。現在の大学・大学院において、理科系の学生に対して「科学とはどのような営みで、その方法論はいかにして正当化されるか」といった講義をしているところはほとんど無いでしょう。むしろ文科系学生に対して、科学哲学概論的講義を行っている方がずっと多い。理科系学生はそのような一般論ではなく、研究室で実際の研究を行う過程で、先輩あるいは教員を通して研究の方法論を実践的に学びます。そのような経験の積み重ねを通じて、自分なりの科学観を築き上げる。したがって、その成功している方法論が「なぜ」正当化されるのかなどという問いなど思いもつかないでしょう。

しかしながら、では「科学哲学者」の議論をどう思うかは全く別の話で、おそらく、「一般論として考えたことは無かったが、それは単に我々が毎日やっている当たり前の方法論そのものである」から、全く逆に「よくもまあ何も研究現場を知らずにずれた議論を堂々と展開できるものだ」まで、様々な反応が予想されます。でもいずれにせよ、「なるほど、そのような視点が科学研究には欠けていたな」と良い意味でとても参考になるような考え方を「科学哲学」側から提供されることはほとんど無いと思います。

伊勢田　そうですね。同じようなことは社会学者についてもジョークとして言われますね。社会学者の研究の結果が常識と一致していれば「そんなわかりきったことを調べるのになぜお金を使ったんだ」と言われ、常識と一致していなければ「そんな現実と遊離した研究になぜお金を使ったんだ」と言われ、結局評価してもらえない、とか。他の人がやっている営みを研究対象とすることにまつわる難しさかもしれません。社会学者は見せるべきデータがあるからまだいいですが、哲学者は徒手空拳なのでさらに立場は難しいですね。

まあ、でも、そういう研究の価値は別として、科学者が普段考えないような研究の方法論をさらに正当化するようなところにクリシンをあてはめる、というのが科学哲学の仕事（仕事のひとつ）だということは理解いただけたようで安心しました。

須藤　物事をとことん考え尽くすというのは、すべての学問に共通であり、それ無しに良い研究成果は生まれ得ません。その意味で「極限まで考えるというクリシン」には全面的に賛成です。

一方で、それが現実と遊離した「哲学のための哲学的思考」に陥っているのではないかと問うバランス感覚もまた重要でしょう。この点に関しては、後で科学哲学の具体的な事例を取り上げて考える際に、再度議論させてもらいたいと思っています。

伊勢田　「極限」という言葉がひっかかるのでもう一言だけ言わせてもらっていいですか。哲学の歴史が示すのは、「とことん考え尽くす」というのが、どれほど難しいかということです。

歴史上の偉い哲学者たちが主観的には「とことん」考えたにもかかわらず、今から見ると当然考慮すべき可能性が見落とされていたり、疑わしい暗黙の前提を立てていたりということはよくあります。「考える自分」を客体化するというのは本当に難しいことなのです。

そういう歴史の教訓から言うと、「とことん考えました」とか「あらゆる可能性を考えました」とかというのは軽々しく口にできないというのが私の正直なところです。

科学哲学の歴史を振り返る

伊勢田　さて、狭い意味での科学哲学は実は最近できたばかりなのですが、それの先祖にあたるような科学哲学者は、歴史的には科学者に大きな影響を与えてきたんですよ。

須藤　歴史をどこまでさかのぼるかによりますが、それは確かにそうですね。物理学においても、ガリレオ（一五六四－一六四二）やニュートンの時代はもちろんのこと、現代物理学の基礎である相対論や量子力学の創成期においては哲学が非常に重要な役割を担いました。しかし現在ではどうでしょう。科学哲学が科学の発展に貢献するどころか、もはやそれらは互いにほとんど没交渉の状態です。むしろ大多数の科学者は、科学哲学は科学とはおよそ無関係なことを自己満足的に議論しているものとみなし、全く興味を持っていません。私は科学哲学とは、「科学とは何か、そしてその健全な発展のためにはいかなる方法論を用いるべきであるか」を提唱する学問だと思い込んでいたのですが、実はその定義からして間違っているようですね。

伊勢田　どちらかと言えば、それは失敗したんですよ。失敗したのでその路線をとらなくなったというのが実情です。

科学哲学の歴史を概説しておきましょうか。大きく四つの時代に分けられて、第一世代がウィーン学団、第二世代がクーン（一九二二－一九九六）に始まる歴史主義的な科学哲学、第三世代は実証主義的な科学哲学のリバイバル、第四世代は個別科学の哲学の進展の時代と言えるでしょう。

今、我々が科学哲学と呼んでいるものの直接の祖先は一九二〇年代から三〇年代のウィーン学団です。もちろん、科学についての哲学的な思考は昔からありますが、このウィーン学団というのは、明らかに科学改革運動なんです。当時、今でいうところの記号論理学というのが、ようやく成立したところでした。そこで、「科学の言語をぜんぶ記号論理学に還元するべきではないか」と言い始めたんですね。これを論理実証主義といいますが、論理学にもとづき、データを超えたことを言わない。これらを科学の本来のエートスだろうとしたんです。データから論理的に導ける話だけをするのが科学だという考え方です。

その結果、何が起きたかというと、これを突き詰めるとそれまで我々が理解していた科学理論は何ひとつ残らなかった。

須藤　それはそうでしょうね。自然科学とはつまるところ経験的事実に依存せざるを得ず（それが大きな魅力でもあるのですが）、数学のように完全に公理化して論理性だけを追究することは不可能でしょう。そのような理想的な体系を科学だと定義してしまうと、我々が科学と呼んでいる現実の営みが何も残らなくなる。

伊勢田　たとえば、当時すでにあった相対性理論も、公理化はできるんだけれども、絶対データから論理的に導き出せないんです。他の分野で論理実証主義的な考え方が影響を与えた社会学や心理学の運動に「行動主義」というのもあるのですが、これは人間の心理などについて、心の中は見えないから外面的に見えるものだけで議論しようという考えです。とにかくインプットとアウトプットだけで判断するということですね。二〇世紀の中頃に、とりわけ心理学とか社会学のある分野では主流を占めた考え方で、そういう意味では、哲学が大きな影響を与えていたと言えるでしょう。

ただその結果、何が起きたかというと、およそ面白い研究ができなくなってしまったんです。これがいきすぎることによって、研究としての心理学が実に貧困になってしまう。それに対する反動として認知科学が出てきました。認知科学は、心のモデル化をしますが、これは、インプット・アウトプットを見ているだけでは絶対できないことなんですよ。先にモデルを作って、モデルと整合するデータがあるかは言えるけれども、データから論理的にモデルを導き出すというようなやり方はできない。

須藤　何であれ、過度に一意性を求めることが現実的でないこともまた自明なのではないでしょうか。モデル、言い換えれば、枝葉を取り去った幹の部分を記述する具体的な仮説というのは、無数にあるかもしれない可能性のひとつを提案するという性質のものでしょう。

伊勢田　心理学では行動主義がまだ重視されていますが、認知科学ではモデル化の方が主流です。

この流れは、ある意味では哲学者が言い始めて、「科学はこうあるべきだ」とある種の理想を掲げたにもかかわらず、およそそれに乗れる科学は無かったという歴史でもあります。

須藤　結局のところ、頭でっかちに科学を理想化して定義するのではなく、もっと緩く寛容に科学を定義しないといけない、というわけですね。

伊勢田　そういうことですね。

須藤　そう言うだけなら易しいけれど、具体的に定義せよとなると難しい。そもそもその多様性自体が、科学の性質であり醍醐味かもしれませんし。

伊勢田　そこで、論理実証主義の流れがあまりにも科学を無視している、こんなに科学から遊離した基準で科学は動いていないとして、科学をもっとちゃんと見ようとしたのがクーンです。

クーンの考え方はラディカルなのか

須藤　クーンは科学者にもよく名前が知られている数少ない科学哲学者ですね。彼によるパラダイムという概念は一般の人々にまでもかなり広まっています。私も含めて多くの科学者は、「科学は、ある標準的な枠組み（＝パラダイム）を、より正確により普遍的なものにする方向に進歩する。ところが場合によってはそのパラダイムの限界が明らかにされ、大幅な修正あるいは質的に違う枠組み（別のパラダイム）の構築によって従来の実験・観測事実を統一的に解釈し直す必要に迫られる。このように科学は一定の速度で進歩するのではなく、ある短時間で急速な進歩をとげ、その後しばらくはほとんど進歩しない、といった特徴を持つ」程度に理解しているものと思われます。そしてそれは現場で研究者が抱いている経験的感覚とそれなりによく一致しており、科学者にも共感を持って受け入れられているものだと思います。

でも少し科学哲学の本をかじったところ、このある意味では当たり前の自然な説が、科学哲学者の間ではかなり批判されているようですね。クーンの真意はもっと過激なのだとか……。

伊勢田　簡単に説明しますと、まず、通常科学と呼ばれる時代があって、その時代には蓄積的に科学は進歩してきているんです。クーンによると、通常科学の時期が「普通」なんですね。その通常科学をずっとやっていくとどうもうまく解決できないものが出てくる。そういうものは、「データの読み違いだろう」「まだ我々の知らない力が働いているんだろう」といった形で疑問のまま放っておかれるのですが、放っておかれたものをあるとき、「これらは、こういう見方をすれば説明がつく」と気づいた人が、ぜんぜん違う新しい枠組みを出してくる。そうやって違う枠組みでしばらく研究が進むと、ある種勢いがついて、「新しい方がいいね」とみんなが乗り換える。ただそのときに、本当にみんなが乗り換えるかというと、そうではないんです。昔のやり方でやっている人はみんな昔のやり方で続けて、乗り換えるのは大学院生などの新しい研究者たち。

クーンがラディカルだと言われる部分はこの枠組みの交代に関わるところなのですが、最終的には古いものの見方と新しいものの見方とどちらが優れているかということに関して、共通の基準は無いと言うのですね。新しいものの見方というのは、問題設定や、解き方のルールの違いであって、どういうときに問題が解けたのかも違えば、解きたい問題も違う。ですから、実は厳密な意味で比較は成り立たないとする。そうすると、昔のパラダイムに乗っかっている人を不合理だと批判することはできないんです。これが彼の基本的な主張です。

須藤　そうだったんですか。前半までは別に何も違和感がなく、むしろ当然だと思います。一方、後半が、ふたつの異なる見方は単に違うのでありどちらが優れているというわけではない、という主張だとすれば、受け入れることはできませんね。そもそも一般に世の中の変化はかなり不連続です。ある技術・アイデア・商品の発明や発見によって、世の中が一変するというのは誰でも経験しています。たとえば携帯電話がそうでしょう。しかしながら、携帯電話が固定電話よりも優れているかどうかといった好き嫌いの議論と、ふたつの科学理論の優劣の議論とは質的に異なります。パラダイムの具体例が何であるのかよくわかりませんが、天動説と地動説、ニュートン力学と一般相対論、という対応を考えるのであれば、後者がより普遍化された枠組みになっていることは論を俟ちません。クーンは本当に、その両者が同等に存在し、区別できないと主張しているのですか？

伊勢田　天動説と地動説は、少なくともニュートンが登場するまでは、地動説の方が普遍化されていたとは言えないと思います。

ニュートン力学と相対性理論の場合、確かにより普遍的な枠組みになっていて、また、クーンもスコープの広さが科学における重要な価値だということは認めるわけですが、そこでさらに、その意味での普遍性は決して科学の唯一の価値ではないということも指摘すると思います。より普遍的な枠組みでも、実験的なサポートが薄いとか、生産的な研究につながらないとか、その分野の研究者が解きたいと思っている問題の解決に貢献しないとかいう場合、普遍性は決め手にならないかもしれません。もちろん、相対性理論も量子力学も実際には比較的短期間に受け入れられたわけですが。

須藤さんは、パラダイムの変化を、時間の変化とともに革命的に優れた理論が出てきて大きな変化がある、という一本のグラフのイメージで捉えられているのではないかと思います。しかし、クーンのイメージをグラフ化するなら、ふたつのパラダイムがあさっての方向に向かって基本的にはそれぞれがなだらかに進んでいくという描き方の方が正しいように思います（図1）。どの軸にどのくらいの重みをつけるかでパラダイムの優劣の判断は変わってくることがあり得て、どちらの道を進むかは合理的な選択ではないことになります。

なお、これが、クーンの『科学革命の構造』（みすず書房、一九七一年。原書は一九六二年）の第一版に対する一般的な解釈だったのですが、後でクーンは、「この選択も一応合理的である」という別の論文を書いています。

須藤　それを「選択」と呼ぶことが理解できません。私の念頭にある上述の物理学的「パラダイム」の例では、それらは対立するレベルではなく、後者は前者を包含するより一般的な枠組みになっています。ある程度革命的な考えであればそれを受け入れるのに時間がかかるにせよ、いつまでも昔のパラダイムだけに拘泥して研究することは実際の科学の現場ではあり得ないように思います。

伊勢田　ところが科学史で見ると、たとえば、地動説が出てきて一応共通知識になってからも、それを全員が受け入れるまでずいぶん時間がかかりましたよね。

須藤　それは当然で、単に受け入れられるまでには時間がかかる、というだけのことでしょう。革新的な考えが出てきた際には、皆が無批判に乗り換えるのではなく、保守的にその真偽を慎重に検討する方が、むしろ健全な科学的態度だと言えます。その真偽を判定する基準は、科学哲学が一般的に定義できるようなものではなく、あくまでその個別な具体例に即して判断する

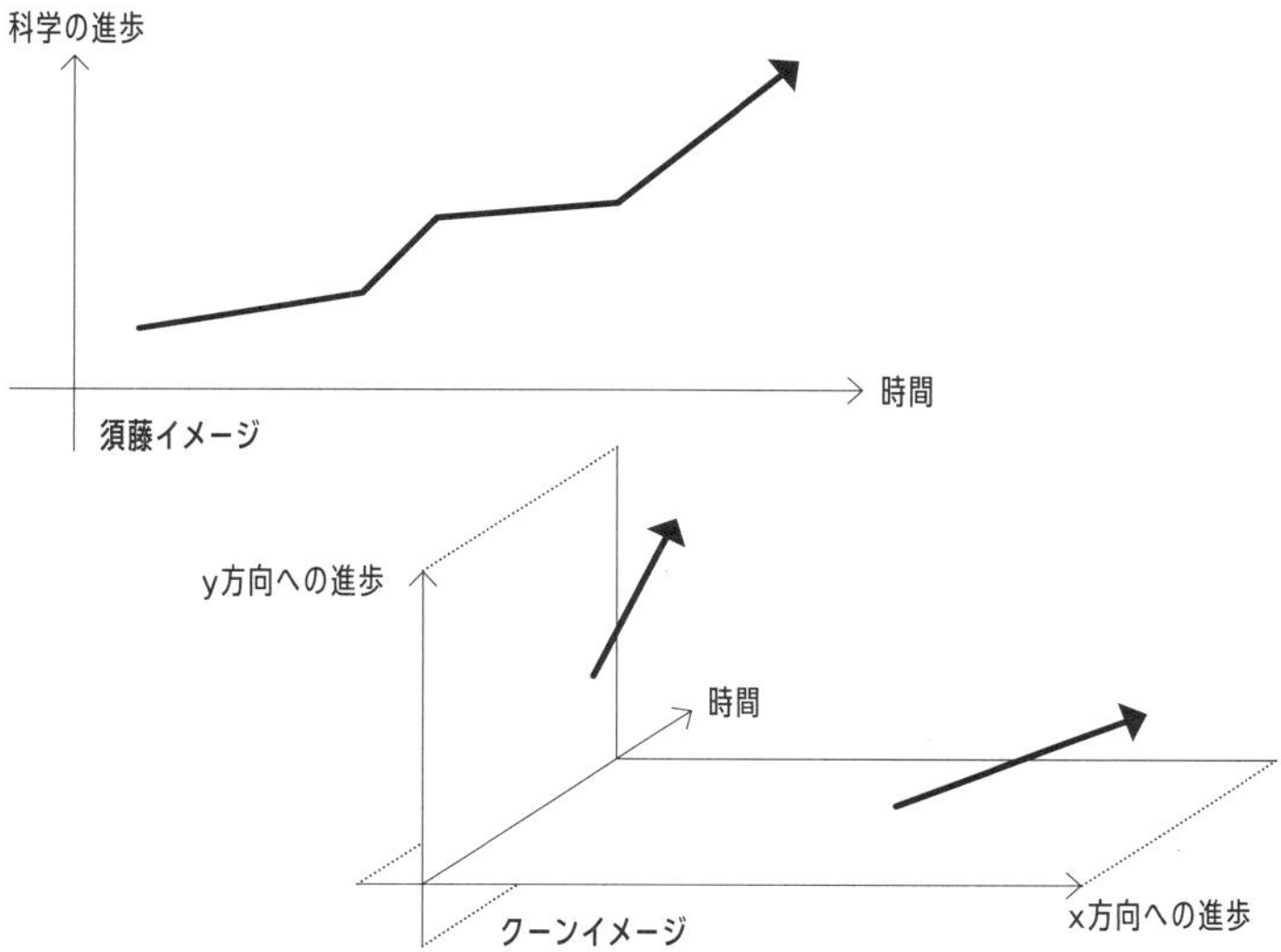

図1　科学の変化のイメージ

しかないでしょう。必ずしも最短の時間であったかどうかは別として、結果的には科学は合理的な方向に沿って進歩してきたしこれからもそうだろう、というのが私の意見です。

このような楽天的な科学観に反例を持ち出す科学史・科学哲学者がいるであろうことは予想しています。でもその反例は、科学全体から見ると些細な対象かごく例外的なものでしょうし、それらですら結局は時間が経てばすべて解消してきたはずです。

伊勢田　光の粒子説と波動説の数百年にわたる歴史はよく挙げられますね。まあでもおっしゃるように、大半の「パラダイム転換」は短期間で終わっています。クーンもそれが一世代以上続くとは言っていませんよ。

須藤　なんだ。ではまさに科学的仮説は、特に革命的であればあるほど、受容されるには時間がかかるというだけじゃないですか。過渡期の存在は不可避ですし、長い歴史から見ればどうでもいいですよね。

伊勢田　それはそうですけれども。ただ、その過渡期においてはどちらを選ぶかに関してそんなに合理的な基準が無いとも言える。

須藤　それだけの主張なのであれば、それは穏当だと思います。科学的に十分説得力のある事実が積み重なるまでは、ちょっと劣勢だからといって古い説を捨ててはいけない。それこそ、「クリシン」的に徹底的に検証する。その結果、当初はふたつのどちらが優れているかについて明確な判断はつけがたいが、やがてその優劣が明確になる。だめらしいではなく、だめだ、と断言できるまでとことん考え抜くべきだと言っているだけではないでしょうか。もしそうならば、クーンの主張の後半もまたおかしくはないですよね。私が読んだ本の中では、かなり強く批判されていたような印象だったので、クーンはもっとはるかに過激な主張をしているのかと想像していたのですが。

伊勢田　クーン自身、物理で博士号をとり何本かの論文を書いています。彼は自分が学んだ物理学のやり方を記述しているつもりだったんですね。ハーバードで物理学の歴史をしばらく教えていたんですけれども、そういう自分の経験を踏まえて「科学とは当然こうやるものだ」と、自分の経験について書いたつもりが、批判されて驚いたという経緯があります。

須藤　それを聞くとクーンに同情してしまいますね。そもそも「科学とは何か」などという命題に一〇〇点満点の答えなどあるわけが無い。八〇点程度の優れた解答に対して、残りの二〇点の減点部分だけをあげつらうことで逆に四〇点程度しかとれない不合格の解答を提案してしまう、という構図が科学哲学の議論では目につく気がします。重箱の隅をつつくような議論に終始しているようでは、バランス感覚を疑わざるを得ないですね。

伊勢田　その欠点を二〇点程度と見るのか、もっと大きく減点するのか、そのあたりの価値判断の差もあるだろうと思います。クーンを科学哲学者が批判する際に大きな要素だったのが、パラダイムなどの中心概念が曖昧でどうとでもなるようなものだった、ということでしたが、中心的な概念が曖昧だからといって大きく減点するのは、やはり科学哲学の問題意識や流儀を知らないと理解しにくいでしょうね。

パラダイムシフトで失われるものがある？

伊勢田　さて、須藤さんに高く評価していただいたクーンですが、せっかくなので、須藤さんのお気に召さなそうな側面も紹介しておきましょう。クーンがひとつ指摘していることで、パラダイムが変わると昔のパラダイムで大事だと思っていた問題が大事ではなくなってしまうことがあるということについて、変化後の議論が以前のものよりもすべての面で勝っているわけでは必ずしもないと指摘しています。

たとえば近代以前の天文学の大きな問題意識は「宇宙における人間の位置は何か」という問題でした。宇宙というのが球体の構造をしていて、その球の真ん中に地球というのがあって、その地球の上に人間がいる。そして人間は、地球の上の一番支配的な生き物である。それを踏まえて、この構造を明らかにすることが「神の計画において人間はいったい何を任されているのか」を明らかにすることとつながってくる、という問題意識だった。この球形宇宙論が完全に崩れたことによってその問いそのものが吹っ飛んでしまう。すなわち、昔の球形宇宙論の研究者が関心を持っていた問題が、新しいニュートン的な宇宙では扱えなくなってしまうので、彼らにとっては望ましくない変化だと言えるわけです。宇宙における人間の役割はなんだろうかということが知りたくて天文学をやっていた人にとっては、ニュートンのタイプの天文学は全く役に立たない天文学となってしまう。これをクーン・ロス（クーン的損失）と言って、前のパラダイムで扱っていた問題が新しいパラダイムで扱えなくなるということが起きるので、パラダイムシフトは完全な上位互換ではないとも言うのです。

須藤　なるほどねえ。でもそれも科学の進歩に従う必然的な結果のように思えますね。かつては具体的に科学で解ける問題と解けない問題が区別できなかった。当然のことです。したがって、宇宙の幾何学化という考えの下で、宇宙とは何かという問題と人間とは何かという問題を統一的に説明できるのではないかと期待した。これまたどこもおかしいとは思いません。しかしその後の天文学の進歩によって、前者は定量的に説明し理解することができる性質のものであり、後者はそれとは質的に異なる問題であることが明らかになった。その時点で、前者に興味を持つ人々と、後者に興味を持つ人々とが分かれて、それぞれ独立に自分の疑問を追究するようになった。これは研究分野の細分化そのものですよね。言い方を換えれば、宇宙の幾何学化という方向性では、宇宙における人間の役割という問題を解決することはできないことが明らかになったわけです。これは損失どころか、立派な進歩と呼ぶべきではないでしょうか。

伊勢田　少なくとも、その後の天文学ではその問題を扱わなくなりましたし、今の物理学でもそういう問題を扱わない。

須藤　その通りですが、それ自体に何か問題があるのでしょうか。だって、天文学や物理学ではその問題に解答できないことがわかったのですから。そういうことの解決に興味を持っている人には、狭い意味での天文学や物理学をやっていてはだめだ、別の方向性を模索してください、と言うだけですね。むしろその興味を持っている人の時間を無駄にしない、有用な助言だと思いますよ。

伊勢田「それは天文学でやることではない」というのは天文学という学問についての、ある種再定義なんですよ。

須藤　そうですね。でも繰り返しますが、それは学問の進歩に伴う必然的な変化でもあります。決してそのような問題意識の人を天文学から排除すべきだと言っているのではありません。より適切な名前の学問分野を立ち上げれば良いだけではないでしょうか。そうせずして、彼らにとって知りたいことを教えてくれない「現代天文学」という狭い分野に残っていても何も良いことは無い。

伊勢田　今の天文学の視点から見るとそれが当然の解決になるわけですけれども、それが当然な解決に見えない視点もある。たとえば、むしろ天文学をやる理由が宗教的な動機であった人にとっては、「いやいや、勝手に天文学という名前を名乗ってもらっては困る」という答えもあり得るわけです。

須藤　何か既得権とか登録商標のようなセコい争いになってきましたね。少なくとも物理学においては、既存の分野に飽き足らない人々が新しい分野を立ち上げることで、大きな成果を挙げてきました。生物物理学、宇宙物理学、経済物理学などはその典型例です。逆にいつまでも既存の枠にしがみつくだけでは意味がありません。おそらく物理学に限った話ではないでしょう。そのような人々のことを心配する必要は無いし、すべきでもないでしょう。むしろ彼らが、「このような方法論であれば、宇宙における人間の役割という問題を、天文学や物理学の研究対象として扱えますよ」という具体的な提案をしてくれるなら、高く評価されるでしょうし、「人間天文学」という新しい分野の創成そのものです。

伊勢田　私の言い方が悪かったかもしれませんが、登録商標とか本家争いみたいな話がしたいのではなく、実際問題として誰もそういう問題を気にしなくなってしまう、ということをクーンは指摘していたのだと思います。

それにしても、クーン・ロスという考え方を聞いてそういう建設的でクリエイティブな話につなげていくのは哲学者や歴史家にはなかなかできない発想だと思います。物理学者ならではですね。勉強になります。

須藤　そう言われてしまうとやや「戦意」を喪失してしまうのですが、さきほどクーン・ロスの説明を聞いて、いったいどこが損失なんだろうと単純に驚きました。

伊勢田　これはクーンが最初にパラダイムという概念を出したときに強調しているポイントのひとつなんですよ。いわゆるコペルニクス（一四七三－一五四三）からニュートンにいたる一連の科学革命の流れで、それまでの科学の先祖的なものとその後の科学とでは問題設定の仕方が変わってきている。

須藤 しつこいようですが、それこそ科学の進歩というものですよね。

伊勢田 科学の定義そのものが変わっていて、今の我々からさかのぼって見たときに「これは科学である」と思えるものを取り出すと、当時の人のイメージしていたその学問のイメージとだいぶ異なるものがあるということなのですが、それを単純に進歩と呼べるのでしょうか。

須藤 元をたどれば哲学はすべての学問そのものだったわけですから、現在の（狭義の）科学はそれに包含される。しかし、今では科学は哲学には含めませんし、だからといってそれに不満を述べている人など聞いたことが無い。一方で、その科学もまた、物理学、化学、生物学、などに分化してきましたし、さらに○○物理学の類いの細目は一○○個近く挙げることすらできるかもしれません。それらの中のどこかにかつての人々がイメージしていた問題が無くなっているとすれば、それはかつての問題意識が間違っていた、あるいはそんな甘いものではなかったというだけの話でしょう。

むろん、現在は手が出なくともやがては解くべき重要な問題は存在します。物理学でも、そういう問題はたくさん残っています。そしてその重要性はみんな認識しており、その問題に手が出せるような機の熟すのを待っているはずです。まだ機が熟していないにもかかわらず、ただただ悩んでいるだけでは解決しません。下手な考え休みに似たりというように、大多数の凡人（実際に革命を起こしてしまうような天才は除いて）が手を出さないのは健全だとしか思えません。

伊勢田 クーンもそれが健全じゃないと言っているわけではありませんよ。

須藤　そうなんですか。ロスという言葉から私が勝手に誤解してしまっただけかもしれませんね。

伊勢田　正確に言うと、クーン・ロスという言葉自体は、後の人がクーンの議論を解釈する際に作ったものです。そのあたりで、クーンのもともとの意図と少しずれた否定的なニュアンスが入っている可能性はあります。

彼は科学というものの営みを強く肯定しているんですよ。そういう意味ではパラダイムが入れ替わって進んでいくことも科学の合理的な営みである。だから、科学の定義が変わっていくことも非常に合理的であるとして認めている。ただ、そのときに、後の科学者が後ろを振り返ったときのものの見え方というのが、気をつけないと実に歪んだ見え方になることを指摘するんです。

須藤　なんだ、そうですか。ではこれまたクーンの主張は極めて真っ当じゃないですか。我々はついつい解けそうな問題に集中する傾向があります。したがって、その外にも重要な本質的な問題が残っていることを忘れないよう、常に注意を怠らない姿勢はとても大切だと思います。

そしてそれこそまさに私が科学哲学者に期待する役割なんですよ。もはや現代の科学が解いてしまったことを昔の問題意識に固執したままで考え続けるのではなく、今の科学では絶対解けないような領域について、どのようなアプローチをすれば良いのかを科学者と一緒になってより広い視点から考えてほしいですね。それこそが、科学哲学の相補的存在価値ではないでしょうか。

伊勢田　それは大変重い期待ですね。そういう役割が果たせれば確かに科学哲学者のあり方として理想的だと思います。でも、その期待に応えようとするときに、自分自身が物理学者でない科学哲学者としては、過去の一旦捨てられた問題意識を振り返ることは、大事な手がかりになるように思います。過去に「固執」するのではなく、歴史から学ぶ、という精神で。

反証主義は現実的な提案か、それとも机上の空論か

伊勢田　もう一人、登場の順番としては前後しますが、有名な科学哲学者のカール・ポパー（一九〇二－一九九四）にも登場してもらいましょう。

ポパーはウィーン学団と同時期にウィーンで活動を始めて、学団のメンバーに世話になったりしたのですが、哲学上はずっとウィーン学団の論理実証主義とは仲が悪かったんです。ポパーの「反証可能性」という基準はおよそ、論理実証主義と同じぐらい机上の空論です。ポパーは、ヒュームの提起した問題を非常に真剣に受け止めました。それは、「帰納」と呼ばれる推論の方法、つまりすでに観察したことのあるものからまだ観察していないものについての結論を出す推論は根本的に根拠が無いのではないか、という問題提起です。そういう推論無しで済ますために、ポパーは「反証」を科学の基礎に据えようと考えました。手元の仮説が手元の証拠で反証されたなら、そのことは帰納に頼らなくても判断できます。

さらにポパーは、この考えを科学かどうかの判断基準にまで拡張します。つまり、科学の方法論の中心が反証なら、そもそも反証があり得ないような仮説は科学としての最低限の条件を満たしていないだろう、ということです。つまり反証可能性というのは、動機としては科学の

実践とはあまり関係の無い、非常に哲学的なところからきているわけです。実際の科学史を見ても、ポパーの基準では反証されたとしか言いようのない理論がその後も生き延びていく（しかもそれが科学の成功事例としか思えない）ということがしばしば起きています。そういう意味では、ポパーの理論は机上の空論です。論理実証主義と反証主義は机上の空論同士、お互いを批判し合っていた、という言い方もできるでしょう。

須藤　ある理論が提案されたときに、その正しさはどのようにして示されるのか。どんな実験結果が出ようとその理論と矛盾しないような曖昧な内容では科学理論と呼ぶには値しない。およそ科学であるからには、どのような実験をすればその正否が明らかになると言える程度の定量性を備えていなくてはならない。正しいことを証明することは困難でも、間違っていることは証明し得るはずだ。これが反証主義なのですね。私はこれもまたかなり説得力のある現実的な提案だと思います。むしろそれを机上の空論だと批判しておきながら、それよりも優れた対案を提出できないとするならばむしろそちらが批判されるべきでしょう。

すでに述べたように、一〇〇点満点の厳密な定義が無い状況においては、八〇点の解答を批判することにだけ努力するのではなく、残りの二〇点は一般論ではなく個別に判断せざるを得ないという現実を認める感覚も重要だと思います。さもなければ批判ではなく八〇点以上の提案を行うべきです。反証主義は非常に明確であるし、必要十分とは言えずとも自然科学のひとつの判断基準として十分傾聴に値する考えだと思いますよ。

伊勢田　反証可能性は、確かに科学者に受けがいいんですよ。

須藤　でしょうねえ。現場の科学者に共感を持って認められる提案が、現場を知らない科学哲学者によって否定されるというのは、どう考えても変ですよ。

伊勢田　そういう意味ではポピュラリティは獲得したんですが、クーンがこの考えを、あまりに単純すぎる机上の空論であると批判し、否定します。そして、科学の歴史を見直す中で、科学者はパラダイムを使っているではないかと気づいたんですね。これは論理にもデータにも還元できないものの見方や問題設定のことです。何が面白い問題なのかという問題設定がくっついて初めて科学は成立する。その中にデータを差し込んだり論理を差し込んだりすることによって科学の研究は進展していくというのが、クーンの基本的な主張だったんです。

須藤　それが反証可能性を否定する議論となることが理解できません。ポパーの主張とクーンの主張は排他的な関係なのでしょうか？　むしろ相補的な気がするのですけれど。いずれにせよ、クーンは「科学研究はこのような進み方をする」という見方を提供したのであり、「こういうものを科学と呼ぶ」という定義を提案したわけではないですよね？

伊勢田　ポパーが「この理論は反証されたから放棄すべきだ」と判断する場面で、クーンが「理論は大事にとっておいて、なぜ反証に見える結果が出たかというパズルを解こうじゃないか」と判断する、という意味では、対立する部分があります。クーンが科学の定義を提案していたかどうかということですが、そういう問題を論じている論文もあります。「パズル解決」をしないような分野は科学ではない、というようなことを言っています。ただ、確かにそれは彼の仕事の主な関心ではありません。そもそも、クーンはプロフェッションで言うと、科学哲学者ではなく科学史家なんですよ。

須藤　では、「これからこういったことをやるのですが、科学と言えるのでしょうか」という問いには答えられないわけですね。

伊勢田　まあ、ポパーの基準では明らかに科学ではないものについても、クーンなら、厳密さをやわらげて「科学じゃないという理由はありません」と言うことぐらいはすると思います。それから、すみません、クーンと反証主義の関係については説明が不十分でしたね。クーンの論点は、「パラダイム」（問題設定やものの見方）に含まれるものの大半は反証可能でもないし、科学者もパラダイムを反証しようとしないじゃないか、ということです。

須藤　「大半」かどうかは何をパラダイムと呼ぶかという具体例をリストアップした上で、系統的に検討してみなければわかりません。ただし、数学の公理と同じく、物理学でもすべての理論を基礎までずっとさかのぼっていったら、最終的には証明しようのないところまで行き着く可能性は高いですね。

伊勢田　パラダイムに含まれるもののリストをちゃんと提示しなかったというのはクーンへの批判としてよく言われることです。遠隔作用というものがあり得るかどうかといった基本的な世界観みたいなもの、基礎理論をどうやって使ったら問題が解けるかという模範的な解答例、それから何度も言っているような問題設定などもパラダイムに含まれているようです（後の著作では、「解答例」が本来の意味でのパラダイムだ、というように立場を明確化しています）。「この問題はこういうふうに解きなさい」というのも、「この問題が面白い」というのも、データで証明されたり反証されたりするという性質のものではない。ですから、実は全く反証可能性が無いものに科学は依存しています、というのがクーンが言ったことです。

須藤　その類いの極論が科学哲学には多くないですか？　確かにあるレベル以上になると反

証可能性という基準を適用することは困難そうです。でもだからといって「科学はあまねく反証可能性の無いものに依存している」というのは常軌を逸しています。科学の現場で、そのようなパラダイムの基礎にまでさかのぼるような研究を行うことは稀であり、だからこそ通常の科学活動において、反証主義はかなりの場合現実的に役に立つ基準を与えてくれますよ。

伊勢田　そういうローカルな反証可能性はクーンも認める。ただ、パラダイムまで含めた全体が反証可能かというとそうではない。

須藤　だからそのような厳密な意味での一〇〇点満点の定義を求めること自体がずれているのではないかと言っているわけです。私には、ポパーやクーンの説は、例外を認めないというあまりに原理主義的解釈をしない限りにおいて、いずれも十分評価できるし納得できるように思えます。

伊勢田　科学と疑似科学の線引きという問題については、実は私は今須藤さんがおっしゃったことに全面的に同意で、その観点から線引き問題を考え直す、というのが私の研究テーマのひとつです。ただ、例外を認めない、つまり必要十分条件を探す、という問題設定そのものには意味があるとは思います。それはまた後で。

須藤　ところでそのような「穏当な」解釈に真っ向から反論したブルア（一九四二－）という人がいるらしいですね。中山康雄さんの『科学哲学』（人文書院、二〇一〇年）によると、「ストロングプログラム」という信じがたい極論の提唱者ということでした。「科学理論の受け入れと適用においては、社会的要因が決定的な役割を果たしている」という主張だと理解しました。もちろん社会的要因が科学と無関係とまでは言えないが、「決定的」と主張してしまう人の感覚は、端的に言えばずれているとしか思えません。さらに、「科学者はこのアプローチに脅威を感じた」「一九九〇年代には科学者達がこのストロングプログラムに対して反撃を開始することになる」と書かれているところは信じがたい。

普通の科学者は、およそ科学哲学者の説などには興味を持っていませんし、ましてやそれに影響されるなどということはありません。「ソーカル事件を契機として、科学者と科学哲学者の間でサイエンス・ウォーズが勃発した」の類いの煽情的な文章を見かけることもありますが、科学哲学者側の受け取り方は別として、ソーカル事件を知っている科学者の割合すら極めて低いですし、知っている人でもほとんど相手にしなかったというのが実際のところではないでしょうか。ストロングプログラムについても、その主張はおろか名前すら聞いたことが無いというのが普通の科学者でしょう。私も今回の対談のためにいくつか科学哲学の本を読んだおかげで初めて知ったのでした。仮に運悪くそのような話を耳にした科学者がいたとしても、単なる冗談だと笑い飛ばすか、おちょくるかあたりが関の山で、それに真剣に向き合うべきだなどと考えるほど暇な現役科学者は皆無だったでしょうね。

伊勢田　一応念押ししておきますがブルアは社会学者で、科学哲学者からはいきすぎだといって批判されています。それはともかく、アメリカで一九九〇年代に超電導超大型加速器（SSC）の建設予定が議会で撤回されるという事件がありました。これはアメリカの財政状況や計画の内容など様々な要因があってそうなったものですが、要因のひとつとして科学的研究の価値が疑われるようになったという要因があるのではないかと言われています。「科学的真理が社会的構築物なら、なんでそんなもののために巨額の税金を投入しなくてはいけないのか」というわけです。そのあたりの因果関係は定かではありませんが、相対主義的な傾向に科学者が敏感に反応するようになったきっかけの事件のひとつであるのは確かです。

須藤　それは本当ですか。「科学的真理の追究の素晴らしさは認めるが、なぜそれに対して巨額の税金を投入する価値が正当化できるのか」という議論があったことは確かでしょう。しかし、「科学的真理は社会的構築物だから」などという論理で、SSCが中止に追い込まれたというのは初耳です。そこまで見識の低い人たちが判断を下したとは思えませんが。

そもそもブルアはポパーとクーンの論争をイデオロギー的対立だと解釈して、ポパー＝啓蒙主義、クーン＝ロマン主義としているのも、私にはさっぱり意味がわかりません。いずれにせよそのような曲解が議論の本質からずれており、頭がおかしい人であろうという想像だけはできるのですが。

伊勢田　何を言っているかわからないのに「頭がおかしい」とはまたずいぶんですね。一八世紀から二〇世紀までのヨーロッパの文化における科学への態度は、科学や近代社会に代表される合理性への志向と、それへの反動としての人間の情熱や自然回帰の志向というふたつの方向性の間を揺れ動いてきました。このふたつの方向性を、一八世紀におけるそれぞれの代表だった立場の名前をとって啓蒙主義とロマン主義と呼ぶのは、文化社会学では以前から存在する用法です。クーン自身がロマン主義者かどうかは別として、論理実証主義や反証主義に対してクーンがもてはやされた背景には、一九六〇年代初頭の欧米の文化全体がこの意味でのロマン主義への揺り戻しを始めていたからだ、という解釈は可能です。ただ、ブルアの分析の細部はけっこう強引だと思います。

実証主義的な科学哲学のリバイバルとしてのベイズ主義

伊勢田　クーンのパラダイム論は様々な批判を受けて、今となってはあまり支持者がいません。とりわけ、科学の合理性の要素がクーンではやはり弱すぎ、科学はもうちょっと理にかなったやり方で仕事をしているだろう、という面からの批判は大きいと思います。論理実証主義やポパーの合理性の基準は確かにいろいろ問題があったのですが、クーンの次の世代の科学哲学者たちは、それ以外のやり方で合理性というものをどれだけ救い出すことができるか、という方向に問題をシフトさせていきます。その代表的な立場がベイズ主義と呼ばれるものです。これは、自分の「信念の度合」、つまりある理論の正しさについての自分の見積りを確率論の公理に従う形で修正していく方法に科学の合理性の核心があるという考え方です。

須藤　私が研究している宇宙論でも、宇宙の年齢、膨張率、元素・ダークマター・ダークエネルギーの密度、空間曲率、などの基本パラメータを観測データから推定する際に、条件つき確率という考え方にもとづくベイズ統計は標準的な方法となっています。これは「ある理論モデルが正しいと仮定した場合」、その条件のもとでそのモデルを特徴づけるパラメータの値の期待値と誤差を推定するという使い方です。その考え方をさらにより深いレベルにまで適用して、その理論モデル自体の正しさを検証しようというわけですか。だから単にベイズ統計と呼ばず、ベイズ主義と呼んでいるのですね？

伊勢田　そうです。ベイズ統計と基本的な原理は同じですけれども、統計的仮説に限らず、科学哲学では、科学的な仮説や理論全般に「主観的な確率」（もっともらしさの度合）をわりふるというイメージで考えます。データから論理的にある仮説が正しいということが導かれはしませんが、データによって、そのもっともらしさの度合がどのくらい上がるかというのは「ベイズの定理」という確率計算のルールにのっとって確かめることができるし、そこにはある種の合理性は認めることができる、というのがベイズ主義の考え方です。

須藤　まだあまり具体的なイメージがわきません。たとえばある科学仮説を決めたとき、ベイズ統計の方法を用いて、その仮説そのものがどの程度の割合で正しい、あるいは間違っているとかの数値を与えてくれるわけですか？　その結果として、科学者が現在採用している理論に対してどのような判断をし、科学者の研究にどのような影響を与える（あるいは与えることを目指している）のでしょうか。科学者不在で、そのような品評会めいたことをやってもあまり生産的とは思えないのですが。

伊勢田　どちらかというと、理論の品評会をするのは科学者の仕事だと思います。科学哲学者は、そうやって品評している科学者たちが何をやっているのか、できるだけ単純なモデルで表現しようと考えるわけです。そこで出てきたのが、科学者はベイズの定理に従って自分たちの信念をアップデートしている、というモデルです。

このモデルは、単なる記述的なモデルではなく、合理性の基準も含んでいます。「ベイズの定理」は合理性の基準としては非常に「ゆるい」ので、明らかにこの定理に反したことをしている、というのを具体例で指摘するのは非常に難しい。それでも、ベイズの定理から見ておかしな選択というのは無くはないわけで、「この証拠で仮説H１から仮説H２に鞍替えするのは変でしょう」とか、最低限の規範性みたいなものはあると思います。

須藤　少なくとも物理学においては、ある理論が受け入れられるにいたった過程は、既知の実験・観測結果をどれだけ無矛盾に説明できる理論であるかということと、その理論自体の単純さ、美しさ、普遍性、汎用性などといった尺度が絡まっているのだと思います。それをベイズの定理に従ってアップデートしていると言われれば確かにそうかもしれませんね。でもそれは当たり前のことを、ベイズの定理という単語で置き換えただけに過ぎないような気がします。それによって何か当たり前でないことがわかることも無さそうですし。それはともかく、科学哲学の文脈でのベイズ主義という考え方は理解できたと思います。

現在の科学哲学──科学の諸分野に分け入っていく哲学

伊勢田　現在の科学哲学は、このベイズ主義などが流行した、実証主義のリバイバルの時代も一段落して、「個別科学の哲学の発展の時代」とでも呼べる時期にきていると思います。現在、科学哲学の研究領域は非常に多様です。強いて全体の共通項を挙げるなら、「科学で用いられる研究方法の分析」とか「科学者にとって当たり前の前提を問いただす」といった特徴づけはできると思いますが、それより細かいところになってくると問題意識も研究対象もばらばらです。そのばらばらなものの大きな分類として「一般科学哲学」と「個別科学の哲学」と呼ばれるふたつに大きく分けることができます。

一般科学哲学というのは、科学全体について哲学的に考えることで、論理実証主義やクーンやポパーは、みな科学全体の話をしているつもりだった（実際の事例は物理学に偏っていましたが）という意味では一般科学哲学をやっていたと言えると思います。

これに対して、個別科学の哲学というのは、ここまでの話にもいくつか出てきましたが、量子力学の哲学や、生物学の哲学といったように、自然科学の諸分野について考える分野です。一般科学哲学の応用として問題設定されることもあれば、その分野に特有の概念の分析や基礎的な理論の定式化を行うこともあります。

一九九〇年代くらいから、科学哲学の研究の重心は個別科学の哲学の方に目に見えてシフトしてきました。それぞれの分野に固有の問題に取り組む方向で哲学が多様化しているのが今の科学哲学だと言ってもいいと思います。

たとえば、量子力学の解釈問題。これはもう何十年間も研究されているテーマですが、ここ二〇年くらいの間に様相解釈と呼ばれる一群の考え方が出てきて、多くの哲学者が興味を持つようになってきました。時間とは何か、時間と熱力学第二法則の関係はどうなっているか。割とマニアックなテーマだと思いますが、何人もの哲学者が取り組んでいます。あと、空間の実在性ですね。関係説と呼ばれる、空間は関係としてしか存在しないというライプニッツ（一六四六－一七一六）以来の説があって、これが[1]どのぐらい良い説なのか、といった議論もされますね。それから、不変性の概念。ゲージ対称性みたいなものはそれまで物理学の進歩において重要な役割を果たしてきたタイプの不変性と同じものなのか、違うものを単に対称性だというだけの理由で重視しているのかといった議論。後は熱力学統計力学の関係[2]を問うとか……これはもう、哲学者だけではないことになりますけども。

須藤 量子力学の観測問題とその解釈（ミクロな世界は確率的に振る舞うのか、決定論的に振る舞うのか）、時間の物理学的意味（時間の向きはなぜ決まっているのか）、空間の次元と実在性（たとえば空間は本当に三次元か）、物理学理論の対称性の起源（現在知られている四つの相互作用はすべてゲージ対称性という不変性から導かれるがそれはなぜか）……これらはいずれも超一級の根源的問題です。しかしながら、物理学者抜きに単なる思弁的な議論を繰り広げるだけでは何の解決にもならないでしょうから、物理学者をどう巻き込んでいくかが鍵ですよね。

伊勢田　実際、この議論を哲学者だけでやっている例はまず無いです。だいたいは、哲学者と物理学者がコラボレーションするような感じで議論をしていると思います。アメリカなどでは、哲学者と物理学者が協力するための研究会が開催されている。私の古巣のメリーランド大学では、年一回「物理学の基礎の新しい方向性」という会合をやっていて、哲学者と物理学者の両方が研究発表をしています（http://carnap.umd.edu/philphysics/conference.html）。

生物学の哲学というのもあって、進化論の理論的な問題や、機能という概念が使われるが、これはいったいなんなのかといった問い。あと、遺伝学と分子生物学の関係ですね。いろんな分野間の還元関係とか、まあそういうのが割と科学哲学の中で論じられている。

須藤　遺伝学は結局のところ分子生物学に帰着するか、という問いですか？

伊勢田　そうですね。たとえばメンデルの法則は、完全には分子生物学の言葉に置き換わらないんですよ。

須藤　それは物理でいうと、あらゆる現象は要素還元の終着点として素粒子論に帰着する、あるいは逆に、個々の素粒子の性質がわかっても無限に近い自由度が複雑に相互作用することが生まれるこの世の中の多様な現象は何も説明できないというふたつの極端な立場の間の価値観の差と同じ意味においてでしょうか。

伊勢田　大筋はそうなのですが、「完全に還元できる」の方が真実に近いと考える人と、そうでない人の間に、けっこうな温度差がある。あと、法則とは何かという話のバリエーションで、生物学に普遍法則はあり得るのかという問いもあります。法則が無いとしたら、生物学はそもそも科学なのかということにもなります。それに、実は生物学は山ほどモデル作るんですよ、普遍性は無いけれども。だからそういう意味で、法則性というものを科学理論の本質的な要素にすると、生物学は科学でなさそうだけれども、モデルというのが本質だとすると割と科学に入れてもいいというような、そんな議論とか。

須藤　生物学であろうとなんだろうと、およそ科学的現象の背後に法則が無いと考えることは不可能でしょう。むしろ、それがどれだけ簡単に記述できるものなのか、あるいは数学で記述し尽くせるのか、という議論であれば十分理解できますが。

伊勢田　もちろん、そうです。ただ、生物学的な法則と呼べるものがあるかどうかについては否定的な立場の人の方が多いと思います。

　そう考えるひとつの理由として、生命の発生も、その後の進化の歴史も、一回きりの、非常にユニークな出来事なわけです。そして、次にどこかで生物が発生したときに、地球上の生物と同じメカニズムを使って栄養摂取したり生殖したりする保証はない。そういう、過去に一回だけ起きた、同じことが起きる保証のない実際の歴史の流れについて考えることが、科学であり得るのかどうかということが問題になるわけです。

須藤　そう言われると天文学はまさにそうなってしまいますが。

伊勢田　ですから歴史科学には天文学も入っています。特殊なタイプの科学として、ひとつのカテゴリーとしてその方法論を考えるべきなのかどうかみたいなことが、ひとつの研究対象になっている。歴史的説明というのが他の説明と違うタイプの説明なのかとか。

須藤　常識的には、科学の定義をどこまで広げるかというだけの問題ですよね。確かに宇宙も地球も一回しか誕生しないという限りにおいて、再現性はないし検証可能性も無い。だから宇宙論や天文学は科学ではない。そう言い切ってしまうのは自由ですが、そう言ったところで別に何も新たな知見が得られるわけではない。単に、そのような科学の定義になじまない分野もありますね、というだけの気がします。

伊勢田　確かに、単に「科学」という言葉にいろいろな定義の仕方があります、という話にしてしまっては面白くないですよね。でも、「科学」という言葉にはある種の規範性がつきまとっていて（だからこそ「非科学的」に否定的なニュアンスが伴う）、その規範性に見合うような何かを、歴史的に一回きりの出来事を扱う分野も持っているかどうかというのはもう少し面白い問題になると思います。

　科学とみなすかどうかのひとつのポイントは、どのぐらい客観性を追い求めているのかということでしょうね。そして、社会科学や歴史科学あたりの分野全体に言えるんですけれども、主張していることの客観性を追求するとそれだけ言えることが少なくなるんですよ。では客観性と生産性のバランスはどうあるべきなのか。

須藤　私も学生の頃、酔っぱらうとそのような話をよくしたものです。ちょっと考えれば誰でもすぐに気づいてしまう程度の問題ですよね。そして考え始めればけっこう楽しい。我々は楽しく議論して喧嘩すればそれで満腹というわけで、「まあいろんな考え方があるよね」程度でおしまい。これに対して本物の科学哲学者が議論した結果、それよりどれほど深い考え方や結論が得られるものなのか。失礼ながら、正直かなり懐疑的なのですけれど。結局は思想や好き嫌いの違いに帰着してしまうだけではないのかなあ。

1　現在のところ、物質の間に働く力(=相互作用)は、電磁力、弱い力、強い力、重力の四つですべて記述できると考えられている。これらは全く異なる性質を持っているにもかかわらず、すべてがある種の対称性、すなわち何からの変換を行ってもその性質が不変である、という著しい特徴を持つ。これをゲージ対称性と呼ぶ。この対称性に基づき、実はこれら四つは本来はひとつの同じ力なのではないかと考えられている。これを力の「統一」と呼ぶ。実際、電磁力と弱い力の統一モデルは完成しており(ワインバーク・サラムモデル)、このモデルの予言のひとつが最近検出されたヒッグス粒子である。これにさらに強い力を加えたモデルが、大統一モデルで、いくつかの説が提唱されている。しかしながら、最後の重力を含めた真の四つの力の統一は完成しておらず、その有力な候補のひとつが超紐理論である。科学哲学の側では、こうした対称性をどう理解するべきか、とりわけ数学的な変換と物理世界との関係をどう考えるべきか、単なる数学的操作に過ぎないならそれをてこに統一理論を作る根拠は何か、ということが問題となっている。

2　熱力学の第二法則はエントロピーは増大する(つまり、世の中は常により乱雑となる方向へ進む)というもので、これは時間の向きを決めていると考えることもできる。しかしながら、その熱現象の基礎にあると考えられる分子の運動はニュートン力学に支配されており、時間に関して対称、すなわち、時間の向きを逆にする運動も必ず起こるはずである(この想定にもとづいて構築されているのが統計力学である)。では、こうした熱力学の非対称性(時間に関する非可逆性）はどのように理解されるべきなのか。具体的には、熱現象も時間に関して対称な運動に還元される（つまり熱力学は統計力学から導出される）と考えるか、それともミクロな運動に還元できない新しい秩序がマクロなレベルで発生している（創発現象と呼ばれる）と捉えるかといった選択肢が考えられる。

第3章

哲学者の興味の持ち方

ここまで、科学哲学の全体の構造を俯瞰すると同時に、その歴史的な流れを概観してきた。

この章では、科学哲学も含めた哲学がいかにして現代においても存続し続けているのかを、問題の取り上げ方、興味の持ち方という側面から考えていく。

科学者からは、哲学者の関心の持ち方がどのように見えるのか。

哲学的な興味や関心は、科学者の批判に耐え得るか。

行為論を例に哲学者の興味の持ち方を考える

伊勢田　まだ須藤さんは自然科学に解消されてしまわないような哲学に特有の問題設定や関心の持ち方が現在も存在しているということに納得されていないように思います。それで、狭い意味での科学哲学ではないのですが（社会科学の哲学や脳科学の哲学とは関係しますが）、分析哲学の分野から、行為論を例にとって、我々の日常生活に関わるような出来事について哲学者がどのような問題を設定してきたのか、それがどういう意味で自然科学に解消されない問題意識なのかということを見ていきたいと思います。

たとえば私が今、ペンを持っていて、誰かにはたかれてペンを落としたとすると、「私がペンを落とすという行為をした」とは言わないですよね。ところが、私が自分の意志で手を離して落としたら、「落とすという行為をした」と言いますね。ところが、現代の知識として、我々の脳の中のプロセスというのは何かしらの物理的なプロセスから発生しているとわかっている。そうすると、「いったい、その行為を行為たらしめているものは何か」と考えるときに、「行為は存在しない」とする考え方があるんですよ。つまり、突き詰めていくと、手をはたかれてペンを落とすのと、別のところから脳に刺激があってそれによって私がその行為をするのとには、何も違いは無いではないかと言えます。

でも、そうすると我々は社会や世界を今までのようには解釈できなくなってしまう。というのも、我々の社会とか我々の日常的なまわりの世界の理解というのは行為という概念がものすごく深く影響しているんです。たとえば私の著書について、「私がこの本を書いた」と言いますけれども、それは私が本を書くという行為をしているわけですよね。もし、自動筆記で私自身は全くこんなものを書きたいと思ってないのに、どこかから指令がきてこの本を書かせられたのならば、内容がおかしいものであったとしても「伊勢田さんはひどい本を書いたね」という話にはならないでしょう。そういう意味で、我々の世界の解釈において、行為という概念は基礎的な概念なんです。

だから、「手をはたかれてペンを落とす」のと自分の意志で「ペンを落とす」のとの区別が残せるようにした上で、今の我々の物理学などの知識と矛盾しないような形で、行為の概念を再構築したいというのが行為論という分野です。厳密に言うと、「物理学と矛盾しないように」と言うと言いすぎで、「矛盾しないように構築できないならば、矛盾してもいいや」という考え方もしているのですが。

須藤　「物理学と矛盾しない」と言いますが、それはどういう意味でしょう。もしもこの世界を貫いている法則という意味を物理学で代表させているならば、物理学と矛盾するような行為の概念を作ることなどできないとしか思えませんが。それとも「現在の物理学の知識だけではまだ理解できてない」という狭い意味なのですか？　それならば不思議ではないかもしれませんね。

伊勢田　そのふたつの中間くらいでしょうね。「現在の物理学の知識」というほど限定的ではないけれども、その背景にあるかなり基本的な前提に抵触せずに、といったところでしょうか。たとえば、行為論の世界でベーシック・アクション（基礎的行為）という、一連の行為の出発点となる行為が脳の中で行われているという考え方があります。「ペンを落とす」という行為をするには、「ペンを持っている指の力を緩める」という行為をする必要があって、その意味でこの「力を緩める」という行為は「ペンを落とす」という行為よりもベーシックです。そして、手の力を緩めるためには、「手の力を緩めよう」と心に決めるというもっとベーシックな行為が必要です。この意思決定がなされていなかったら、手をはたかれてペンを落としたのと似たようなもので、自分の行為とは言えなくなるでしょう。さらには、その「心に決める」というのが外からの力でいやおうなくしたことであっても、介入するポイントが違うだけで、「ペンを落とした」のではなく「ペンを落とさせられた」のだ、と言えそうです。

そこまで考えると、この、「心に決める」という行為は、他のもっとベーシックな行為から二次的に出てきたものでもなく、外からの力でいやおうなくさせられたのでもない、最もベーシックな行為でなくてはならない（さもなければ「ペンを落とした」という行為も存在しなくなってしまう）ということになります。このような、一番基礎的な行為をベーシック・アクションと呼ぶのです。

しかし、もしベーシック・アクションというものがあるとすれば、それは他の行為によって引き起こされたわけでもなく、外からの力で引き起こされたわけでもないわけですから、いわば自分で自分を引き起こした行為だということになります。そこで、そんな意味でのベーシック・アクションというものが存在する余地が、現在の物理学の背景となるような世界観の中に本当にあるのか、あるとしたらそれはどんなしかけになっているのか、ということが問題になります。

須藤　これまた、行為の定義だけの問題ではないのですか。なぜ「落とす」にいたったかをさかのぼれば、最終的には我々個人と外界の環境とを結ぶ相互作用の伝達系が無数のパラメータで記述される。それらの組み合わせによってどのような判断を下すか（あるいは応答と呼んでも良い）は、人によって多種多様である。とすれば、仮に外界の環境が全く同じであっても、それに対応した応答は人によって異なる。これを外から眺めれば自由意志そのものであるし、もちろん物理法則に矛盾する余地などない。この程度の単純な解釈ではだめなんですか？

伊勢田　ベーシック・アクションになんらかの自発性があるかどうかですよ。

須藤　自発性というのは今述べたように、人によって環境に対する敏感度を支配する無数のパラメータ群の値のセットが異なるために違う結果を生むのだ、と考えれば解決していませんか？

伊勢田　そういう答えだと自発性は残りません。哲学者のイメージする意味での自発性の条件としては弱いですね。無限のパラメータがあって場合によって違うっていうのは、それこそ天気だってそうですよね。天気について我々は「自発的」とは言いませんよね。

須藤　それも自発性の定義の問題ですね。現象に人間が介在する場合に「自発的」という言葉を使うだけではないのですか？　そして人間も突き詰めていけば、物理法則に従って応答する部品の集合体ですよね。未だ解明されていないにせよ、人間の意識にしてもつまるところ物理法則に従った神経系や脳組織の集合体によって生じているものでしょうから、自由意志の存在もまた同様の観点で保証されているのではないでしょうか？

伊勢田　まさに「人間も突き詰めていけば、物理法則に従って応答する部品の集合体」なのかどうかというのが、さきほど言った、「行為」という概念が物理学と矛盾するかどうか、という問いで問題になっていたことなんです。

この話は自由意志ともちろん無関係ではなくて、ある種の自由意志があれば行為論のこの問題は解決するんです。ただ、自由意志がなくても、行為は一応存在し得るかもしれない。だから、今の我々が脳なんかについて知っていることをもとにすると、厳密な意味での自由意志はどうも無さそうだとなってきていますが、「でも、自由意志は無いけど行為はある」ぐらいの余地があれば、それはそれでひとつ残せるものがある。

須藤　自由意志は存在しないという説が主流になりつつあるという状況には納得しかねますが、

それも自由意志の定義を正しく理解していないだけなのかな。私が述べた無数のパラメータで特徴づけられる集合体というのは古典力学的な意味でしたから原理的には決定論に従うわけですが、もしそれが嫌ならさらに量子力学的な確率的振る舞いまで持ち込めば、もう自由意志と言っても良いんでしょ?

伊勢田　いや、だめです。

須藤　え?　それでもまだ自由意志ではないのですか?

伊勢田　自由意志ではありません。確率的にあることは自由ではないんですよ。

須藤　たとえば、ペットボトルの水を見て「飲みたいなあ」と思う。これを私は自由意志のせいで飲みたいと思っていると解釈する。一方それを突き詰めて考えてみると、外部環境の影響下で、現在の自分の生理的心理的状態を記述する無数のパラメータの値が決まり、その膨大な組み合わせに依存した生体反応の結果、脳が「飲みたい」という結論にいたる。膨大な組み合わせのどこに重きをおくかによって判断が異なるわけなので、実質的には無限に近い数のパターンが存在し得る。とすれば事実上「自由」意志と区別できない。もしそれでも決定論的なルールに従っている点で嫌ならば、どこかに量子力学的な確率(というかノイズ)を持ち込めば良い。それらを通じて最終的に飲む、飲まないが決まるのだとすれば、それこそ自由意志ではないのですか。

伊勢田　ありません。その須藤さんの主張は、哲学がやっている自由意志論の中では決定論に近くなります。決定論という言葉の用法は何種類かあるんですけれども、確率的にも完全に物理法則に依存した確率であるならば、それは外からの強制がいつも同じかランダムな分布をしているかの違いでしかなく、いずれにせよ、「我々の」自由ではありません。

須藤　そうですか。では、私が述べた解釈は「自由意志が無い」という考え方に分類されるのですね。その分類には納得できませんが、だとすれば「自由意志が無い」とする説も、初めて聞いたときにぎょっとするだけで、実際には単なる定義の問題でしかないような気がします。

伊勢田　須藤さんのような立場ももちろんあり得るのですが、これまで自由意志の概念にもとづいて組み立てられてきた我々の世界に、それをそのまま影響させようとすると、仕組みがすべて崩壊してしまうかもしれません。

須藤　それ本当ですか？　単なる定義の問題に過ぎないとしか思えないのに、それが実際に社会に影響を与えることがあり得るのでしょうか。

「哲学的考え方」と「科学的考え方」の違い

伊勢田　須藤さんは単なる定義の問題と言いますが、「行為」にせよ「自由」にせよ「意志」にせよ、好き勝手に定義できるものではなくって、すでに定着した使われ方があるし、その使われ方において社会的に重要な意味を持っていたりするのです。だから、こういう概念についての議論は、それ自体では価値や規範に関する議論ではないけれども、価値や規範を横目で見ながら議論を進めなくてはならないことになります。こういうところが、概念を自分たちの好きに定義できるのが当たり前の自然科学の考え方と哲学の考え方が大きく違うところではないでしょうか。

たとえば、我々の社会における道徳にも法律にも、その人の自由意志でやったことでなければ免責するというルールがあります。だから、自由意志というものが無いのならありとあらゆる犯罪行為が免責される。我々の社会のものすごい基本的な部分を、自由意志という概念が支えているんですよ。

須藤　でもそれは何をもって自由意志と呼ぶかという問題に過ぎず、どのような犯罪行為を免責するかは本来それとは独立に決めるべきものではないでしょうか。そもそも自由意志に関する共通理解が無いにもかかわらず、「自由意志でやったことでなければ免責するというルールがある」という主張自体私には受け入れられません。万が一自由意志が存在しないと仮定した場合すべての犯罪は処罰してはならないという結論になるとすれば、それは処罰の判断基準を変更すべきだというだけではないでしょうか。

伊勢田　まあ功利主義などの倫理学的な立場をとるとそういう答えも無くはないですが、普通は処罰するべき理由があるから処罰すると考えるわけです。それは法律を改正すればよいというテクニカルな話ではなく、そもそも処罰というものの理念に関わる問題です。そもそも処罰というのは自由意志で行われた行為に対して行うものですから。

須藤　哲学者としてはそう言わなくてはならないかもしれませんが、理屈と現実的な規則とは区別しなくてはきりがありません。万が一自由意志が無いとしても、犯罪を犯す人とそうでない人は厳然として存在します。そこには自由意志の問題などという理屈とは無関係に現実的に線引きをすることが不可欠です。少し異なる例を出せば、犯罪を犯す人はすべて病気であるという主張にしても、病気の定義とその検出精度が上がればあながち間違っているとは言えないかもしれません（そもそもすべての人間は病気であるという主張だって正しいとしか思えません）。その場合には犯罪の処罰の判断基準を変更せざるを得ないだけの話ではありませんか。

伊勢田　哲学者はむしろ功利主義のように自由意志の有無にかかわらず処罰を正当化できる理論も持っているので逃げ道があります。困るのはむしろ法学など、実学に近い分野の方ではないでしょうか。それから、犯罪者がすべて病気だ、という結論になるという思考実験の方は、想定自体にいろいろ問題がありますが、それはともかくとしても、すべての犯罪が病気だということになれば、処罰ではなく治療や隔離といった考え方になるでしょうね。また、病んでいるか病んでいないかと、自由意志を持っているか持っていないかは必ずしもつながらないので、例としてはあまりよくないですね。

須藤　自由意志を持っている・持っていないという問題が犯罪処罰に影響するとおっしゃったので、それに反対するための具体例として、病んでいる・病んでいないの話を持ち出したつもりです。

伊勢田　それはどちらかというと若干脇道にそれた話ですね。

須藤　哲学者は違うのかもしれませんが、派生的であろうと何だろうと具体的な例を念頭におかずには、私は物事を考えられないんです。具体例も無しに、抽象的に「こうすると体系が崩れるでしょう」と言われても、そうかもしれないし、そうでないかもしれない。やはり具体的な例に即して判断したいのです。おそらく個別の事例にはそれぞれ解決策があるはずで、一般論として枠組みそのものが崩れてしまうなどと言われてもとても納得できません。無意味に一般化して悩んでいるだけで、あまり建設的ではないように思えます。

伊勢田　常に具体例に戻りながら抽象的な問題について考えるというのは哲学者も同じです。でも「自由意志」と「病気」については抽象と具体という対比になっていないと思います。具体例を使って考えるにしてもずれた具体例ではかえって混乱するだけです。また、個別の事例に解決策があるといっても、そうしたテクニカルな解決をするための根拠は何かということを、考えなくてはいけないんですよ。

須藤　その問題設定はとてもよくわかるんですけども、本当に犯罪の処罰が哲学的にみんなが合致したところで決まっているとは思えないのですけど。

伊勢田　でも、法律の理屈としては、意志の有無を検討しています。

須藤　それはむしろ自由意志という哲学的なものではなく、何らかの客観的な差異が認められるかという点で判断されているのではないですか?　たとえば専門医が「この人は病気ですから判断能力が著しく欠如しています」と診断したならば、それをもとに議論すればよいのであって、万人に自由意志があるとか無いとかといった議論とは全くレベルが違うと思います。

伊勢田　ちょっと待ってください。「崩壊する」という言葉のイメージが須藤さんと私でぜんぜん違うんです。私は、自由意志という概念が無くなったからといって、社会が処罰のやり方を変えるとは思っていません。ただ、こういう価値とか規範とかが絡む思考実験で気をつけなくてはいけないのは、その状況で人がどうするか、ということと、その状況で人は何をしてよいのか、ということを区別しなくてはならないということです。その規範という観点から見たときに、根拠の無いことをやっているという意味で哲学的な崩壊なんですよ。

須藤　そうだとすれば、結局は言葉の意味の違いに過ぎず、哲学的な崩壊というのは実質的には問題ではない、ということになりませんか？　さきほど、一般的な枠組みで言われてもわからないから、具体例で議論しましょう、具体例であれば個別に対処法を提案できるはずです、と述べたこと、そのものですね。

まさにそれが哲学者と自然科学者の気にする場所の違いなのかもしれません。私は、宇宙がどうやって誕生し、素粒子がどのような階層になっているかを理解したいと思っています。しかしそのレベルまでの深い理解が無くとも、現在の宇宙の進化や素粒子モデルから帰結される物質の振る舞いは十分記述できています。そしてそれらは、今後さらに深いレベルの理解に到達しようと、現象的な記述のレベルにとどまる限り（すなわち、それはなぜ？　と問い返さない限り）影響を受けることはあり得ません。

何を言っているのか抽象的すぎてわかりにくいかもしれません。たとえば、太陽のまわりの地球の運動は、地球が根源的には原子からできているのか、クォークでできているのか、はたまた超紐でできているのかなどといった事実とは独立に、十分高い精度で記述できるということです。この世界はある意味では、このようにより基礎的な階層の理解が無くともその上の階層の振る舞いは記述できるという（私にとっては驚異的な）性質を持っています。これがすべてを完全に理解せずとも現象論的に世界を記述することが十分成功をおさめている理由に他なりません。

伊勢田さんが言っていることは「素粒子がスーパーストリングからできているのかどうか知らないと、今まで信じてきた世界の記述が崩壊するでしょう」と同じように聞こえます。これは興味を持っている部分の違いに過ぎないかもしれませんが、私であれば「大丈夫。そんなより基礎的な階層の構造には関係無く、今まで我々が信じてきた現象はすべて同じままです。困ると言うなら、その具体例を出してください」と答えるだけです。
真理は必ずあると私は思っていますが、その真理を我々がどこまで知り得るかはわからない。しかし、その問いと、我々が通常経験する現象の記述とは関係無い。ある概念を知った瞬間に、すべての現象ががらがらと変わるなんてことはあり得ないようにできています。法律というのも本来はそのような意味での安定性を備えたものでないと困りますし、ある意味では臨機応変に細かい修正を施せばよいだけの話でもあります。だから、哲学的な崩壊というのは別に怖がる必要など無いと思います。

伊勢田　ただ、社会現象に関する話と、自然世界に関する話とでひとつ違うのは、社会は我々がある意味作るところもあるというところです。今現象論とおっしゃるものに対応するのはたぶん法制度ですけれども、場合によっては哲学が変わることによって法制度を変えなければいけないと考えることがあり得るわけです。

須藤　それはわかります。であれば、そうすればよいだけのことです。しかもその変更はあくまで修正に過ぎず、今までの体系をがらっと変えるようなものではあり得ない、と言っているわけです。

伊勢田　そういう意味では現象論と上の構造が最終的に矛盾しちゃいけないっていうのは、社会問題に関する話で言えば、どちらが変わることによって一致させてもかまわない、という意味では若干違うところなんだと思います。

須藤　法律というのは常に変わっていますが、それは哲学的な背景の変化を受けているというよりも、社会と人々の共通認識の変化に伴って、徐々に修正が加えられているのだと思います。具体的な事例に対して、現時点でどのような法判断を下すべきかということが大切なのであって、そこに自由意志があるか無いかという次元の異なる問題を持ち出してきても建設的とは思えません。

伊勢田　ただ、この人は判断能力が無いから免責するというとき、その理由が自由意志論を前提とするものであったとして、その自由意志論が否定されてしまえば、その議論は力を失うわけですよ。

須藤　だから、それはおそらく哲学者的な考えに過ぎず、我々が知るべきなのは具体的な判断能力があるか無いかの基準なのであり、自由意志があるか無いかといった大げさなレベルまでさかのぼる必要は無いと主張しているのです。

伊勢田　ちょっと待ってください。それはそのレベルでは私はもっと現実的な話をしていて、判断力が無い人をなぜ免責するのかという理由づけに失敗したならば、判断能力の無い人を免責できなくなる可能性があるんです。具体的なレベルの判断の話であっても、その具体的なレベルの判断の根拠として自由意志が使われていたときには、自由意志というものが存在しないということになったときに、議論の根拠が失われることによってその議論自体がうまくいかなくなって、反対派に転向せざるを得なくなるということが、具体的なレベルでも起こりますよということです。

須藤　まさにその部分に私は納得してないんですよ。むしろ自由意志というところまでさかのぼるからいけないのであって、犯罪行為をした場合に他の事例と比較してそれを免責するに足る事情があるか無いかという観点で議論すればよいだけではないでしょうか。各人があずかり知らない自由意志の有無などという議論に持ち込む意味がわかりません。

伊勢田　それは、法学者の発想ではないですよ。『刑法総論』とかそれに類するタイトルの本は大量に出版されていますが、どれか手にとって見ていただくとよいと思います。「行為論」や「責任」という項目がたいていの本には設けられていて、そこでは須藤さんのおっしゃるような具体的な話の前提として、自由意志（刑法学では「意思」という字を使うことが多いようですが）や行為と責任の関係とか決定論（法学で主に想定されるのは環境決定論の方ですが）の扱い方といった、大変哲学的な論争が行われていることがわかります（私が見た中では齊藤信宰『新版　刑法講義〔総論〕』〔成文社、二〇〇七年〕の五〇―六五ページ、三〇八―三一二ページなどがよくまとまっていました）。

須藤　そうなんですか？　自由意志の有無と犯罪行為の責任認定とを必ず結びつけるべきだという発想は、私には理解できません。哲学者や法哲学者は別として、我々一般人はほぼ同じ感覚だと思うのですがねえ。そもそも自由意志の定義自体にこれだけ議論が紛糾するにもかかわらず、実際の法律が自由意志という定義が未確定の概念に支えられているとしたら恐るべきことです。

伊勢田　私は必ずとは言ってないです。ただ、無関係ではないという話をしています。場合によっては、そういう非常に上の方での崩壊が下の方にものすごい大きな波及効果を及ぼすことがあるという話をしていて、実際、免責みたいな問題に関してはけっこう哲学的な理由が持ち出されるんですよ。

須藤　犯罪行為の処罰という極めて具体的な社会的取り決めに対して、哲学的なところに答えがあるという考え方自身、にわかには信じられないのです。

伊勢田　誰も答えがあるとは言っていませんし、私も答えがあると言っているわけではなくて……。規範の体系というのを、ある種の公理系のようなものと考えていただくと私の言っていることがもう少し伝わるのかもしれません。基本となる、それ以上正当化しようのない規則や世界観を公理とおいて、そこから定理として派生的な規則を証明する、というイメージです。基本となる規則や世界観はいろいろな組み合わせがあり得るという意味で、ここで言う公理系はいくつかあり得るということはお認めいただけますよね。そして、幾何学の場合と同じように、違う公理系をとると違う結論が出ることも、理解していただけますね？

須藤　はい、それはそうだと思います。

伊勢田　では、基本公理がひとつ変わったらその公理から導き出されたいろんなものがぜんぶ変わるのではないですか？

須藤　だからそれこそあまりに一般的な議論でしかなく、具体性が無いと主張している理由です。少なくとも物理学は、世界の基本構成要素が超紐であろうと原子であろうとそれらより大きなスケールで記述した現象は変更を受けないようになっています。逆に言えば、日常生活と矛盾するような公理系があったとすればそれは単に正しいものではないのです。許される異なる公理系というのは、そのような現象を同等に説明するものに限られるはずです。

伊勢田　それは物理の世界の話で、社会の仕組みがどうあるべきかとか処罰がどうあるべきかとか、そういう話には必ずしもあてはまりませんよ。

ますよ。

須藤　私は世の中の理解の出発点は「上から来ている」のではなく、「下から来ている」と考えるべきだと思うのです。私のような普通の人間にとって、善悪とは、自由意志の存在などとは無関係に日常生活の積み重ねから生まれた思想や価値観に依存して判断しているのだと思い

伊勢田　ちょっと曖昧な表現なので確認したいのですが、「実際に人々は「下」から考えている」という事実認識の意味で「下から来ている」のですか？　それとも、「規範は下から正当化される」という価値を含んだ意味で「下から来ている」とおっしゃっているのですか？

前者でしたら、最近の道徳心理学の研究でもそれに近いものがあります。たとえば、近親相姦はなぜいけないのか、という質問をするという実験があって、被験者が挙げた理由について、いちいち、「その理由があてはまらない状況を作れば近親相姦は構わないですか？」と聞いていくと、最後には「とにかく近親相姦はいけない」と理由を挙げずに言うようになる、というのです。つまり、これは最初から直観で答えが決まっていて、その後で理屈が作られている、ということです。ただ、もちろん問題が複雑になればなるほど、そういう直観は働きにくくなります。そういうところでは、「上から」の要素が強くなるのではないかと思います。

後者でしたら、正当化は難しいのではないでしょうか。みんなの「下から」の感覚が一致していれば、問題は表面化しないでしょうが、そうでない場合、どの規範を受け入れるのか、社会的な合意が必要です。

須藤　何か難しいことを聞かれてしまっているのでよく意味がわかりません。私の「下から来ている」という表現は、我々一般人が何らかの判断をするときには根本の公理系を参照するの

ではなく、それから派生したもっと下の階層の経験的な判例を参照しているという意味です。そしてそのような下の階層の判例は、最上位の公理が置き換わろうと変更されるようなものではないはずだ、という主張です。むしろ経験的な判例を整合的に説明できることこそ、最上位の公理が満たしているべき条件だと考えるからです。

伊勢田　その、「変更されるようなものではないはずだ」というのがダブルミーニングになっているんじゃないでしょうか。実際問題として変更されない、というのと、変更してはならない、というのと。このふたつは違うことです。しかし、それはおくとしても、みんなが納得する「判例」が無いこともありますよね。

哲学者が存在意義を認められているひとつの理由として、今話してきたようなテーマに、そもそも答えを持っていない人が多かったり、あるいは判断が難しくなればなるほどわからなくなる人が増えたりするということがあります。そういうとき、哲学者の先生がどう考えるかが問われてくる。最初から答えがわかっている問いにおいては、哲学者なんてほとんど見向きもされません。けれども、答えがわからない問題や、どうやって判断したらいいのかという問題が出てきたときに、根拠は結局何だったのかというところから問い直していくのが、哲学者の立場でもあると言える。

須藤　仮にそのような状況になった場合、本当に哲学者が実用的な判断をしてくれるとお考えですか？　私には信じられません。そのような具体的事例が過去にあったとすれば教えてほしいものです。

哲学者のことは知りませんが、科学者にしても、マスコミ、とりわけテレビによく露出している人は、およそその分野の代表とは思えないような人である場合がほとんどです。にもかかわらず、世間ではその人が分野を代表する意見を述べていると誤解している。しかし現実には極めて微妙な判断を迫られる場合であればあるだけ、必ず異なる複数の意見が対立しているはずです。自由意志の有無が本当に現実的な争点となった場合に、哲学者が一致した見解を与えてくれるとは思えませんし、そうあるべきかすらわかりません。

伊勢田　私もそれはよろしくないと思います。そうではなく、いろんな意見を出すために役に立つ存在と言えます。

須藤　だとすれば結局いつまでも結論の出ない論争を続けてしまうだけですよね。少なくとも今例として考えている犯罪行為の処罰の場合は、そもそも自由意志の有無などという根源的な問題と絡めてしまったこと自体が失敗で、より下層の経験事実にもとづいた判断を行うだけで解決できる問題なのだと思います。我ながらしつこく繰り返してばかりで恐縮ですが。

伊勢田　もちろん、ひとつの結論を強制するようなものではないですが、考え方に迷ったときに、哲学者がいろんな根拠を出す。そうすると、これまで根拠無しに考えていたことに対して、こういう根拠があり得るということがわかる。そうすると、実はその根拠にもとづいて考えると、この問題についてもこの結論が正しいということはある。迷えば迷うほど根拠がほしくなる。そういうときに呼ばれるのです。

須藤　それもまた一般論としてはその通りだと思いますよ。しかし、自由意志と法の関係については、現時点ではこれ以上哲学的な議論に終始してもおそらく結論は出ないでしょう。今後の脳科学などの進歩を待ち、機が熟するまで寝かせておくべき重要問題なのではないでしょうか。現時点では、職業的哲学者が議論しようと、新橋の飲み屋でオッサンが口角泡を飛ばして議論しようと、同程度に新事実の発見はあり得ないですし、今後の研究の進展に寄与することなど期待できませんから。

伊勢田　新事実の発見ということで言えば、認知科学みたいなところに出向いて哲学者がやっていることのひとつが、そもそも自由意志があるか無いかについて知りたいときに何をしたらいいのかという問題について考えることです。

須藤　あ、それならばとてもいいですね。私が言いたかったのは、（科学）哲学者は自分たちだけで科学者不在の哲学的議論を繰り広げるのではなく、科学の現場に出向き、科学者との対話を通じてその分野に新たな視点を提供し、具体的な実験の提案に協力するべきである、ということですから。

伊勢田　「脳神経科学の哲学」と言われる分野は、割とそういうことをやろうとしています。我々のこれまでの脳や心に関する概念は曖昧なものばかりなんですね。ですから、これらを実験に置き換えるとしたらどんな概念になるのかと問うていって、少しずつその概念を洗練していく。そういうときにできるだけ、我々が日常的に使ってきたものとずれないように洗練していくような作業が必要となります。

須藤　そうであれば素晴らしいです。私が偉そうに口をはさむ必要は無さそうですね。

伊勢田　とりあえず自由意志の話はこれくらいにしましょう。実は、現在の自由意志論は、ここで紹介したような素朴な自由意志の概念を離れて、「両立論」と呼ばれる、物理的な決定論と両立するような形に自由意志を定義し直そうという考え方が主流になっています。その意味では、須藤さんがおっしゃっておられた考え方も両立論だと言えるでしょう。ただ、両立論の動機づけともなるそもそもの議論の出発点となる問題意識を共有してもらえませんでしたが。

結局本題にたどりつかなかったので簡単にまとめますが、自由意志の話を持ち出した意図は、哲学においては、仮に物理学にある意味で反しているように見えても、自由意志の存在を認めざるを得ないような文脈も存在する、という話がしたかったからでした。たとえば、「私は何をすべきか」という問いを考えるには自分になんらかの意味で自由があるということを前提とせざるを得ない、といった場合です。しかし、そういう話になる前にいろいろつっかえてしまいましたね。自由意志の話を持ち出したのは正直失敗だったかもしれません。前提が違いすぎる人の間で会話をすることの難しさのいい例にはなったかもしれませんが。

方法論への疑問

須藤　ここまでいろいろと伺ってきたものの、依然として私には科学哲学の方法論の全体像は見えてこないままです。

伊勢田　科学哲学の話としてはだいぶ脱線しましたね。科学哲学はある意味では、ひとつの分野ですらないと言えます。強いて言えば科学形而上学であり科学認識論であり……。

須藤　あれ？　私は「それはもう形而上学だね」と「それはもう哲学だね」と全く同じ意味で使っていましたが、形而上学と哲学は違うんですか。

伊勢田　だいぶ違います。

形而上学
「本質」や
「存在」などを
問う。
論理学
「正しい推論」や
推論のモデル化を
考える。
認識論
「知る」
ことについて
問う。
価値論（倫理学）
価値とは何か、
どのようなものに
価値（善・悪）が
あるかを考える。

図2　哲学の分類

須藤　そんな区別がついていない人は私だけなのかな。

伊勢田　「これは形而上学だ」と「これは哲学だ」がだいたい同じ意味だというのは、そんなに大きな誤用でもないとは思いますけれどもね。

　ある科学の問いが哲学になってしまう一番普通のやり方は、形而上学です。私はよく大きな四つの枠に分けて説明しています（図2）。これらは、お互いにそれぞれ密接な結びつきはあるんですよ。

須藤　この四分類というのは伊勢田さん自身の見解ですか？　それとも哲学者の間では割と一般的なのですか？

伊勢田　どのくらい一般的かは

わかりませんが、私はこれをアメリカの大学で学んできました。

須藤 では、ある程度標準的な分類だというわけですね。

伊勢田 人によって好みはある程度分かれると思います。私はこの四分類を使っていますが、そうすると、この四つ以外にある「概念分析」という分野を入れる場所を決めかねるんですね。形而上学の問題の一部は、概念分析にあたります。ですから、どこに入れたらいいのかこの四分類だとなんとも言えない。概念分析というのが、そもそもこれと独立に横に並べるべきものなのか、それとも、これらの中の方法論なのかというのも、なかなか整理がつきにくいところなんです。

須藤 では、科学哲学をこの分類の中に埋め込もうとすると、どうなるのでしょう。

伊勢田 いずれにも科学哲学はあてはまると言えるんです。まず、この世の中には何が存在するか、それはどんな構造をしているのか、こういう形而上学的な問題を考える科学哲学の分野もあります。

須藤 それらこそまさに「哲学」そのもののゴールだと思い込んでいました。そして科学哲学とはそのゴールに到達するために科学を用いるという、哲学分野の中の方法論を指すものだとばかり。

伊勢田 科学哲学と形而上学の関係はけっこうややこしいんですよ。科学哲学と呼ばれている分野の最も基本的なところには、論理実証主義があって、そこから出発していますけれど、論理実証主義というのは、スローガンとしては「形而上学を放棄せよ」だったんですね。

須藤 え？ どうしてそういうところに結びつくんですか。全くわからなくなってきました。

ずいぶん矛盾していませんか？

伊勢田　そのころ（一九二〇－三〇年代）形而上学がどのようにイメージされていたかと言いますと、確かめようが無いことを言うジャンルだと思われていたのです。それに対して、科学者も科学哲学者も確かめようが無いことを言ってはいけないというのが彼らの主張だったんです。

須藤　でも、第一義的には確かめようが無いことを考えるのが哲学者の仕事ではないのですか。

伊勢田　その突っ込みは当時からあって、そもそも「確かめようが無いことを言ってはいけない」という主張自体の正しさもデータで確かめようが無い。それだけではなく、実は科学もまた、彼らの言う意味での形而上学を必要とするものであることがわかった。

須藤　いかなる論理を経由してそこに到達したかは知りませんが、結論そのものには同意します。私などは、ずっと以前から、哲学者から何か教えられるまでもなく、物理学は形而上学的ゴールを目指していると言い続けています。念頭にある意味は多少違うかもしれませんけれども。

伊勢田　それで、その意味では「形而上学を放棄せよ」というスローガンは大変ラディカルだったんですが、そんなに長続きしませんでした。ただ、論理実証主義というぐらいですから、論理と実証というふたつの大きな柱が立ったんですね。実証というのは、「我々がデータとして持っていることだけを言う」ということです。そして、我々が何をデータとして持っているかというと、一番さかのぼったら我々は五感に対して与えられているデータしか持たず、他のものはぜんぶそこから派生するデータであるとする。なので、科学はこの五感に対して与えられているデータから構成されねばならない、と、論理実証主義者は言ったんですね。

須藤　さきほど結論そのものには同意すると言ったのですが、やはりその意味は全く異なっていたようですね。私（に限らずほとんどの科学者）は「五感だけから導き出す」といった偏狭な議論は全くナンセンスであると考えています。

伊勢田　まあ、そう思われるでしょうけど。

須藤　論理実証主義者の主張ということだけでしたら、意見の違いでしかないのでいいのですが、これが科学の対象に関する実在論と反実在論という世界観の対立の出発点であるとすれば、見過ごすことはできません（これは第5章でじっくり議論することにします）。

伊勢田　ある意味、今の科学哲学もこの出発点に影響を受けているところはあります。たとえば、科学哲学のうち、この分野で言うと「認識論」にあたるようなことをやっている人は、「科学者が持っているデータが何で、そこからどういう推論を使えばどこまで言えるのか」を追究する。まさに論理実証主義が科学の本質だと考えた部分を研究対象にしているわけです。推論のパターンとしては以下の三つがよく挙げられます。「演繹」、「帰納」、それから「最善の説明への推論」（これは英語の Inference to the best explanation を略して、しばしば「ＩＢＥ」と呼ばれます）です。

須藤　経験事実から一つひとつ積み重ねていくという「帰納」が自然科学の基礎ですよね。それを再構成して、少数の公理から出発してそれらを論理的に証明できるような体系を作ろうとするのが「演繹」で、物理学の中でも素粒子論はその方向を強く志向しています。でも、演繹とＩＢＥは、どう違うのですか。

伊勢田　帰納の一種として仮説演繹法というのがあって、たぶん物理学の方法として一番よく認識されているものでしょう。仮説を立ててそこから実験、この仮説が正しければこういう実験結果が得られるだろうと推測してその実験を行う。そして、実験通りの結果が出ることによって仮説が確かめられる。

須藤　それはＩＢＥとは違うわけですね。

伊勢田　違います。ＩＢＥは現象がいくつかあって、それを説明する仮説がいくつかあるときに、それぞれがどの程度説明できるのか、あるいは仮説そのものにどれぐらい無理があるのかといったことを総合的に評価して、最もいい説明をするものを、おそらくこれが一番正しいだろうとして推論するというものです。

須藤　そう説明されれば、それはまさに物理学の方法論のように思えます。

伊勢田　科学哲学が論理実証主義の出発点から持っているひとつの大きな問題は、この「実証」というのがどのぐらい科学の中で可能なのかという問いです。これらの推論はそもそもどのぐらいいい推論なのか。つまり、前提が正しいときに、結論が正しいとどれぐらい保証できるのかといったときに、演繹は間違いなく前提が正しければ結論が正しいことを保証します。一方、帰納はどれぐらい保証してくれるのかについては、ずっと論争がある。

須藤　論争があるっておっしゃいますが、厳密に言うならば帰納が結論の正しさを保証するはず無いんじゃないですか。だって帰納法なんだから。

伊勢田　演繹的な意味で保証はしないけれども、たとえば、この仮説演繹法のプロセスを経たときに全く何ひとつ得るものが無いんだとしたら、そもそもなんで実験するんだって話になりますよね。

須藤　それは、物理学（より一般には自然科学）の方法論を誤解している人の言い方ですよね。物理学はすでに知られていることの説明から出発して、未だ知られていないことを予言するという一般化を無限に繰り返す営みです。既知の現象を説明できるモデルは無数にあるかもしれません。だからこそ、それらの中で未知の実験結果を正しく予想できたモデルの信頼度は格段に上がります。そしてそのテストをパスした（複数の）モデルは、さらにその先の実験を通じてふるい分けられる。何十年にもわたり膨大な時間と予算を費やしてヒッグス粒子（他の素粒子に質量を与える役割をする特別な素粒子）を探索してきたのは、既知の実験結果をすべて説明できる理論モデルとして確立してきた「素粒子の標準模型」が予言する中で唯一未確認だった素粒子だからです。そして予想通りそれが発見されたことによって、「素粒子の標準模型は正しかった」（もちろんこの正しさも完璧な意味ではなく以下で述べるような留保がつくわけですが）という検証が完結したわけです。多かれ少なかれ物理学はこのような過程を通じて構築されています。そしておそらくこの過程は無限に続くのではないかと私は思っています。

伊勢田　哲学者も、そういうプロセスが働くことは認識していると思います。ただ、「信頼度が上がる」とか「正しい」といった判断がどのくらい、どの範囲まで正当化されているかを気にします。そもそもそういうときに、「それは正しかった」と言うんですか。

須藤　どういう意味ですか？

伊勢田　チェックがなされたときのことです。

須藤　科学哲学者はいくらなんでも誤解してないと思うけれども——自然科学で正しい・正しくないというのは、あくまでその時点で知られているすべての事実を説明するという意味でしかありません。私はいつも学生には、物理学はあくまで世界の近似的描像を与えるものでしかないと教えています。そしてその近似を高めるための永続的な営みが物理学研究ということになります。したがって通常は単に「正しい」と省略してしまうのですが、決して「絶対的に、厳密に正しい」という意味ではありません。

言い換えれば、既存の事実をすべて説明できるモデルを「正しい」と評しているに過ぎません。だからその正しさは明日になると変わるかもしれない。

伊勢田　須藤さんのおっしゃる基準が本当に科学者の言う「モデルが正しい」という言葉の用法をうまく捉えているかどうか疑問に思います。

言葉の意味を明らかにしようとするときに哲学者がよくやる手続きをあてはめてみましょう。「このモデルは現在知られているすべての事実を説明するが正しいかどうかはまだわからない」と誰かが言ったとき、「お前の言っていることは意味不明だ」とみんなが反応するかどうか、というテストです。もしそう反応するなら「正しい」＝「現在知られているすべての事実を説明する」だと言っていいでしょう。意味不明でないならば、両者はイコールではありません。このテストをお知り合いの科学者にもやってみてください。それはともかくとして、もしこのふたつがイコールだとすると、モデルの正しさというのは完全に過去の実績だということになってしまうじゃないですか。

須藤　物理学で「正しい」と認められたモデルは、既存の事実を説明できるだけにとどまらず、ある時点では未知の現象に対して定量的な予言をしそれが後に実験的観測的に確認できたものを指すのが普通だと思います。たとえば既存の事実と矛盾せずに、（現時点では）未知の素粒子を予言する理論モデルはごまんと存在します。それらを指して「正しい」モデルだとは言いません。あくまで仮説のひとつと呼ばれるだけです。その意味では、従来知られていなかった現象を発見し説明するために、「より正しい」モデルを作るのが物理学なんですよ。

たとえば、ヒッグス粒子の発見によって「素粒子の標準模型」が正しいことが検証されたと言いましたが、実は三〇年以上前から、この標準模型を超えたより根源的な素粒子模型が数多く提唱されています。したがってヒッグス粒子の存在の確認は、その先にある「より正しい」理論を選別するための第一歩でしかありません。この先も様々な精密実験を繰り返すことで、物理学理論の正しさを深めることができるわけです。

伊勢田　話がずれていませんか。私が伺いたいのは、ある時点におけるモデルの正しさをどう捉えるかです。「近似を高める」というのはどういうことですか?

須藤　世界を近似的に記述する理論の精度や信頼度が高まるという意味です。

伊勢田　仮説演繹法をするときに、そもそも、実験結果が正しいことによってその仮説のもっともらしさが上がるものでなければ、その実験は行う意味が無いですよね。

私が言いたかったのは、哲学はその関係について、それが本当に成り立つのかどうかを論じてきたということなんです。つまり、仮説演繹法を行って予想が当たったとき、したがって仮説は仮説のもっともらしさが上がった、と言えるでしょうか? その関係は正当化できるのか、ということです。

須藤　間違ったモデルでも偶然予想が当たってしまうことがあるじゃないか、という意味ですか?

伊勢田　いや、偶然のことを想定するのではありません。「間違ったモデルでもたまたまそうなることがあるかもしれないね」というのは、仮説演繹法がおおむね正しいとすでに認めているわけですが、そもそも仮説演繹法を使い始める前にその方法になんらかの正当性があることをまず示してみせよ、という話をしているわけです。これは、具体例で議論する性質の問題じゃないんですよ。推論の正当性というのは、もうちょっとアプリオリに議論するものなんですよ。

須藤　まあ一般論としてはそうなのかもしれないけれども、やっぱり具体例に即して議論してもらわなければその指摘の重要度は判断しかねますね。間違ったモデルがたまたま説明するという確率的にあり得ない話を念頭においているとしか想像できません。

伊勢田　たまたま間違ったモデルがたまたまそれを説明するということがあまり無いっていう信念の根拠は？

須藤　これまた一般論だけでは意味が無さそうです。そもそも物理学で理論の正しさという場合、どれほどのレベルで定量的な議論がなされているかを実感してもらう必要があるでしょう。

例を挙げてお話しします。取り上げる物理量が何であるかを理解してもらう必要はありませんので、その数値の精度だけに着目してください。最も有名なのは、電子の磁気異常モーメントの実験値a（実験）と量子電磁力学にもとづく予言値a（理論）との比較で、小数点以下一二桁目まで一致しています。一般相対論を有名にした水星の近日点移動という現象は、水星が太陽のまわりを公転する際にニュートン力学の予言と一〇〇年間に四三秒角のずれがあることを説明したというものです。これは逆に言えば、ニュートン力学だけでも有効数字七桁の精度で観測結果を説明できるということでもあります。そのニュートン力学の「正しさ」が、一般相対論によってさらに三桁程度「深められた」わけです。このように革命的な理論であってもそれ以前の結果を完全に覆すわけではなく、それでは説明できなかったさらに高精度の現象までをも説明してしまう「より正しい理論」を提供する、というのが物理学の進歩の一般的な形です。一般相対論によってニュートン力学で説明されていた観測事実がそっくり入れ替わったなどというわけでは決してありません。

これらの例を学び具体的に自分で計算を確認してみれば、最新の物理学においては、間違った理論が偶然実験結果を説明できるといった奇跡などあり得ないレベルでの精度の議論がされていることを実感できます。科学哲学者はこれらの驚異的な事実を十分実感することなく、単なる一般論として文句をつけているように思えてなりません。

伊勢田　もちろん、実感という点では哲学者は科学者からいろいろ教えてもらわなくてはなりません。こうして須藤さんに実感を語っていただけるのは大変ありがたいことです。我々は文句をつけているわけではないですよ。こういうことを扱う人たちは何にも文句をつけてないんですよ。

須藤　疑問に思っているというわけですね。

伊勢田　疑問に思っているし、科学はいったいどこまで根拠があることをやっているのかということを知りたいんです。たとえば、今のご説明の中で、「間違った理論が偶然実験結果を説明できるといった奇跡などあり得ないレベルでの精度」とおっしゃいましたが、その偶然がどのくらい奇跡的かということを判断するには、間違った理論が実際のところどのくらいの確率でその精度を達成できるのか、という確率分布の見積りが必要になるはずです。

しかしその見積りのためにはどの理論が正しくてどの理論が間違っているかという情報が必要です。でもその「正しさ」の判定根拠が「こんな精度を達成しているのだから正しいはず」だったら堂々巡りです（哲学用語で言えば「循環的正当化」というやつです）。科学の推論の正当化は最終的にそういう堂々巡りを根拠とせざるを得ないのか、それとも別の根拠を持てるのか。ある推論がどのぐらい根拠があるのかというのは、科学にどれぐらい根拠があるのかという問いと密接に関係しているんです。

須藤　なるほど。その問いかけの意義は、もちろん私も認めるのですけどね。しかしプロの科学哲学者として問いを発しそれに答えるのであれば、科学者から「そんなことは当たり前だ」とか「その結論は単にずれている」などではなく、「なるほど、それは科学者として傾聴に値する」と言われるようなレベルのものを生み出してほしいと期待しているのです。

結論の有無ではなく、推論をどれだけ積み重ねたかが大切だとおっしゃるけれども、最終結果が、本当に意味があってそこまでやらなきゃいけなかったことなのか、あるいは科学者なら誰でも直観的に正しいと認めるような話をただ単にこねくり回しているに過ぎないのか、という区別をする必要はあるでしょう。もし科学哲学者が科学に対して疑問を持ち続けるのであれば、科学者が持っている直観的な科学の正しさという判断基準が間違っているという例を具体的に列挙してほしいものです。

伊勢田　間違っていると言い切れる例を出すのはなかなか難しいです。というのは、そもそも決着がついている論争なんてほとんど無いですからね。それはある意味、無いものねだりをされているところがある。
では、科学哲学者は何をしているかといえば、たとえば「予測が当たった」→「仮説のもっともらしさが上がった」という矢印ではない形で科学ができないか、というように考えを進めることもできます。それをしたのがポパーで、彼の反証主義というのは、科学を帰納無しで論理的な推論だけで遂行できないか、という考え方から出発しているんですね。仮説の反証はモードゥス・トレンスと呼ばれる、昔から知られている論理的な形式にそっています（「AならばB」と「Bではない」のふたつの前提から「Aではない」を導く推論です）。推測をして、それを反証するのが科学の仕事だ、と考えれば、帰納はいらないわけです。

須藤　そう仮定してみるのは自由だけれど、そもそもそれは現実の科学とは違う。かなりずれた勝手な科学への思い込みから出発しているのではないでしょうか。結局のところ、自然科学は帰納を拠り所にせざるを得ない。それは数学のように完全に公理化できる体系では（おそらく）ない。しかし、科学者が総体として個別の具体的課題に対して批判的に議論をして進めているからこそ、一般論では説明できないかもしれない科学の方向性の正しさが実現しているのではないでしょうか。科学哲学者にとってはつまらないかもしれませんが、そう考えるのが一番自然な気がします。

伊勢田　ええと、須藤さんはポパーはおおむね正しいとおっしゃっていて、しかも「自然科学で正しい・正しくないというのは、あくまでその時点で知られているすべての事実を説明するという意味」だとおっしゃっていたわけですから、呼び方はともかくとして、ポパーが言う意味での帰納は否定してらっしゃるんじゃないかと思います。同じ言葉でも科学者と哲学者ではぜんぜん違うニュアンスがついていたりするので気をつける必要があります。

須藤　言葉のニュアンスが違うことはその通りでしょう。ただ「自然科学で正しい・正しくないというのは、あくまでその時点で知られているすべての事実を説明するという意味」のみだとは言っていません。むしろそのようなモデルはたくさん存在し得るし、そもそも既知の事実を説明できないモデルは間違っているとして棄却されるはずです。「正しい」と評されるモデルのほとんどは、単に既知の事実を説明しただけではなく、その提案時には答えの知られていなかった実験や観測結果に対する定量的な予言をし、それが後に検証されたものである、と主張したつもりです。しかしモデルの「正しさ」を確信する感覚は、やはり具体的に計算して、その驚くべき一致を再確認するという追体験をしたことの無い人には共有してもらえないのでしょう。ただし今までのお話からすれば、私は仮定演繹法の正当性を自明のものとして受け入れているに過ぎないのだ、と評されてしまうのかもしれません。

科学哲学の面白みはどこにあるのか？

須藤　ここまで教えてもらった上であえて言うならば、哲学者って問いかけ自体は良いとしても、それに対する答えを提案する段階では、どうもずれた思い込みをとことん追究してしまっている場合が多いように思えてなりません。

伊勢田　思い込みがずれているのか、興味の方向性が違うのか、というのはもう少しお話をしながら探っていく必要がありますね。

須藤　誤解してほしくないのですが、私は哲学は本来、根源的な問いかけをしてくれる素晴らしい学問であるはずだと思っています。だからこそ、物理学の究極の目的はかつての哲学的問題に対して科学的な解答を与えることである、といった主張をしているわけです。しかし一方で、物理学が答えられるのは、かなり限定された意味での哲学的課題でしかない。さきほど教えていただいた形而上学的問題は扱えないでしょう。だからこそ、それらに対しては本職の哲学者に期待しているつもりです。ところが、少なくとも科学哲学に関して言えば、科学者から見るとどうも違和感のある方向からつついているだけで、それで本当に問題の本質に迫るつもりがあるのか疑問なのです。

科学哲学者が研究して達成感を得るのはどういうときなのでしょう？　「科学者はこうやっている。しかしあそこに抜け道があって間違っている」と指摘した場合、科学者から「確かにその通りだった。この方法論は確かに違っていたが、指摘されたようにしたらもっと新たな展開がありますね」と賛同してもらえる。これなら達成感があることはわかります。しかし、科学者からは「そんなことばかり言って何になるんだ」と言われたり、ほとんど無視されてしまっていたりでは達成感が無いでしょう。

伊勢田　科学哲学の醍醐味、面白みって、新しいモデルを組み立てたり、そのモデルについて定番にある反論をうまく交わすような議論を組み立てたりといった、ある種のモデル構築なんですよね。

須藤　でもそれを科学者不在でやるわけですよね？　それがわからないんだなあ。伊勢田さんは最初から首尾一貫して強調しているし、私の読んだ本にもはっきり書いてありましたが、科学哲学とは「科学的に哲学する」のではなく「科学を哲学する」のですね。そもそも（科学者と一緒に）科学を用いて哲学的課題に挑戦することではない、という言明は私にはかなり衝撃的でした。

伊勢田　まあ、一緒にやることもありますが。

須藤　科学者の考え方とは無関係に、理想化した科学という営みを題材として哲学の閉じた世界を形成する。もしそこまで達観しているのならば、仕方ないような気もしますが。

伊勢田　よく使われる事例で鳥類学者と鳥の例があるんですよね。鳥類学者がどのぐらい鳥にどう思われるかを気にしているかっていうと、たぶんあんまり気にしてないですよね。我々はそれよりは、たぶんもうちょっと気にしてます。

須藤「科学哲学は、鳥類学が鳥の役に立っている程度にしか科学者の役に立っていない」というのは、二〇世紀の物理学者の偉人の一人であるリチャード・ファインマンの有名な言葉とされているものですね。伊勢田さんの意見は、鳥はしゃべらないけども、科学者はしゃべるから無視できないということでしょうか。

伊勢田　まあ、そうかもしれません。

須藤　少し意地悪ですが、ではなぜ科学者のことを気にするのか聞かせてください。本当はやっぱり科学に貢献したいと思っているからじゃないのですか。もしそうだったらいいんですよ。本来そうあるべきじゃないかなと私は期待しているのですから。

ただし、そんなことは全く気にしないというのも、ひとつの達観した立場だとは思います。言い方は悪いかもしれないけれど、「あくまで科学を題材として遊んでいるのであって、それは別に科学がどうあろうと全く興味が無い」。その場合でも、科学に無関係に何か重要な意義を持つ結果を出しているのであればいいんです。「科学哲学は科学に対して貢献しないからけしからん」などと言っている科学者の方が自己中心的だということになりますからね。

伊勢田　私は、基本線はそれでいいと思うんですよ。ただ、そこまで達観はしていない。貢献したいとまでは、積極的には思ってないと思います。ただ、関連していることをやっている以上、どこかで接点があったときに何かしら生まれるものがあるかもしれないというくらいの、ラッキー・ボーナス的なものとしての期待でしょうか。

須藤　おそらく私が科学哲学者なら、科学者がやっている方法論の間違いを探し出し、「私の提案する処方箋でやるともっと効率的に真理に到達できる」とか「君たちが正しいと思い込んでいたことは実は全く成り立たないことを示す」あたりを目標に設定すると思うんです。けっこう嫌な人間ですけどね。でも、現在の科学哲学はそんなことを目指していないんですよね。

伊勢田　論理実証主義はそれをやろうとしたんです。反証主義もそれをやろうとしたんです。科学者に対して「こうしろ」と言う理論なんです。反証主義などはもっとはっきりしていて、「帰納なんか使うな、仮説演繹法なんか使うな。使うなと言うと言いすぎだけれども、使うのは反証のときだけにせよ」というとても明確なメッセージを出しています。

須藤　メッセージだけじゃだめだと思います。具体的な御利益が無い限り、人は誰も信じてくれません。ただ教義をたれるだけではなく、「奇跡」を見せて納得させせなくてはだめです。でないと誰も帰依しない。それが世の中の掟だと思いますよ。

伊勢田　そういう意味では、プラクティカルではないというのは確かにそうかもしれない。でもポパーはジョン・エックルス（一九〇三―一九九七）とかピーター・メダワー（一九一五―一九八七）とかに影響を与えていますし、論理実証主義的な考え方は心理学や社会学の行動主義に影響を残していますね。

須藤　心理学や社会学は、科学とは普通呼ばないですよね。こんな言い方をするとたぶん怒られるでしょうけど。

伊勢田　物理学者は、でしょう？

須藤　うーん、たぶんほとんどの自然科学者はそう感じているんじゃないかな。

伊勢田　いや、少なくとも生物学者は、実験心理学が科学ではないなどと言わないと思いますよ。臨床心理とか理論社会学とかはまた別ですけど。生物学者がそんなことを言っているのは聞いたことがないです。物理学者だけです。

須藤　そうなのか。もしそうであれば失礼をお詫びしなくてはなりませんね。でも最近読んだ『超常現象の科学』（文藝春秋、二〇一二年）という本の中に、磁場を生じさせるヘルメットを用いて幽霊体験をさせる心理学者の実験がかつて成功し長年話題になっていたが、その後同じ実験を意図的に磁場を生じさせずに行っても同程度の結果が得られ、磁場の影響が無視できることがわかった、というくだりがありました。つまり、科学者であれば誰でも必要だと考える対照実験（薬で言えばプラシーボ効果）を行っていなかったというお粗末さです。心理学の分野では、まだまだ科学的でない方法論がまかり通っている例があることの方に驚きを覚えました。少なくとも「科学度」は低そうです。

伊勢田　もちろんちゃんとした心理学者はちゃんと対照実験をします。須藤さんがお読みになったものは心理学者たちも悪い例だと言うでしょうし、それが自分たちの分野でちゃんとした研究として「まかり通っている」と思われたらさぞ迷惑がることでしょう。ただ、そういう問題とは別に、人間を対象としているために実験の手法が制限され、対照実験の形がとれないことは確かにあります。たとえば教育の効果を調べるために、生まれてから二〇年間全く教育を施さない対照群を作る、というわけにはいきません。ただ、実験できないから研究手法が制限される、というのは、理由は違えど天文学者も同じわけでして、それを理由に科学じゃないと言うのは言いすぎです。

須藤さんの納得がいかないあたりがわかってきましたので、次の章で、科学者と哲学者の間で意見が食い違うことの多い、科学哲学の研究テーマを軸に、ずれのポイントを見ていきましょう。

第4章

科学者の理解しにくい科学哲学的テーマ①

――因果論とビリヤード

前章までの、科学哲学の概観に引き続き、本章と次章では、いくつかの具体的なテーマを選んでさらに詳細な議論を進めていく。

最初は、須藤氏が科学哲学に疑問を抱くきっかけとなった「因果について考えるのにビリヤードを使う」という手法。これは、哲学者にとっては、数百年来の問いであり、今なお活発な議論の対象となっているが、科学者にとっては、もはや因果の本質的な疑問に答えてくれるような題材とは感じられず、未だに同じような議論を繰り返している理由が理解できないのだ。

これに対して伊勢田氏が、因果というものへの関心の持ち方のひとつとして、こういう問題意識もあってもいいではないか、という哲学者の視点をなんとか伝えようとするとともに、一本の論文を取り上げて、科学哲学者が実際の研究でどういうことをし、その研究のどういう面が評価されるのか、を説明する。

両者の見方の食い違いから科学哲学に固有の対象への関心の持ち方・考え方・評価の仕方が見えてくるだろうか。

因果について科学哲学者はどのように考えてきたのか

伊勢田　須藤さんの疑問の原点は、ビリヤードボールの衝突みたいな単純な例を用いて因果について分析するということを、未だに哲学者がやっているということでした。最初に断っておくと、ビリヤードの例も使いようでは不毛な議論になるでしょうし、またその例だけで因果についてすべてわかるというわけでないのも確かです。さらには、須藤さんがもっと重要だと考えていらっしゃる因果をめぐる問題は、科学哲学者も重要だと認めますし、実際にその問題を扱っている哲学者もいます。

しかし、須藤さんはそもそもこういう事例を使うこと自体無意味だというご意見のようですが、その点について、やはり多くの科学哲学者は須藤さんに反論したい気持ちになると思います。こういう研究もまた、科学哲学の典型的な研究のひとつなのです。このあたりを深めていくことでもう少し、両者の考え方の違いみたいなものが見えてくるのではないでしょうか。ですので、まずは因果について、科学哲学者はどのように考えてきたのかについて、見ていきましょう。

ウェスリー・サモン（一九二五－二〇〇一）という代表的な科学哲学者がいます。彼の考えは若干古くはなってきていますが、正統派の科学哲学者と言っていいでしょう。この人が因果についてどのように語ったかをたどると、科学哲学者の因果への関心のポイントがつかみやすいと思うんです。

サモンは科学哲学業界の言葉で言えば、「科学的説明」と呼ばれる問題に取り組んでいます。

この領域では、ある現象を何かの理論やら仮説やら事実やらが「説明する」とは何かと考えるんですね。「何かについて我々が理解したと思う」とか「説明がついたと思う」とはどういうことかを考えたときにいくつか選択肢があると思うのですが、おそらくその中で「原因がわかる」ということは説明がつくことの非常に重要なカテゴリーでしょう。科学が様々なものを説明することをひとつの目的とするのであれば、その中でも原因というのはきっと重要な役割を果たしている。では、どういうものが何かを説明するような原因なのか。つまり、「原因が知りたい」と我々が言っているときに、何を出されたら満足するのかを解明しようとしてきたのが、このサモンです。一〇年ぐらい前に交通事故で亡くなるまで、この「原因を使った説明」という考え方とそこで使われる原因という概念について四〇年くらい考え続けてきました。

たとえば、単に統計的な相関があるだけでは、それを「原因」とは言わないでしょう？　あるいは、ある出来事を中心とした光円錐（ライトコーン）、つまりその出来事の時空点から光速の範囲内で到達できる前後の時空点の集合が作る円錐形を考えたときに、その光円錐の中にあることは原因であるための必要条件だけれども十分条件ではない。つまり、最低限その光円錐の中になければ因果的な影響力は持たないけれども、その中にあるものすべてが原因だとされてしまうと、そもそも説明ということに関する我々の欲求に対しては、ほとんど意味を持たない。「これ」という原因をピックアップしてくれないと、我々はその出来事を理解したりはできない、と考えるでしょう。だからその光円錐の中にある、この中からなぜこれを選び出すのか。そして、なぜこれを原因と呼ぶのか。こういったことに関する原因の概念の解明をしたいというわけです。こうすると、ある程度対象が絞られるわけですが、では、そこでどうするのかと考えたときに、サモンは長い間悩み続けたわけです。

須藤　結論は出たわけですか？

伊勢田　彼が出したふたつの大きな答えが「マーク伝達理論」(mark transmission) と呼ばれる考え方と、「保存量伝達理論」(quantity conservation) と呼ばれる考え方です。

須藤　やたらと難しい名前ですね。

伊勢田　そんな難しい話ではないですよ。

須藤　おそらくそうだろうと想像はしています。単純なことに大げさな名前をつけているだけのような気が……。

伊勢田　あるものとあるものが原因と結果の関係にあるときに満たしている条件として、マーク伝達理論というのは、「原因となるものに何か印をつけたらその印が結果になっているものにも伝わっている」という考えです。これは、因果関係の条件を満たすのではないかと言われています。

須藤　印をつけるかどうは別として、ある結果に最も強い影響を与える現象を原因と呼ぼうという当たり前のことを言っているのですね。ただしそれだけでは具体的には何の解決にもなりそうにありませんが。

伊勢田　そこは、解決しようとしている問題が違うんですよ。

須藤　確かに、解決したいと考えている問題をもっと具体的に述べてもらわなければいけませんね。原理的には、光円錐の中にあるものはすべてマークを伝達しているはずで、その影響の度合がどれだけ大きいものに絞って原因と呼ぶかという定量的な提案（そんなものができるかどうかはわかりませんが）無しには、ほとんど現実的な意味を持たない議論でしかないと思いますけれども。

伊勢田　光円錐の中にあるものが必ずマーク伝達理論を満たすというのは、サモンの言う意味でのマーク伝達理論ではないですね。たとえば、今日の須藤さんは明日の私の光円錐の中に入っていると思いますが、だからといって、今日の須藤さんに何か印をつけた（背中に貼り紙をするとか寝ている間に顔に落書きするとか）としても、普通は、明日の私にそれと同じ印がついたりしないですよね。何が食い違っているかというと、須藤さんは光円錐の中にある以上、その時空点から原点へ情報を伝達できるという話をされていると思うのですが、それはあくまでふたつの時空点の間に適切な関係を築けば、ということではないですか。

それに対して、サモンは「因果的なプロセス」――ここでは、物理学で言うところの因果とは異なる因果です――という問いを考えていて、「印をつける」以上の手を加えなくても情報を伝達できるような適切な関係がそこにすでにあることが、因果的なプロセスというものが存在するということの要件だと考えたわけです。

須藤　まだ理解できません。まさに「風が吹けば桶屋が儲かる」という例が示すように、原理的に因果関係を持ち得る時空間領域にあるものは、思わぬ結果を生むことがあり得ます。仮に今日の東京に私が存在しなければ、複雑な連鎖の結果として京都の伊勢田さんに影響を与えることは十分あり得ます。そのことを指して「印」と言うのではなく、文字通り背中に貼り紙をするような行為だけを「印」と呼ぶのだとすれば、原因と結果という問いにおいて本質的な疑問には決して迫れないでしょう。

伊勢田　「印」の概念をどこまで拡張するかというのは確かにこの立場にとってよく考えるべき問題だと思います。ただ、今、須藤さんは、「影響を与えることは十分あり得ます」という表現をされました。影響を与える場合と与えない場合があるということを認められるわけですよね。さきほど私が言ったのは、影響を与えない場合まで、単に光円錐の中にあるからという理由でそれを原因の一部に含めるのは、「原因」という概念の本来の意味からずれてしまっているのではないか、ということです。

もうひとつ、サモンに固有の問題意識として、経験主義の枠の中で因果について考える、つまり、実際に我々が入手できるデータにもとづいてあるプロセスが因果的かどうか判定できる、という問題設定があります。その意味で、我々にわかりようがない因果関係というのは最初から問題にしていないとも言えます。迫ろうとしている本質が須藤さんとサモンでは異なっている、という言い方ができるかもしれません。

須藤　「影響を与えない」と断言するためには「影響」とは何を指すのかをあらかじめ定義しておく必要がありますね。さきほどの例で言えば、東京にいる私の存在は誰かの生死に関わるような「重大な」影響は与えないでしょうが、大気中の（現実的には測定できないであろうほど微量の）酸素濃度には「確実に」影響を与えます。その意味で「影響を与えることは十分あり得ます」という保守的な表現にとどめたまでです。非現実的な精度でも良いという原理的な議論をしたいのであれば、影響を与えないことはあり得ません。まあこの件はとりあえずこの程度でとめておき、もうひとつの保存量伝達理論の説明をお願いします。

伊勢田　保存量伝達理論というのは、あるものが一定の因果的な流れにあるときには、そこでなんらかの量が維持されないと我々はそれを因果と認識できないという考え方です。

須藤　それは物理学で言うところのエネルギーや運動量のような保存量を指しているのですか？　でなければ、「維持される量」とは何か、もっと具体的に教えてください。

伊勢田　典型的には、エネルギーや運動量のような保存量が想定されていますが、必ずしも限定はされていません。マーク伝達理論における問題点は、たとえば、我々が原因と結果だと思わないものの例として、影と影の関係という考えがあります。車がAの場所にあるとき、Aの前に影があり、その車が動いてBの場所に動いたときBの前に影ができます。このAの影はBの影の原因かどうかという問題がある。

須藤　なるほど。それは二次的なものに過ぎませんね。

伊勢田　普通は、影と影の関係は原因と結果の関係にあるとは言わない。しかし、たとえば、車に凹みを作るというやり方で影に凹みを作った場合、その凹みはその後の車の影にも伝達されます（車が凹んでいるわけですので）。これは、マーク伝達の条件を満たします。直観的には、「それは影に印をつけたわけではなく、車の方に印をつけたのだ」と答えたいところですが、果たして他の印のつけ方と明確に区別できるのか、という問題があります。

須藤　率直に言って開いた口が塞がりません。そんなレベルですら問題があるマークという概念は、そもそも無意味に思えます。最初に立ち返って出直すべきです。そもそも原因と結果という概念は、我々が何を重要だと思うかという価値観に依存しているように思えますので、いろいろな解釈と定義があって当然ではないでしょうか。

伊勢田　この問題もありますし、後で紹介したいと思いますがフィル・ダウという哲学者が問題点をいろいろ指摘しています。それで改めて、我々が影をなぜ因果と言わないかについて考えたとき、影は光源の向きによって全く形が変わってしまうが、車の方はよほどのことが無い限りは量は一定している。そこが、我々が影に関しては因果的な関係は認めないけれども、車と車の間には因果的な関係を認める理由ではないか、というところから、車の関係と影の間の関係の差がそこに見つかるのではないかと考えた。この、あるプロセスを通して保存量が一定して存在していることをもって因果プロセスと考えよう、というのが保存量伝達理論です。ダウが提案して、サモンもこちらの方が優れていると認めて立場を変えています。

もちろん、これにもすぐ思いつく批判がありますし、そもそも物理世界そのものが量を保存しないような世界だったらどうなのかという話も出てきます。

須藤　その後者の議論はまた別の話ですね。

伊勢田　そうなのですが、こういう形で何を明らかにしようとしているかと言いますと、原因という概念を、我々はわかった気になっているにもかかわらず、実は原因であるための必要十分条件を挙げようとするととても困ったことになると気づくことです。でも、なんとか原因であるための必要十分条件を挙げたい——というのがひとつの研究領域なんですね。

サモンらとは違う路線で、「反事実条件法」と呼ばれるアプローチで、「AがBの原因である」について考えた人もいます。この路線の哲学者は、実際にはAが起きてBも起きているとしても、「Aが無かったらBも起きなかっただろう」という文章が成り立つような状況において、AはBの原因であるとします。これはよさげなアイデアなのですが、いろいろ反例が作れます。その代表に先回り（preemption）の問題というのがあります。これはある種の「安全装置」に関する思考実験でして、「もしAが指定された行動をすればBが起きる。ところが、Aがその行動をやめたら、A´がそれを観察していて、Aがやめたというその条件においてのみ、A´がBを引き起こす」という安全装置がついていたとします。さらに、思考実験のもうひとつの条件として、実際にはこの安全装置は全く発動しなかった（つまりAは実際に指定された行動をした）とします。さて、この場合確かにAの行動はBの原因になっているように思えるのですが、他方、「Aが無かったらBも起きなかっただろう」というこの文章を額面通りに受け取ると、安全装置があるときはAはBの原因ではないことになる。

須藤　「我々がわかった気になっているにもかかわらず、実は原因であるための必要十分条件を挙げようとするととても困ったことになることに気づく」と言われますが、私は当初から首尾一貫して、原因が満たすべき必要十分条件が存在するという前提そのものが間違っているのではないかと指摘してきたつもりです。その場合、一〇〇点満点など目指さず、七〇〜八〇点取れるような「原因」の定義あるいは満たすべき基準を提案するにとどめ、残りは個別に判断（判断しないことも含めて）するのが最も合理的だと思います。これまでの例で言えば単に一般論として原因という言葉を使っている限り、きりが無いのではないですか。

伊勢田　一〇〇点満点の基準がすでにどこかに存在していてそれを探している、というよりは、一〇〇点満点に近づこうとする中で、「因果」という概念を我々がどう使っているのかについての理解が深まっていく、というイメージでしょうか。使える道具がほしい人と、道具そのものに興味が向いている人の違い、という言い方もできるかもしれません。

まあしかし、我々は日常的な言語としては「AがBの原因だ」と言いますよね。ある関係が因果関係かどうかの判断基準が提示できないのに「原因」という言葉が使えるって、須藤さんもなんだか変だと思いませんか。

須藤　ですから、原因という言葉を具体的に定義しない限りそれ以上の議論は不可能です。議論が循環して申し訳ありませんが。

伊勢田　定義から始まる話もあれば、実際の用例から始まる話もあります。我々が、たとえば「これは発癌物質です」と言うときに、この物質が癌を引き起こすという意味で「発癌物質」って使っていますよね。これは、実際の用例において、Aという物質がB、すなわち癌の原因になると判断しているわけです。これに関しても反事実条件法を使った分析もできます。「この物質が無ければこの人は癌にならなかったろう」というような状況が想定できる場合に「発癌物質」なわけです（ただこの例は確率的な判断が絡むのでもう少しややこしい話が必要になりますが）。さらに言えば、これについても同じような先回りの思考実験ができるわけで、この物質が無いときにのみ癌を引き起こすような仕組みを想定できますよね？　このとき、さきほどの反事実条件法は偽になりますが、この物質はやっぱり発癌物質であり、癌の原因になっていると思えます。こういう用例をどう理解するべきか、というのはそんな無意味な問いだとは思えないのですが。

何を原因と呼ぶか

須藤　私はそのような日常的に用いられている「原因」という単語には何も問題を感じません。

発癌物質の例で言えば、その物質が癌を引き起こすかどうかの統計的な相関、さらにはその発症機構に関するモデルの妥当性などを通じて、科学的な総合判断をすればよいだけであり、一般論としての「原因」の定義が困難だという地点まで議論をさかのぼる必要は無いと思います。少なくとも、全く独立に議論すべきです。原理的という意味に忠実さを求めるならば、やはり光円錐内にある因果関係を持ち得るすべてのものは原因である（より厳密には、原因となり得るでしょうか）と言えばよいだけじゃないですか。何を目的としているのか明確にしてもらわない限り、それが正解です。一般的な話をしたいという考えはよくわかりますが、その結果持ち出される具体例は、どれも重箱の隅をつついているだけのくだらない例なんですよね。なぜそんな例を持ち出してまで「原因とは何かわからない」と悩みたいのかわからない。

伊勢田　「原因である」と「原因となり得る」とはぜんぜん違うのでどちらかにしてください。光円錐の中のものすべてを、そしてそれだけを原因と呼ぶのは、まさに「原因」の必要十分条件を与えているわけで、ご自分のおっしゃったことを裏切っていますよね？　さらに言えば、「これは癌の原因じゃない」というような判断を我々が実際に下すということを考えるなら、「原因である」の方は言いすぎですよね。「原因となり得る」の方は誰も反対しないでしょうが、「発癌物質」のような概念の理解にはあまり助けになりませんね。

須藤　必要十分条件だと言っているのではなく、必要条件としてそこまで広げて考えるしかないと申し上げているだけです。繰り返しますが、何を問題にしているかが明確でないと言っているのです。世の中の任意の現象に、過去の無数の現象が影響を及ぼしていることは確かです。仮にそれらを影響の大きさ順に一次元に並べることができたとしましょう。とすれば、その何番目のものまでを原因と呼べば満足しますか、という問題に帰着しますね。そしてその答えは「場合による」としか言えません。

さらに一般論だけではそのような一次元の順位づけは不可能です（現象をそもそもひとつふたつと可算個に分解することはできません）。しかし、物事を具体的にモデル化したならば、観測結果からその中の重要な成分を抽出する主成分分析のような統計的手法は数多く開発されていますから、個々の問題に即して近似的なモデルを仮定すればこれは実行可能です。そうすれば、無意味に一般論で因果関係とは何かと悩んだりすること無く原因を定量的に論じられますし、理学・工学では広く用いられています。とすれば、そもそも「厳密な一般論で」物事の原因を突き詰めようとする問題意識そのものを見直すべきだ、という結論になるのではないでしょうか？　因果関係というのは決してそんな単純なものではないし、しかもそれは誰にとっても自明でしょう。

伊勢田　別に最終的なターゲットとしての因果プロセスの概念分析が、単純な内容になるとは誰も考えていませんよ。あと、統計的な分析で原因に迫れるかということは科学哲学でも以前から論争になっています。サモンはそうした分析には「原因」の概念分析としては決定的に欠けている部分があるという結論にたどりついたために、さきほど紹介したようなマーク伝達などの選択肢を探し始めたのです。

須藤　ほんのわずかな違いが甚大な影響を及ぼし得るということはよく知られています。ある場所での蝶の羽ばたきがはるか遠くの天候を変化させるという有名なバタフライ効果という言葉で象徴的に表現されていますよね。つまり、ほとんど変わらないように見えても、仮に無限の精度で物事を観測できるとすれば、その光円錐内の事象はすべて影響を与えているはずです。その意味では厳密性を追究する限りやっぱりすべてを原因と呼ぶしかないでしょう。

にもかかわらず、それを原因と呼びたくないとすれば、どこかに自分が原因というものに対して暗黙のうちに抱いている定義があるからだとしか思えません。同じことばかり繰り返して恐縮ですが、そこを整理しない限り問題設定自体がずれているとしか思えません。

伊勢田　それで問題無いというのはひとつの考え方だと思いますが、原因という言葉の様々な現実の用例から考えると、とうてい受け入れがたい、と言わざるを得ません。言い方は悪いですが、哲学的な因果論を否定するという結論が先にあって、適当に理由をいろいろ挙げているだけのように感じます。こうも見られるという主張は、ただ「こうも見られる」というだけのことであって、別にその見方がよく吟味した上で説得力があるものかどうかわからないでしょう。それに、今おっしゃった「いろんな原因の概念に関してひとつの定義があるとは思えない」というのも、共通認識ではないですよね。つまり、そうかもしれないけれども、そうじゃないかもしれないですよね。

須藤　だからこそ、科学哲学者の前提としている「価値観」を教えてほしい、と言っているわけです。厳密な意味では光円錐内のすべての事象を原因と呼ぶしかないという身もふたも無いが正しい解釈が受け入れられないのであれば、何らかの価値観に従って原因と結果という概念を持ち込んで線を引いているはずですから、それを先にはっきりと教えてもらわなきゃ。

伊勢田　哲学者がある意味勝手な問題意識を持ち込む場合も確かに多くありますが、今おっしゃった例について言えば、哲学者以外の人と共有できる（そしてなぜか須藤さんとは共有できていないように見える）問題意識があると思います。

須藤　だとすれば、自ずから問題設定は明確であり、もはや哲学的な議論ではなく、その相互の「因果関係」をいかに客観的に証明するかという科学的な問題ですよね。その大切さは十分理解できますし、それに対するアプローチはたくさんあり、実際になされているのではないでしょうか？　少なくともそこまで具体的な問題になっている場合に、今さらマーク伝達理論だとか、そのマークは原因となる条件を満たしているかだとかいう話を持ち出してもかえって混乱を生むだけだと思います。今問題にしている発癌物質がどの程度の影響があるかについては、原理的には統計的な臨床結果からやがては科学的に決着がつくはずです。むろん病気の原因は複合的でしょうから、他にもより重要な原因がたくさんある可能性を否定するものではありませんが。

伊勢田　たくさんあってもいいけれども、原因であるための条件はありますよね。たくさんあるけれども、癌になった原因を聞かれたときに、たとえばこの人が占星術師に話を聞きにいってその占星術師の人から「あなた癌になりますよ」って言われたから、だからこの人は癌になったんだと言ったらどうでしょう。

須藤　それで？　まさかその占星術師の存在も原因だとしたいのですか？　そうしたければ勝手ですが、そのような議論を通じた因果関係を考えて何を見たいのですか。そんなことを言っているともはやお笑いの世界と区別できませんね。まさにそれこそが科学的に検証可能な部分ですが。

伊勢田　逆ですよ。占星術師と会ったことも原因だと言わざるを得なくなり、お笑いの世界と区別できなくなってしまうのは須藤さんの立場の方です。何を見たいかと言えば原因という概念について明らかにしたいんですよ。

須藤 だからそれは、「主要な」原因を探したいというだけの話なのですか。占星術師は論外ですが、発癌物質についてもそれだけが唯一の原因であるとは思えません。ほとんどの複雑事象において、原因と結果に一対一対応はありません。

伊勢田 一対一対応ではないとしても、「これが原因です」と言ったときに、「それはおかしい」と反応することはありますよね。原因である度合、というのを認めたにしても、それとは別に、どう見ても原因じゃないものもある。

須藤 当然です。しかしそこまで厳密に考えたいならば、「おかしい」という感覚もまた定量化しておく必要がありますね。本来は「おかしい」か「おかしくない」の二択ではなく、原因であるかもしれないが影響度が極めて小さいと表現すべきでしょう。そもそも世の中はすべて原理的に複合的なのですから。

伊勢田 世の中の出来事が複合的なのは確かですが、原因の概念を分析する上では、それはかえって本質が見えなくなっているのではないか、というおそれがある。だからこそビリヤードボールを使うんですよ。複合的な原因を省くことができる。

須藤 だからこそ、その単純化が、本来「原因」と「結果」の間の難しさの本質を捨て去ってしまっている悪いモデル化だとしか思えないのです。興味の対象が違うと言われればそれまでですが、私にとって、ビリヤードの問題は、原因と結果があまりにも一対一対応しすぎている希有な例です。したがって、この例で因果関係がはっきりしていることが理解できたとしても、ごく普通の複雑な世の中における原因の特定には何の役にも立ちません（ちなみに、複雑な現象の中の主な原因となる過程を探し出すことは、物理学、天文学、化学、生物学、医学、薬学、心理学などほぼあらゆる分野で本質的に重要な問題です。それが哲学者の考える意味での「原因」と同じものかどうかはいささか自信が無いのですけれども）。

一方、もしこのビリヤードにおいても、原因と結果の関係がよくわからないとおっしゃるのであれば（たぶんそうなのでしょうが）、そもそも原因という言葉の定義が私の想定しているものとは異なっているだけなのでしょう。とすれば、私も含めておそらく大多数の普通の人々が知りたいと考えている「原因」と、哲学者が考える「原因」とは意味が異なっていることになります。

したがっていずれの場合でも、ビリヤードは、普通の人が期待する原因と因果の問題に対して、何の答えも与えてくれないとしか思えないんです。

伊勢田　須藤さん、「複雑な現象の中の主な原因となる過程を探し出すことは、物理学、天文学、化学、生物学、医学、薬学、心理学などほぼあらゆる分野で本質的に重要な問題です」っていうのは、全く私も同意です。でもそれが重要だということは、「原因」という概念は今挙げられたような分野で重要だということもお認めになるわけですよね。それでしたら、その重要な概念について説明しようとしても七〇点、八〇点程度の答えしか出ないというのは困った状態だ、という哲学者の側の問題意識も認めていただけると思うのですが。

さらに言えば「光円錐の中にあるものはぜんぶ原因（となり得る）」と言うだけでは、何が主な原因で何が副次的な原因で、何がそもそも原因ではないか、みたいなことは議論できないですよね。もちろん実践的な科学者の皆さんがその問題に取り組む必要はないですが、哲学者がその問題を取り上げることまで批判する必要はない、というところくらいはすぐに認めていただけそうに思うのになぜ通じないんでしょうか。

確かにおっしゃる通り、最終的に知りたいのは、現実の複雑な状況でどれを原因とみなすか、についての基準だと思います。しかし、我々はその複雑な状況でいきなり原因という概念を使い始めるわけではないのではないですか。まず我々にとって理解しやすい原因という概念が非常に明確にあてはまるものがあって、それを当然いろんなところにあてはめて、もうちょっとわかりにくい事例でも「これが原因なんだな」、あるいは、原因の度合の差を認めるなら「これが主要な原因なんだな」などと言うわけです。でも、やっぱり明確に原因であるものがわからないと、なんで我々がそもそも原因という言葉を使えるのかがわからないし、原因の特定、特に確率的な因果になってくると本当に、原因という言葉の使い方が難しくなってくるのは確かです。

複雑なんだけれども、その中にも原因という概念の使い方のルールみたいなものは確かにある。たとえば以前、原発の周辺の警戒区域内に立ち入った人が、入ってすぐ倒れて亡くなったとかいう報道がありましたけれども……。

須藤　そうですよ。それこそ普通の人が知りたい因果関係の有無の例です。そしてそれを知るためにはビリヤードの問題を考えて時間を無駄にしている暇はありません。それらと同様に、因果関係についての大切な問題は山積しているはずです。

伊勢田　それは誰も否定してないですよ。今、私がその例を出したのは明らかにこれは原因ではないということがあるという例としてです。警戒区域内の線量は、ずっとそこにいたときに、生涯で癌で死亡する確率が上がるか上がらないか、というレベルのものです。そのレベルであってても不必要なリスクは避けるべきですが、いずれにせよその地域に入った瞬間に急に死ぬ、というようなレベルの線量ではありません。急性の症状についてはもっと高い線量のところにしきい値があって、それ以下では全く起こらないとされています。このような状況から考えて、この件については専門家の方も、「警戒区域に立ち入って放射線をあびたことが原因ではない」と断言すると思います。「警戒区域に入ったこと（そしてそこで自然放射線に加えて事故由来の放射線をあびたこと）」は、「突然倒れた」という出来事の光円錐の中に入ってはいますが、両者の因果関係は否定される、という例になっていると思います。

ある出来事がこの出来事の光円錐の中にあるけれども、これは原因ではないという事柄があるでしょう？

須藤　日常会話の話ですか。ごく普通にありますね。

伊勢田　日常会話でもありますし、でも、これは医学的にもそう言えますよね。「この人、放射能で死んだなんてあり得ないよ」と言いますよね。

須藤　ちょっと待ってください。それこそまさに科学的な定義が必要とされている場合じゃないですか。たとえば科学者であれば九九％の確率で否定できると表現するところを、日常生活では「ああ、原因ではありませんね」と一〇〇％否定してしまうことはたくさんあります。今や、そのような場合にこそ「なぜ放射能との因果関係が無いのか」という科学的な証明が求められる時代になっています。その意味では持ち出した例は、伊勢田さんの意図する例としては適切ではないと思います。むしろ放射能と健康の因果関係こそ、我々非哲学人が原因と結果の関係について、定量的に理解したいと思う絶好の具体例でもあります。

伊勢田 ただ、その確率は我々の無知に言及する確率ですよね。つまり、その確率九九%というのは世界そのものの確率というよりは、「我々にはわからない」ということの確率ですよね。

須藤 無知に対する確率の場合もあるでしょうし、それ以外の場合もあるでしょう。しかしながら、そこまで正しく理解されているにもかかわらず、そのような重要な問題に切り込むことなく、いつまでもビリヤードを用いて考えてばかりいる理由が私にはさっぱりわかりません。おそらく意図されていることとは全く逆に、本質的に複雑なこの世の中に存在する原因と結果を理解するというとても重要な問題に答えることを拒否し、哲学のための哲学に閉じこもっているようにすら思えます。ビリヤードを哲学的に考察したおかげで物事がこんなによくわかるようになったという具体的成果を教えてもらえば、私の偏見あるいは誤解が解けるかもしれません。

ビリヤードから導かれる因果の意味

伊勢田 そもそもビリヤードの例は、ヒュームが最初に導入したんですね。もともと何のための例かと言いますと、我々が想像している意味の「因果」については知り得ないという話をするための例なんです。

須藤 「想像している」というのは、「日常会話で使っている」という意味でしょうか?

伊勢田　日常会話だけでなく、ヒュームは同時代の科学者なども想定しています。ある初期条件を与えたら自然にこの結果が生じる。つまり、この初期条件があったら、これ以外の結果は起こりようが無いという、そのニュアンスが因果にある。

須藤　それを否定しようとしたわけですか、ビリヤードの例で？　少なくとも古典力学で考える限り、初期条件が決まったらどうなるかは確実に決まっています。しかも最も単純な二体問題と言うべきビリヤードを用いてそれを反証するというのは出発点からしてずれています。

伊勢田　いやいや。ビリヤードの例は何の例かというと、我々は必然性を観察できるのかという問題なんですね。必然性というものは、我々が見ているものの中にあるだろうか。我々は確かに一個のビリヤードボールが動いてもう一個のビリヤードボールが動いたのを見る。これを「恒常的な連接」と言います。要するに同じことが繰り返し起こるということです。

須藤　ごく当たり前のことになぜそんな大層な名前をつけるのでしょうか。

伊勢田　大層な名前をつけようとしてつけているわけじゃないんですけどね。哲学的な話をするときには、多義性のある日常語を意味のはっきりしたテクニカルタームで言い換えるといったことをよくやります。須藤さんもこういう議論に参加していただけるとわかると思うのですが、こういう言葉を導入しないと不便だから導入している、という大変実際的な理由です。

まあそれはそれとして、恒常的連接というのは同じことが繰り返し起こりますという意味だとご理解ください。その同じことの繰り返しというのが時間的、空間的に非常に密接に結びついていて、さらに言うと、Aのタイプの出来事が必ずBのタイプの出来事より時間的に先に存在する。時間的前後関係、時間、順番の問題と、後は近さの問題ですね。

須藤　「近さ」ってなんですか。

伊勢田　時間的、空間的に原因となるものと結果となるものが近いということです。

須藤　物理で言うところの近接作用のような意味でしょうか。

伊勢田　まあそうです。遠隔作用をヒュームが否定していたかというと微妙ですけども、我々が原因、結果を認識すると言っているときの設定では近いところにあるということです。なかなか遠隔作用はそう簡単には認識できないので。その上で、ヒュームは我々が持っているデータから、我々が因果というものに結びつけているイメージ、すなわち必然的な関係というものを導けるだろうか、このデータからはどう頑張っても導けないという議論をするためにビリヤードボールを使っている。

須藤　まだ難しくてよくわかりませんが、とにかく、ビリヤードボールを使うことで「必然的な関係」が導けないことを証明したいというわけですか？

伊勢田　ヒュームは、我々が最も因果について知っているはずの事例において、我々が何を知っているのかを明らかにするために、ビリヤードボールを使ったんです。そうすることで、我々が因果についてよく知っていると思っている事例においても、知っていることはこの程度のことしかないということに気づかせた。そこには必然性なんて要素は何もない。どこからどうやって導き出すのか、やれるものならやってみろというのが、ヒュームの議論だったんです。

須藤　ビリヤードボールの運動のどこに必然性が欠けているのでしょう？　古典力学が成り立つ系で初期条件を与える。そうするとこれがどのように運動するかはもう誰が何をしたとしても必ず決まっているものなのであって……。

伊勢田　誰がやっても同じというところを確かめましたか？

須藤　そこを疑っているのですか。ではそもそも原因と結果という因果関係を知りたいというよりも、この世界の現象は本当に物理法則に従っているのかどうかを知りたいということだったのでしょうか。確かに物理法則は再現可能だと思われているわけですが、それはそれを否定する具体的な例が知られていないという事実にもとづいているに過ぎません。したがって誰か確かめたのかと問われると、誰も証明はしていませんね。今までのところ、常に区別できないような結果が得られるという消極的な意味以外では。その意味において、物理法則は時間変化しない再現可能なものであるというのは仮定であるとともに、現代物理学という体系（宗教？）を信じる限り必然だとも言えます。

伊勢田　それはさきほどのヒュームと同じことを言っているんですよ。

須藤　本当にそうですか？　だとすれば、そんなに難しい言い回しじゃなく、「物理法則は明日には変わるかもしれない」と一言で主張すれば良いだけです。

伊勢田　ええと、細かいことを言うと「今までのところ、常に区別できないような結果が得られるという消極的な意味」だとすると、「法則が変わる」というよりは「そもそも一般にイメージされる意味での「法則」の名に値するものを我々は手に入れていなかったのかもしれない、ただ偶然のパターンを「法則」と呼んでいた可能性も否定できない」という言い方になると思いますし、ヒュームの主張もそんな感じにまとめられます。ちょっと細かくなりました。ともかくヒュームはその主張をただ言うのではなく、ビリヤードの例を使った論証という形でやったのですよ。

須藤　でもそれならばビリヤードなどとは全く無関係に誰でもその問いを発することはできますよね。むしろ、ビリヤードなどを持ち出して何かメリットがあるのかなあ、という気がします。仮に私の理解とヒュームの結論が同じであるならば、ヒュームという人の表現力が足りないから簡潔に説明できなかっただけじゃないのでしょうか？　また、物理法則というのがいかに偶然のパターンとはかけ離れた精度の信頼性と予言能力を持っているのかという点はすでにお話しした通りです。ヒュームの時代にはそこまでは理解できていなかったのでしょうから仕方ないのかもしれません。

でも、「法則」の定量性が桁違いに確認されている現代において、未だヒュームと同じレベルの疑問をこねくり回しているのは時代錯誤でしょうね。少なくとも私が今教わったことだけに限定すれば「物理法則は今まではずっと同じだったかもしれない、でも明日からは急に変わってしまう可能性は誰も否定できない」というだけの主張ですよね。私は決してそれが正しいと言うつもりはありませんが、どこまでも懐疑主義を貫きたいのであればそれも否定はしきれないよね、と言っているだけです。その方向のひとつの可能性として「物理定数は本当に定数か？　時間変化していないか？」という基本的な問いがあり、宇宙論的なデータからそれを真面目に検証しようとしているグループもあります（実は、微細構造定数と呼ばれる物理定数が実際に時間変化していると主張し続けているグループまで存在します。もちろんほとんど受け入れられていませんが）。

それにしても、原因と結果の関係の議論をしているときに、「明日の物理法則は今日とは変わってしまっているかもしれない」などという話を持ち出して何の解決になるのでしょうか？

伊勢田　なんだか話がずれているように思いますが、少なくとも、ヒュームが頑張って主張しようとしたことのひとつは確かに、物理法則には何の保証も無いということなんです。

須藤　それは認めましょう。

伊勢田　ところが、おそらく同時代的にもその後にも、「物理法則は明日にも変わります」ということをそんなフランクに認める人は哲学者にも科学者にもほとんどいないんですよ。

須藤　誤解無いように強調しておきますが、認めるとは言いましたけど、物理法則が時間的に変化する可能性を一〇〇%否定できるものではないという意味において認めると言っただけですよ。

伊勢田　それはそうです。

須藤　今まで反例が無いという意味において、物理法則が時間変化しないという仮定はミニマルです。そして必要が無い限り、複雑な仮定を積み重ねたりしないというのが科学の基本的態度です。

伊勢田　それはどういう意味でミニマルなんですか？

須藤　ある現象を説明する際に必要最小限な仮定から構成される理論を、物理学ではミニマルモデルと呼んだりする慣わしがあるのでそれに従いました。同じ現象を説明するふたつのモデルが存在する場合には、ミニマルモデルの方がより良いモデルであると考えられます。つまり、一粒で何度もおいしい方が優れているということですね。いずれにせよ、少なくとも明日になると物理法則が変わる可能性に対して、そんなことあり得ないと断言できる物理学者はいないし、ましてやあらゆることを疑うのが商売である哲学者ならば物理法則が変化する可能性を認めるのは不自然ではないと想像するのですが。

伊勢田　ちょっと待ってください。争点はあり得る、あり得ないではなく、明日、今日と同じ物理法則が働いている確率と働いていない確率はどっちが高いと思いますか。

須藤　それは、もはやある理論に従って計算できる物理の問題ではなく、単に趣味か宗教の問題を聞いているのですね。ならば、明らかに明日も同じ法則が働いている方に賭けます。

伊勢田　それはなぜですか。

須藤　それは今までずっとそうだったからですよ。

伊勢田　要するにこれまでの過去の経験が、データですね。そして、過去の経験から将来について我々は何か言えると思っていると。

須藤　思っているというか、それ以外の判断基準が無いからです。自然科学というのは、そういった厳密には証明できなくとも経験に裏打ちされた帰納によって支えられています。「今までずっと」という期間が長ければ長いほど、明日も変わらないという確率はますます高くなるはずです。これがすでに話していただいた帰納法の考え方ですよね。

伊勢田　それ以外の判断基準が無いと開き直るんだったらまあいいんです。ところが、多くの人はそれはもうちょっと確からしいものだと思ってるわけです。

須藤　開き直るという表現もどうかと思いますが。もちろん「多くの人」は直感的にそう「仮定」しているでしょう。しかし「実は論理的にはそうでない可能性は否定できませんよね」という聞き方をすればその「多くの人」も「まあ、それはそうだよね」って同意してくれると思いますよ。むろんだからといって、物理法則が明日から変化するという意見に積極的に転向するわけはありませんが。

繰り返しますが、因果という問題がとても重要であることには完全に同意します。「物理法則は本当に時間変化しないか」「決定論的な古典力学においてすら自由度が多くなるにつれて結果の予言が現実的には不可能となる複雑系のもとでの原因の役割」「決定論的ではない量子力学が絡んだ現象における原因と結果の関係の理解」などという物理学的にも極めて重要な問題、さらには「放射能の健康リスク」に代表される現実的な社会問題とも大きく関わっているからです。そのような科学の進歩を踏まえた上での因果の解明、また社会の要請に応えるべき因果の定量化という問題が山積みの状況にありながら、昔ながらのビリヤードの練習問題にしがみついていても何も得るものはありません。

私はとにかくビリヤードの件に最も怒っているので、ついつい感情的になっていることは認めますし、陳謝します。でもやっぱり、ビリヤードによって因果の問題の何をどのように明らかにしたいと考えているのかさっぱりわからないのです。哲学者が興味を持っている因果の定義が物理学者とは違うことは確かでしょう。それにしてもそのためにビリヤードのどこが役に立つのか全くわからないのです。

物理学者が考える因果

須藤　ここで、私が原因と結果という議論をする際に念頭においているものの具体例を示しておきましょう。これは具体的であるのみならず「世界」を理解するという意味でも良い例だと思います。細かい数学的な話は省略しますので、筋道だけ追って理解してもらえれば十分です。

図3はウィルキンソン・マイクロ波背景輻射非等方性探査機（WMAP）の観測から作成された、ビッグバン宇宙の名残である光（現在の宇宙では主としてマイクロ波と呼ばれる電波として宇宙を満たしています）の温度分布地図です。現在の宇宙は誕生後一三七億年経過していますが、この地図は誕生してからわずか三八万年後の宇宙の姿に対応します。地球は丸いので世界地図をそのまま忠実に二次元平面に描き写すことはできません。必ず歪んでしまいます。したがって何らかの変換が必要になります。たとえば、地球を自由に伸び縮みするゴムで包み込んでからその上に世界地図を描き写し、その後それを無理矢理伸ばして二次元平面にすることが考えられます。ただし地球（より正確には地球から一五〇万キロメートル離れたラグランジュ点と呼ばれる場所）から全天を観測する場合は、地球を外から見るのではなくその中心から外側に向かって眺めることになりますが、そこから観測される天球面を二次元平面に変換することは全く同じです。図の黒っぽい場所は平均よりも温度が低く、白っぽい場所は温度が高いことを表しています。宇宙の平均温度は約二・七ケルビン（絶対温度）ですが、この地図上での場所ごとの温度差はその一〇万分の一程度の極めて小さな違いしかありません。しかし、この温度の違いの存在が、それから一三七億年経過した現在の宇宙における、銀河や星、ひいては我々の存在の種となっています。

伊勢田　なるほど、図の中央あたりに暗いところがあってその右に明るいところがありますが、それが地球から見たその方向の宇宙誕生後三八万年の時点の温度差だということですね。

図3　ビッグバン宇宙の名残の光の温度分布地図

須藤　はい、その通りです。この温度地図から宇宙の情報を取り出すためには、もう少しデータを数学的に解析しておく必要があります。いわば古文書を現代の我々が理解できる言葉に翻訳するわけです。

そのためには、球面調和関数展開と呼ばれる数学的手法を用います。その手法にもとづいた暗号解読の結果浮かび上がってきた古文書の内容が、次の図4に示されている誤差棒つきのデータ点です（今回の話では理解する必要はないのですが、このグラフは「宇宙マイクロ波背景輻射温度ゆらぎスペクトル」です。横軸が温度地図の角度スケールの逆数、縦軸はそのスケールに対応した温度のむらむら度合の振幅に対応しています）。

伊勢田　数学的な細部を省略して説明していただけるのは助かりますが、せっかくなので「角度スケール」や「温度のむらむら度合の振幅」をもうひとこと砕いて説明いただけると何が進行しているか私にもおぼろげにわかるようになるかと思い

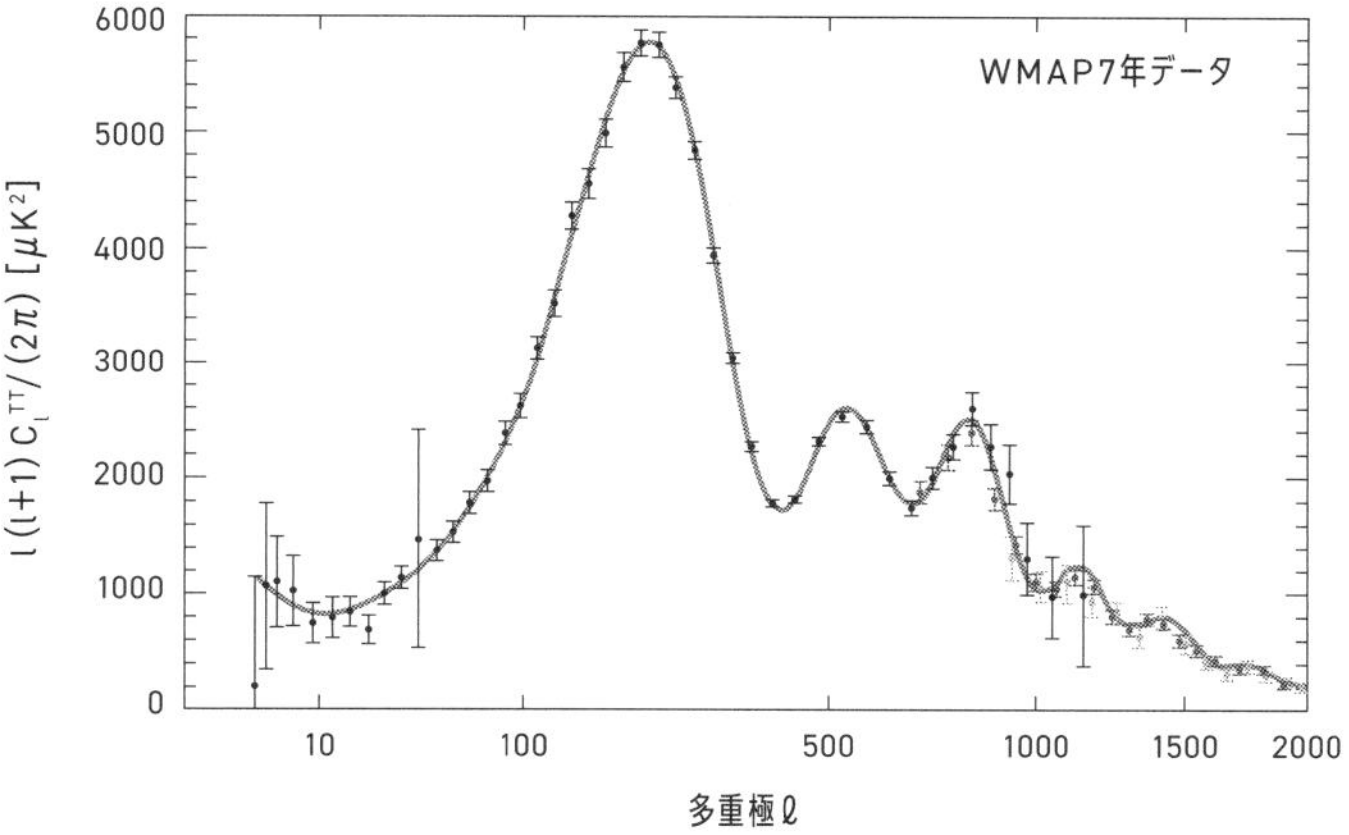

図4　宇宙マイクロ波背景輻射温度ゆらぎスペクトル

ます。

須藤　天球上で角度θ［度］だけ離れた任意の二点を選び、それぞれの点での温度差の二乗を計算し、それを全天で平均した値が縦軸の「温度のむらむら度合」です。この場合、横軸のℓは角度θとℓ≒180度／θという関係にあります。ℓが200程度でこのデータ点は振幅が最大になっていますね。これは角度にして1度程度を典型的なスケールとした温度のむらむらがたくさんあることを意味しています。それを知った上で再度、宇宙の温度分布地図を眺めてください。この図の左右の幅は一周360度に対応しますから、その100〜300分の1程度の大きさのぶつぶつが目立っていることが確認できますよね。とりあえずこの程度で許してください。

さて、この観測データ点がわかると、

パラメータ	WMAP7年データに基づく推定値
$100\Omega_b h^2$	$2.249^{+0.056}_{-0.057}$
$\Omega_c h^2$	0.1120 ± 0.0056
Ω_A	$0.727^{+0.030}_{-0.029}$
n_s	0.967 ± 0.014
τ	0.088 ± 0.015
$\Delta_R^2(k_0)$	$(2.43 \pm 0.11) \times 10^{-9}$

宇宙を特徴づけるパラメータ	WMAP7年データに基づく推定値
8Mpcでの揺らぎの振幅	$0.811^{+0.030}_{-0.031}$
ハッブル定数	70.4 ± 2.5km s^{-1} Mpc^{-1}
バリオン定数	0.0455 ± 0.0028
ダークマター定数	0.228 ± 0.027
再イオン化赤方偏移	10.6 ± 1.2
宇宙年齢	13.77 ± 0.13 Gyr

表1　宇宙のミニマルモデルを特徴づけるパラメータとその値

求められた宇宙の温度地図はなぜこのグラフで示されているような振る舞いをするのか、を理解したくなります。つまりこのデータ点の集合を「結果」だとみなせば、その「原因」は何かを知りたいというわけです。もちろん身もふたも無い言い方をすれば、それは宇宙の初期条件がそうだったから、というだけになります。

そのような曖昧な話は生産的ではないので、より具体的な問題設定をします。それがいわゆる標準宇宙論の「パラダイム」（宇宙論研究においてもこの単語は極めて頻繁に用いられていますが、これはすでにクーンさらには現在の科学哲学界で用いられている意味とは違っている可能性が高そうです。単純に、広く認められている標準モデル程度の意味です）となっている、宇宙定数（ダークエネルギーのある特別な種類だと思ってください)、冷たいダークマター(冷たいという言葉は物理学的に定義された意味を持っているのですが、無視しても良いですし、気になるようなら、運動する速度が小さい程度に理解しておけば十分です)、通常の元素(ほとんどは水素です)の三成分からなるモデルです。

このモデルは最も単純には(いわゆるミニマルモデルですね)、六つのパラメータの値の組によって特徴づけられます。そしてそれらの値の組み合わせを変化させることで、観測されたデータ点に対応する理論曲線が得られます。その結果がグラフにプロットされている曲線で、観測されているすべてのデータ点を実に見事に再現しています。もとになった「パラダイム」たるモデルが間違っているにもかかわらず、単なる「偶然」だけでここまで現実が再現できるとは思えません。この定量的な一致という事実が、「帰納的」であるにせよ、このモデルへの宇宙論研究者の高い信頼性を支えています。

その結果得られたパラメータの関係をまとめたものが前ページの表1の上段です。さらにいくつかの仮定と組み合わせればそれらから宇宙を特徴づける(ある意味ではミニマルモデルを超えた仮定を含むモデルに登場する)パラメータの値を推定することも可能になります(表1の下段)。意味がわかりやすいパラメータだけを説明すれば、現在の宇宙の年齢は一三七・七±一・三億年、元素、ダークマター、宇宙定数はそれぞれ全宇宙のエネルギーの四・五五±〇・二八%、二二・八±二・七%、七二・七±三・〇%を占めているという結論が得られます。

伊勢田 なるほど、最初の頃の宇宙の温度のばらつきからいろいろなことがわかってくるわけですね。

須藤　実はこれこそ私が念頭においている原因と結果の具体例に他なりません。最初の宇宙の温度地図という「結果」を眺めて、その「原因」を問う。我々は決してそのような言い方はしませんが、実際にやっていることを大げさに表現するならばその通りです。しかもその際には、何が原因で、何が結果をマークして、保存量は何かなどといった禅問答など全く経由することなく、驚くべき誤差範囲で、しかも数多くのパラメータ（原因の因子）を高い精度で推定することに成功しています。

伊勢田　こうした研究が素晴らしい研究だということには全く異論はありません。そして、ある意味で原因を探究する研究であるのも確かですね。

ただ、具体的な結果に対して具体的な原因を問う作業は当然その分野の専門的なトレーニングを積んだ方の仕事であり、哲学者の仕事ではありません。それとも須藤さんは哲学者にもこれをやれとおっしゃってるんですか？

須藤　ごめんなさい。誤解を与えたかもしれませんが、もちろんそのようなつもりはありません。ただし伊勢田さんのお怒りを承知の上で申し上げるならば、現代科学の方法論はここまで具体化しているという実例を紹介したかったのです。実例を知ることなしに、「宇宙論におけるパラダイムは単なる社会的取り決めに過ぎない」、「データを説明できるモデルを信じるのは帰納法の論理的限界を無視しているからだ」、「宇宙が物理法則に従って進化している保証はない、単なる偶然をそうみなしているだけだ」、などという一般論めいた哲学的議論をしていることに対して、なぜそれを科学者が受け入れられないのかをお伝えしたいと思ったのです。

たとえばここで紹介した研究は、単なるパラメータの値の決定という細かい成果ではなく、我々の宇宙は素粒子の標準理論では説明できないダークマターとダークエネルギー（今の場合はその一種である宇宙定数に限定したミニマルモデルですが）に満たされているという、信じがたい世界観を提供するにいたっています。まさに世界を理解するという営みと呼ぶにふさわしいのではないでしょうか。おそらくこれはかつての哲学者がずっと問い続けてきた本質的な問題そのものだと思います。

このように本来まさに哲学的と形容されるような問いにまで科学が確実に答えを与えてくれている一方で（宇宙の進化を記述する一般相対論は一九一六年、宇宙膨張の発見は一九二九年、マイクロ波背景輻射の発見は一九六五年、マイクロ波温度非等方性の発見は一九九三年、ダークエネルギーの発見は一九九八年、ＷＭＡＰの宇宙温度地図は二〇〇三年。まさに日進月歩です）、いつまでも三〇〇年前のビリヤードを用いて世界を理解しようとしているのだとすれば、時代錯誤のそしりを免れ得ないと私が考えるのは、科学者の誤解と傲慢なのでしょうか？

伊勢田　科学が日進月歩であり、新しい結果を次々に生み出していることはもちろんです。でも、すみません、それがここまで我々が話してきたこととどう関係があるのか、困惑しているというのが正直なところです。

ある結果に対してその原因を問うのと、「原因」ってそもそも何だろうという概念的な問題を考えるのはぜんぜん別の問いだと思います。須藤さんはさきほど、この研究では「原因」とか「結果」とかという言い方はしないとおっしゃいましたが、そういう概念を使わなければ、それはもちろん「原因って何だろう」という概念的な問いも必要ありません。ただ、これもまた須藤さん自身がその前におっしゃっていたように、科学の他の様々な場面で「主な原因」を探すというのは大変大事な作業です。そういう「原因」という概念を使うところでは、「じゃあそこで言う「原因」って何？」ということが問題にできる。そこから哲学者の仕事が始まります。

十年一日（どころか三百年一日）同じことをやっている、という批判は、これはある程度哲学者が甘受しなくてはならない批判だと思います。確かに我々は三〇〇年前から比べてそんなに進歩できているわけではない。これは、ヒュームの問題提起は今でも我々にとって古びていないということだけからもわかります。ただ、その際の比較対象がここで挙げられたような研究だというのは、承服できません。性格の違うものを比べているようにしか見えません。

須藤　科学が対象とする範囲と哲学が対象とする範囲が異なるのは当然です。また、確かに伊勢田さんがおっしゃるように問うている問題の性質そのものが違っているのも事実です。しかし、科学はたとえば三〇〇年前の哲学が問うていたことをすでに対象として取り込み、具体的な問題設定をすることで部分的に解明してきましたし、これからもそうあり続けることでしょう。だとすれば、哲学側もそれに対応した戦略を見直し進める必要があるのではないか、というのが私の一貫した主張です。必ずしもそれに対する成果を求めるつもりはありませんが、少なくとも方法論における進歩は期待したいですね。

三〇〇年前にヒュームが考えたことと同じ問題を同じビリヤードを用いて考えているとすれば、ヒューム以上の進展が得られないのは当たり前です。問題設定をより具体的にし、何を問うているのかを分析しさらに細かい要素に分割する。あるいはビリヤードではないもっとまともな思考実験の材料を探し出す。そしてそのいずれもができないのであれば、この問題はしばらく手をつけずに別の哲学的問題に取り組む、というのだって、十分立派な研究戦略だと思いますよ。

前述の宇宙論の例でも、実は「ではなぜダークエネルギーが存在するのか」「ダークエネルギーはどうしてその数値になっているのか」から、さらには「宇宙はどうして誕生したのか」にいたるまで、より根源的な謎は山積しています。そしてそれらの一部には様々な仮説（そのほとんどは結果的に正しくないことがわかる運命にあるわけですが）を提案してお互いに批判することで答えようとする努力が継続中です。あまりに根源的な問いに対しては「とりあえず今は時期尚早なので、やがて機が熟すのをじっと待とう」という戦略をとっている研究者は無数にいるでしょう。だからこそ、「疑問自身は超一級だから、それを三〇〇年前と全く同じスタイルで考え続けてどこが悪いのか」と聞かれれば、「それは勝手ですけど、研究姿勢としてはセンスを疑います」と答えるしかないのです。

科学哲学者の因果が、科学でも有効な場面

伊勢田　原因そのものではなく原因の「概念」を分析するという方にもう一度話を戻しましょう。物理学者と哲学者で「因果」という言葉の定義が違うのは、最初からわかっているからいいんですが、ビリヤードを使うことで物理学者ではないけれども、たとえば生物学者なり他の分野の人たちなりが使う原因や結果の概念に関する勘違いが見えてくる可能性があるんです。

須藤　単に可能性ではなくて、ヒュームに始まりすでに長いこと議論し続けられてきたのなら

ば、その結果何が明らかになったのかを説明してほしいと思います。今さら「可能性」などというレベルでは困りますね。

伊勢田　何が明らかになったか、と聞かれれば、誰もが納得する答えはなかなか出ないぞということぐらいしか、誰もが一致して認める「明らかになったこと」は無いでしょうが。それはともかくとして、その勘違いの可能性についてです。ヒュームは、因果という概念を使うこと自体にそんなにネガティブではありません。ただ、彼は、あくまでそれは、我々がこれまで経験してきた規則性でしかないと言うんです。その先はぜんぶ我々が勝手に習慣で思い込んでいるものだけであると。ただ、その上で、その思い込みは悪いことではなく、我々はそういうものなのであるというのが、ヒュームの論です。

須藤　一応誤解が無いように言っておきますが、私は、これからの未来も今までの物理法則で十分予言できるし、むしろその最も単純な具体例がビリヤードであると考えています。一方、明日の物理法則は今日とは違うかもしれないという可能性もまた認めます。その後者の立場からは、伊勢田さんに教えていただいたヒュームの結論には完全に同意します。しかも彼は三〇〇年も昔の人ということですから、その時代としてビリヤードを取り上げたことはおかしくないし、その議論も十分意義があったのでしょう。それに関して私が暴言をはいたと誤解されたのであれば謝ります。私が問題としていたのはそれから三〇〇年も経った今でもなおビリヤードを取り上げている人がまだ生息しているという点に尽きます。

世の中の現象においてビリヤードのような単純な系は例外でしかなく（そもそものような単純な状況下にあってもなお、原因と結果の関係に悩むという哲学者の問題意識がまだ理解できませんが)、はるかに複雑な要素が絡まり合っているのが普通です。膨大に存在する要素の中に、原因と呼ぶに値するものはあるだろうか、それを客観的に判断できるか、という問題になると思うんです。それを問題設定とするのであれば理解できます。しかしその場合、今ならビリヤードで考えてしまっては本質を失ってしまう。この私の疑問の論点はわかるでしょうか。

伊勢田　はい、質問はわかってます。でも、ビリヤードの例を何に使うかというと——ヒュームは非常に否定的な扱い方をしたけれども、もっと肯定的な例にも使えるんですね。因果というものをヒュームと違うように捉えたいという人がいたときに、まずビリヤードの例で話を始める。ここで、ビリヤードの例だけでぜんぶの議論ができると言っている人はたぶんいません。でも、まず因果というものに関係の無い様々な要素を取り除いて、すごいピュアな因果というものを取り出すためにビリヤードの例が使われているんです。

分析の結果として、ヒュームは、規則性をベースとした因果の定義を提示します。つまり、この種の議論においては、「定義」は最終的な成果物です。最初に定義を提示できるのであったら、そもそも分析なんか必要無いでしょう。ヒュームの場合は、既存の定義っぽいもの——因果関係があるならば必然的連関がある、という概念的関係——を批判しようとしていたのだから、なおさらです。

須藤　まだわかりません。具体例がほしいところです。

伊勢田　たとえば反実仮想というのも、まずはそこから始まるんですよ。反実仮想による原因と結果の定義は、まずビリヤードの例から話を始めます。このとき、最初のビリヤードボールが動かなければ次のビリヤードボールは動かなかっただろうということが言える。このシンプルな事例において、まずは、概念としては矛盾を含まないということが一応確認される。そこは、出発点なんですよ。

では、このビリヤードボールの動きを見ていて、動かなかったら、次に他のビリヤードの玉がきちんと間を補完するようになっていたらどういうふうに判断できるのか。反実仮想というのは、「Aが無ければBが無かったろう」ということが、この文章が成り立っていないのにもかかわらず、因果があるように見える場合がある。つまり、Aが無かったら実はCが補完しているということがありますね。

須藤　Cってなんですか？

伊勢田　それは、ビリヤードの事例をベースにして、それに新しい要素をつけ加えたんです。

須藤　それははっきり言って、反則以外の何ものでもない。ビリヤードで明らかにしたいって言ったときに……。

伊勢田　ちょっと待ってください。須藤さんはそもそもビリヤードの例が因果の問題について考える役に立つということに反対しているんですよね。だから、建設的な議論の中で、ビリヤードの例が様々なバリエーションを作りながら利用できるという話をしようと思ったわけです。ビリヤードの例は因果の本質とは無関係だというお立場なんですよね。

須藤　そうです。因果というのは基本的に多体問題の場合において自明でなくなるのであって、それを二体問題に還元した瞬間に、因果の本質的な問題は消え去るだろうと私はずっとこの対談中で繰り返し主張してきました。

伊勢田　ビリヤードを例に出す人にとって、本質は消え去らないんですよ。非常にピュアな形で表れてくる。

須藤　けれど、Cを入れて、三体問題にしてしまうんでしょう?

伊勢田　いや、Cを入れるのは反論者です。これは反事実条件分析と呼ばれるものです。当たったら動いたというのは、「当たらなければ動かない」として分析するのが反事実分析と呼ばれるものです。

須藤　またまた当たり前のことにやたらと難しい言葉を使うのですねえ。まあ意味はわかってきたつもりです。

伊勢田　そのことは、基本的にビリヤードで一番ピュアな形で表れるんですよ。

須藤　ビリヤードを持ち出すことが必要かどうかはわかりませんが、そこは良しとしましょう。それで因果にどういう知見を与えたんですか?

伊勢田　因果にどういう知見を与えた?　その質問はおかしいですよ。どんな知見を期待しているかが違うんですね。私から見ると、これ自体がひとつの知見なんですよ。これに対して反論が出て、その反論に答えていくというプロセスの中で、徐々に因果とは何かについての理解が深まっていく。

須藤　やっぱり出発点からして噛み合っていないですねえ。

現象を支配している主な過程を特定するというのは、自然科学で日常的に行われています。現象に関係する無数のパラメータが存在しており、それをモデル化することでそのパラメータの値を推定する。これもいわば、「原因」の特定ですね。科学者や工学者はそのような方法論にもとづいて、個々の問題に対して具体的に原因を探り当てる努力をし、大きな成果を挙げ続けていますよ。それも無しにただただ複雑な世界を考えて「因果関係はありますか」と言っても、何もわからないじゃないですか。

伊勢田　それだけではわからないです。でも、ある現象と現象の因果がわからないと、第三、第四の現象との関係もわからないじゃないですか。

須藤　それには同意します。でも、ビリヤードの例にとどまる限り、それでおしまいでしょう？　キューをプレイヤーが押そうと思わなかったらどうする、なんてことも言う人がいるようですが、それはお笑い芸人のボケとしか思えないような話です。物事の本質とぜんぜん違う。少なくとも私が重要だと共感できる因果の本質とは全く違う。

伊勢田　それは本質のイメージが違うんじゃないですか。須藤さんの考える問題はよくわかります。それはけっこう大事な問題だと思うんですよ。ただ、おそらく哲学者が興味を持っている部分とずれているんです。

須藤　それはもう何度も聞きました。だから私の方からは、なぜ物理学あるいは社会から見て原因と結果という問題が重要だと思うのかを具体的に例を挙げて説明したつもりです。ですから同じように、単に「哲学者の興味とは違っている」と言うだけでなく、具体的にどのような意味でビリヤードに代表される因果が面白いのかを説得してもらいたいのです。その結果、「なるほど、哲学者が言いたかったのはこれなのか」とすっきりできればそれで満足できると思うんです。

哲学者は何のために因果を問うのか

須藤　再度お聞きしますが、哲学者の立場からは、因果のどういうところに興味があり、どの部分を明らかにしたいと考えているのですか？

伊勢田　大きくふたつに分けられて、メタフィジカルな話と、概念分析的な話があるんですよね。一般的に直観的に因果と呼ばれているものは何なのか、という問いと、因果という言葉の正しい使い方は何かという問いがあります。

須藤　前者は良いとしても、今までの話に従えば因果の定義は無いのだから後者は自分が定義するのであり、正しいも何も無いのでは？

伊勢田　違いますよ。自分が定義したら、自分にしか通用しないわけじゃないですよね。

須藤　おっしゃる通り、自分にしか通用しない定義では意味がありません。でも、ビリヤードを通じて因果の定義を探しているようでは、所詮そのレベル以上のものには到達できまいと言っているのです。決して因果の言葉の「正しい使い方」に迫れるような思考実験とは思えない。

伊勢田　「正しい使い方」や定義について問うというのが無意味じゃないというところは認めていただけたようなので安心しました。

須藤　申し訳ないけども、定義はいろいろあっていいと思いますよ。でもその論争の結果として「正しい使い方は」と問うならば、「正しい」の定義が無いとだめでしょう。

伊勢田　この「正しい」は、おれさま定義でいいと言えば、それでもいいんですよ。でも、多くの人はそれを良しとせず、いろいろな制約条件の中で正しい使い方というのを探そうとしている。

須藤　それはいろんな説に対して「こっちの定義の方がもっともらしいね」という比較をしましょうということでしょう？　「正しい」と言うから混乱しましたが、多数決で決めましょうといった言い方をした方が……。

伊勢田　ただの多数決ではないんです。そういう意味では、「正しい」ではなく、「より良い」という言い方でもいいんですよ。

須藤　多数決ではなくて論理で決定しようと言いたいのでしょうか？　むろんその過程で論理的に一意的な結論になる場合はいいとして、たいていの場合はどんどん突き詰めていくと、最終的には私は「赤が好き」、いや「白が好き」といった価値観の相違に帰着するというのが、私の信念なんですよね。それを明らかにするまでの議論の積み重ねは大切ですが、その違いが明らかになった段階では、最終的には赤が好きか、あるいは白が好きか、というレベルに帰着するでしょう。とすれば、結局は多数決となる、と言いたかったのです。

伊勢田　それはずいぶんと普通の多数決とは違う多数決をとっていますが。まあ、わかりました。

須藤　いや、価値観が絡む物事のほとんどは、突き詰めていけばそうなるでしょうというだけのことですよ。

伊勢田　そのときには、そういう意味では多数決をとらないんですよ。そこまでいって生き延びたものはぜんぶ正解なんです。

須藤　だとすれば、それはそれでいいですよ、それには私も賛成します。だから、元に戻るならば、因果の定義だっていろいろとあって良いということになりませんか？

伊勢田　だから、そこまでたどりついてないじゃないですか、ぜんぜん。つまり、お互いの何が違うのか……。

須藤　それは、目的が明確にされていないからなんですよ。問題意識がそこまで具体化されていないからです。確固とした目的無しに、いろいろな定義を出して一般論で遊んでいるからそんなことになる。

伊勢田　ある意味では目的の設定そのものが論争の対象なんですよ。

須藤　じゃあ、その具体的な目的の例を教えてください。

伊勢田　目的のひとつのイメージとして、こういう議論をするときに哲学者がよく使うのが、直観という言葉なんですね。特に概念分析においては、因果という言葉の使い方を考えるときに、これは確かに因果だろうと考える、ある種の言語的な直観——ただの言語的な直観でもないのですが——がある。たとえばビリヤードの例を使いますが、的玉が、手玉が動かなかったときに他の仕組みが働いてたまたま動くというような仕組みが仮にあったとしても、手玉が的玉に実際に当たって、的玉が動いたからには、「手玉が的玉の原因だろう」という直観が働くでしょう。それが受け入れられるかどうかは議論してみなくてはわかりません。でも、とりあえずそれが受け入れられたとすると、それがまずある種の境界条件になるわけですね。その後どんな解釈を提示するにしても、まずこの直観と矛盾をするとそれは解釈として一段落ちる。

須藤　それは合意しましょう。おかしいとは思いません。

伊勢田　話が進んでいくうちにまた同じような形で別の直観が出てくる。これも提案されて、聞いた人が「え、そんなのぜんぜん直観でもなんでもないよ」って言うかもしれないし、「確かにそうだね」って言うかもしれない。ある程度それが練れていくとそれがまた直観として確立する。そういうことを繰り返していくうちに、いくつかとりあえず満たすべき条件が出てくる。この満たすべき条件を満たしている使い方はどれだろうと。こういう理屈をつけたらX案でもいける、その理屈をつけないとY案の方がいいといった形で、だんだん話をしていくうちに包囲網ができてくる。そういう中で、ある程度直観が出そろったところで、我々にとって因果という言葉のより良い使い方は何かと考えているときに、「我々が知りたかったのはこういうことなんだ」と見えてくる。つまり、問題設定が、話をしていくうちにだんだん明らかになってくる。なので、話を始めるときには全くウェル・ディファインドではないんですよ。ウェル・ディファインドになったときには、もうそれは哲学者の仕事ではなくなっている。

須藤　それもまた一般論としては良いんだけれども、さすがに三〇〇年も業界でやり続けているのだとすれば、そのような曖昧なレベルではなく、いいかげんちゃんと決着をつけてほしいと思うわけです。でなければ時間がもったいないと思いませんか。それに、そもそも最初からあまり見通しが良くないと思われる問題に対して、それだけ時間をかけてきたのだとすれば、その成果に対してある程度責任を持つべきだと思うなあ。物理学の場合、時間とともに具体的な実験データが蓄積されることで、数多くある理論がやがて淘汰され「正しい」理論が絞られてくる。だからこそ、時間をかけて議論する意味がある。もしそれが無いならば、三〇〇年やっても新しいことがわかる可能性は低いのだからもっと別の問題を探し出し、そちらに時間を費やす方が良いと思いますよ。

伊勢田　だから、このプロセスを続けていってもいくつか生き延びるという意味ではもちろんその通りなんですよ。

須藤　だから、因果を哲学的に議論する際の明確なゴールを設定しておかないと、いつまでも何の進歩も無いまま、似たような議論をいつまでもぐるぐる続けているだけになりますよ。

伊勢田　すみません、私には、自分が説明した話がぐるぐる回っているようにはぜんぜん見えないんですよ。

須藤　まずはここまで解決すれば、残るのは次のこの問題、それがやがて次の段階で解決されれば、後はこれを考えれば良い……といった明確な目標が設定されていないことに違和感を唱えているのです。

伊勢田　自然科学はそういう方法論であるべきなのかもしれませんけども、哲学はそうではない。

須藤　確かにそうでしょうけれど、何ら具体的戦略無しに因果などという漠然とした大問題に挑戦する気持ちがわかりませんね。何であれ、具体的なプログラムを提示して研究することで初めて議論に意味がある。

　でなければ、私や新橋の酔っぱらいオッサンのいちゃもんと変わらない。給料をもらいながらそんな方法論のまま、優秀な学生にそのような方法論を身につける教育しかしていないとすれば、ほめられた話ではないですね。

伊勢田　価値の話はしたくないと言いながら、ずいぶんと強い価値判断をされているわけですけれども。

須藤　研究に明確なゴールを持てと言うことも価値判断だと言うわけですね。

伊勢田　言います。

須藤　そうか……私は研究に目的を求めすぎているわけですか？

伊勢田　いや、別に須藤さんが悪いと言っているわけではないんです。だから、科学者はまさにそういうウェル・ディファインドな形で問題を求めるからこそ非常に大きな成果を残してきていると思います。それを我々は認めるんですよ。ただウェル・ディファインドにならない問題が世の中にあるだろうという前提で我々は仕事をしているんですね。

須藤　それ自体には全く同意します。問題点や論点が明確になっていないテーマはたくさんあるんです。だからこそ、それらを具体的に解くためにはどうすればよいかと考えるのが科学でしょう――科学というか学問はすべてそうでしょう。

伊勢田　かどうかは、まあ。

須藤　それも価値判断が入っているというわけですか。でも具体的に解決するプログラムを設定せずに散発的に言いたいことばっかり言ってても仕方ないでしょう。

伊勢田　だから、言いたいことを言っているだけではないですし、方法論が無いわけでもないんですよ。

科学の進展があっても、なぜ三〇〇〇年前の議論が続くのか

須藤　科学哲学に興味がある人たちは、現在の科学の進展をどこまでご存じなのでしょうか。

三〇〇年前なら納得できますが、現在の物理学的な考えを知っていれば、失礼ながら今さらビリヤードの話を聞いて「とっても面白い」と思うことなどあり得ないと思いますが。

伊勢田　ビリヤードの事例を面白いと言う人がいても、事例そのものが面白いわけではないんですよ。さきほども言いましたけれども、因果のあり方としてすごく面白いから使うのではなく、むしろ当たり前で退屈だから使うんです。たぶん哲学者はすごく概念的な話をしているんですよ。

須藤　概念的と本質的とは違うのですか？　熱力学における不可逆性は時間の向きを決めると解釈することができます（たとえば、二種類の気体を仕切りのある箱に入れておきその仕切りをとると気体は一様に混合する一方であり、逆にそれが分離することは無い）。それは膨大な数の気体分子が存在する、すなわち多体問題であることが本質です。しかし、その素過程である二体問題は可逆（時間の向きに対して対称）ですから、それを単純化して二体問題に帰着させて考えることは不可逆性の本質を理解したいならば意味がありません。このように時間がなぜ一方向にしか進まないのか（時間の矢の問題と呼ばれ、熱力学的時間の矢、宇宙膨張の時間の矢、心理学的時間の矢など、異なる時間の向きがなぜいずれも一致しているのかという疑問のこと）という観点から因果律を議論するならば、ビリヤードの問題を考えても何の解決にもなりません。

伊勢田　今おっしゃったことの中で、本当に多体問題の方にこそ因果の本質があるって、そんなに物理学者がみんな思っていますか？

須藤　そうだと思いますよ。

伊勢田　そうですか？

須藤　だって、原因と結果の区別の本質は時間の非対称性じゃないですか。

伊勢田　そのお話は、時間の矢の話と因果の問題と両方についてですか？　それはたぶん時間の矢の話だと思いますよ。

須藤　そうかもしれませんね。でも、因果の本質を考えるならば時間の矢の問題を抜きに議論できないのではないでしょうか。光円錐というのはまさにこの時間の持つ特殊性によって定義されたものですから。物理学で言う因果律とは「光円錐の外にある事象からの影響は受けない」という主張であり、その中にあえて原因とか結果といった概念は持ち込みません。

伊勢田　本当に言わないんですか。

須藤　因果律という考察においては言いません。もちろん、ある実験結果を眺めて「こうなった主な原因はこれこれだよね」と言うことはよくあります。それどころか、それをもっと定量化して、その原因となっているパラメータの値を誤差までつけて評価します。それが通常の実験のデータ解析です。それはすでに宇宙の温度地図の解析例を持ち出した際に説明した通りです。でもそれは科学哲学者が問題としている因果とは違うのでしょう？

伊勢田　完全に操作的に定義された概念として「原因」を使っているのならば違うということになると思いますが、実際の用例において、より直観的な「原因」の概念の要素が入り込んでいるならそこが接点になってくると思います。今言われた「主な原因」の「主な」というのは、主観的な確率ですか、客観的な確率ですか、何か別の話ですか。

須藤　最初は客観的ではなく、主観的なんでしょうね。実験をやりながら直感を頼りに、「これが臭いよね」というふうに追いつめる。しかしその試行錯誤を通じて、やがては誰がやっても再現可能な客観性を持つような条件を探し当てるのが実験の目的です。

伊勢田　でも、特定したときに確率は変わりますよね。

須藤　もちろんそうでしょう。でも、それは結果論です。失敗すればその可能性はどんどん捨てられ、最終的にはうまくいったものだけが残る。それを効率的に上手に探り当てるのが実験家の腕前でしょうね。それは方法論として一般化できるものではなく、やはりセンスというものでしょう。

伊勢田　因果の話のときに必ず確率の話が入ってくると言うときに、二種類あると思うんです。つまり、どれが原因か我々にはわからないけれども、でもたぶんこれである確率が高いっていうときの確率はたぶん主観的な確率。でも、原因の概念の話をするときには、その確率はあまり関係無いんですよ。つまり、それは我々が知らないだけで、わかったらこの確率はなくなるんです。つまり、今の話でこの実験がうまくいかなかった理由が何かはわからないけれども、あるものを変えたら実験がうまくいきましたというようなときには、確率は我々が知らない間だけ存在していた確率なんです。我々がこれを変えることによってこの実験がうまくいったということを発見したところでそれは消えてしまって、それは確率的な話ではなくなる。これに対して、原因と結果の関係そのものが確率的だということもあって、これはいくら調べて無知を減らしても確率は変わらない。この二種類をきっちり分けなきゃいけない。

須藤　おっしゃることはたぶんわかったと思います。まだ真実が明らかになっていない段階で、たぶんあれは原因じゃないかなと推測する場合、「これが原因である確率は八〇％」と言ったりしますね。それはおっしゃる通り、真実が明らかになった段階で、正しければ一〇〇％、間違っていれば〇％となり、確率は消失する。

でも一方で、複合的な過程を経由してある「結果」が成り立っている場合はそうではないでしょう。複数の要因が絡んでいる場合には、因子Aは二五％、因子Bは三五％、因子Cは六〇％……といった具合に結果に寄与している可能性があります（これらはすべてがある決まった割合で混ざったときだけ結果が生じるのではなく、それらを足してある臨界値を超えたら結果が実現するという意味において足して一〇〇％である必要はありません）。その場合は、やはり確率が残りますよね。どうも私はずっとそのような無数の因子が絡んでいるものを総称して原因と呼んでいるようです。そして、一般に世間で、あることが原因かどうかを明らかにしてほしいという場合、ほとんどはそのような状況なのではないかと思います。

この原因に対する前提の違いが、私と伊勢田さんの議論がずっとすれ違ったままである「原因」なのでしょうか？

伊勢田　サモンは反対するのですが、科学哲学における主流の考え方のひとつとして、確率的因果（probabilistic causation）というものがあります。その考え方によれば、Bという条件の下でのAの確率が、Bのような条件が無いときの確率よりも大きいということは、BがAの原因になるための必要条件なんですね。ただ、これは必要条件だけど十分条件じゃない（サモンは必要条件だということ自体に反対します）。これを満たしているけれども原因ではないものは、山ほどある。

須藤　それはまさに私が言ったことと同じなのでは？　世界はAとBだけからなっているので

はなく、それ以外に無数の因子からなっています。それらを無視して、AとBだけからなる理想化された、しかし現実とは異なる世界を設定して議論しても、原因の本質には迫れません。それこそ私が繰り返している多体効果の本質的な役割ということです。

伊勢田　でもそれは、ひとつの科学哲学的な説を立てていますよ。

須藤　ほめてもらっているのかどうか測りかねますが、その程度なら誰だってわかっているのではないでしょうか。言われなくてもみんなそう思っていて、それ以上深める気もしないレベルの話のような気がしますけどね。

伊勢田　いや、そうはいかないですよ。基本はすべて多体で、「原因」というのはその全体を指す言葉であるというのはもちろんひとつの立場としてあり得ますが、でもそれは明らかに我々の多くの「原因」という言葉の用法と食い違っている（「発癌物質」という表現は、先行する因子の全体ではなく、その中のひとつを取り出して「この物質が癌の原因だ」という言い方をするという例です）。なので、それは我々の言葉の用法を変えるか、それとも説の方にもうちょっと何かつけ加えるかしないといけない。

須藤　私は自分が納得できればそれで満足できるので、それ以上しつこく深めたくはないけども、さらにとことん深めたいという人がいるのはわからないでもありません。言い換えれば、どこまで重箱の隅をつつくかという問題ですね。物理学でも定性的にわかれば十分という立場と、数値まで含めてぴったりと説明できなくては満足できないという立場があります。宇宙物理学のように、実験条件を自分で細かく制御できない分野では前者でも良いのですが、実際の応用に近づくとそれではだめでやはり後者になる。しかもそれを突き詰めていく段階で、今まで知られていなかった新しい現象が発見されるということも少なくありません。これまた結論ですね。

伊勢田　哲学者はやめるという知恵を持たないというところは確かにあって……。

須藤　もっと重要なことがあるにもかかわらずそっちにいかないのは変ですね。やめるというのではなく、とりあえずできるところまではやったから、現時点ではそのまま置いておくというのも、賢い戦略だと思いますが……。

伊勢田　哲学全体としてはあるんですよ。結論が出ないけども、論点は出尽くしたから次に行こうということはよくあるんです。さきほどサモンは古めだと言いましたが、彼と同じ枠組みで研究している人はもうほとんどいないんですよ。現在、因果の話をする人がよく議論しているのはパール（一九三六―）という人の『統計的因果推論』（共立出版、二〇〇九年。原書は二〇〇九年に第二版）の議論などです。

パールは、AとBとCという三つの変数があるときに、AとBは独立だけれども、AとC、BとCは相関があるとか、変数ABCがお互いに相関があるけれども、Bを条件としたときにAとCが条件的独立になるといった統計的関係に注目します。こうした関係の組み合わせから、どう考えても原因と結果の関係にあるとしか考えようがないものを探し出していきます。そうやって、循環の無い有向グラフ（矢印で変数がつながっているグラフ）を作り、今度はそのグラフをもとにして、「この変数にこんなふうに介入したら他の変数にはこんな影響が出るはずだ」という推論を行います。

須藤　確かにビリヤードに比べるとはるかに優れているとは思いますが、そのような手法から世の中の人々が気にしている因果関係が明らかになるのかな。何か、自分だけの公理系を作って、その中では首尾一貫したものを完成させたとしても、一旦現実の世界にさらされるとほとんど応用がきかないような気がするなあ。

伊勢田　でも、このパールの分析が変数の統計的な関係を扱う様々な分野で重宝されています。

須藤　基礎過程があまりに複雑で手出しができないときには入力と出力だけに注目し、それらの間になぜそんな関係が成り立つのかは問わないというやり方もあり得ますね。原因と結果とかいった理由を問うことは放棄して、単に機械的に何番目の入力をどう変化させると出力はこう変わるという関係さえ記述できれば良いという立場です。それをCausalityと呼んでいるのですか？　だとすれば、主因子分析と本質的に同じ話なのでは？

伊勢田　そういう話と、パールがやろうとしていることはちょっと違うんですね。主因子分析などの統計的な分析は、あくまで説明因子を探しているのであって、それが原因かどうかは問わない。それに対して、パールが探しているのは、単なる統計的相関を超えた原因です。このふたつの一番大きな違いは、介入したときに何が起きると期待されるか、です。統計的に相関するふたつの変数のどちらかに介入したときは、もう一方は変わるかもしれないし、変わらないかもしれない。でも「原因」というもののひとつの有力な見方によれば、「原因」に介入したら、「結果」にあたる変数にも変化が及ぶはずですが、「結果」に介入しても「原因」は変わりません。この考え方は、すっきりしているんですが、やっぱりそれと我々がこれを使っている、原因、結果という言葉の使い方と本当に一致しているのかどうかと言いますと……。

須藤　哲学者が考えている原因と結果と一致しているかどうかは別として、もしも医学のような領域で有効な方法論であるならば大いにけっこうだとは思いますけどね。説明と原因という言葉の使い分けも自明ではないと思いますが、まあそれはおいておきましょう。

科学哲学の因果論から導かれたものは実用化され得るか

伊勢田 ある程度実用化すると実は哲学者はあんまり興味を持たなくなることもあるといった問題はありますね。それに、介入が可能な分野では、「原因と結果」の関係にあるのか、「疑似相関」なのかというのは、重大事ですよ。どうでもいい話ではないのです。

パールの場合、原因はどうやったら発見できるのか、という実質的な問題と、原因はどう定義するのがよいかという概念的な問題を同時に解決しようとしています。「原因」という言葉が使われる場面に関するいくつかの直観を出発点として、実用的な定義にたどりついていくという作業です。たとえば、変数AとC、BとCが統計的に相関しているのにAとBには統計的相関が無い、というようなとき、CからA、CからBといった向きの矢印にだけはならない、というような直観が使われています。一定の条件を満たす定義を発見する作業と言った方がわかりやすいでしょうか。正直、哲学者から見てもこれを「定義」と呼ぶのには疑問もあるのですが、全体としての哲学的な分析の価値は十分にあると考えています。

須藤 私はまだ哲学者が持っている「因果」に対する興味が理解できていないからかもしれませんが、実用的であることの方がずっと大切だと思ってしまいます。物事はどんなに突き詰めても限度があると思いますし。「まあ大雑把にわかってるからいいじゃん」と。そこが相容れないのかなあ。

伊勢田　そこがたぶんひとつあると思います。あと、我々が使っている概念を明らかにするということ自体に、須藤さんはあまり興味が無いと思います。

須藤　いや、それは違います。興味が無いのではなくて、因果論の話に限れば、その方法論では限界がはっきりしていると思うのです。これは自然科学教なのかもしれませんが。

伊勢田　もちろん、日常普通の科学者はそれで仕事をしていただければいいんですよ。

須藤　というより、異教徒――どっちが異教徒かわからないけど――を認める寛容さの問題なのかな。私（だけでなく自然科学者はそうだと思うけど）は、曖昧な一般論から入るのではなく、具体的な問題から出発してそれをもとにより一般的な理論を展開したいんです。

一方、それはある意味だと限界があり、現実世界では実現していないメタな世界まで一旦枠を広げた上でこの現実世界を理解したいという立場であれば、一般論から考える方が良いでしょう。でも、仮にそのような立場でも、その面白さを伝えることはできるはずです。そして、それはたぶん私にも理解できるはずだと信じています。本当の面白さが背後に控えているとするならば。

伊勢田　私は「面白さ」の共有についてもっと悲観的です。が、まあ面白さをなんとか理解していただくべく最大の努力はしたいと思います。

科学哲学的議論の評価のされ方

伊勢田　須藤さんに共有いただけていないもののうちのひとつはそもそも科学哲学でどういう点をお互いに評価するのか、科学哲学者というのはどういう仕事をするものなのか、というところだと思います。科学哲学の因果についての分析がつまらないとか不毛だとかという判断をする前に、まずはそのあたりをもう少し知っていただければと思います。

例としてご用意したのは、サモンのマーク伝達理論への批判論文、ダウの「ウェスレー・サモンの因果の過程理論と保存量理論」（"Wesley Salmon's process theory of causality and the conserved quantity theory," *Philosophy of Science* 59, 195-216, 1992）という論文です。この論文は、すでにご紹介した保存量伝達理論を最初に提案したものでもあります。その意味では、アイデアが評価されているのは間違いありません。では、新橋の飲み屋で議論しているおじさんが同じアイデアをちょっと考えて思いついたら同じようにクレジットされるかというと、たぶんそうはなりません。

これを見ていけば、科学哲学者は何に関心を持つのか、科学哲学の論文はどういう視点で評価されるのか、そういった疑問にお答えすることにもなると思います。

須藤　それは楽しみですね。ぜひお願いします。

伊勢田　ちなみに、この論文の掲載誌である *Philosophy of Science* は科学哲学の業界の内部の人間にとっての「科学哲学における一番権威のある雑誌」のひとつです（もうひとつこれと肩を並べる雑誌として *British Journal for the Philosophy of Science* という雑誌があります）。また、単にこの雑誌に掲載されたというだけでなく、因果の話をする際によく先行研究として引用されるという意味でもダウのこの論文は評価が高いと思います。

須藤　ではどういう論文なのでしょうか。

伊勢田　ダウは、前半でウェスレー・サモンの論文の批判を行い、後半で自分なりの対案を出しています。

まず、サモンの「因果的相互作用」の定義をダウは以下のような定義の連鎖として整理します（サモン自身はこんなふうに箇条書きには整理していません）。

難しげな哲学用語がいろいろ出てきますが、「感じ」をつかんでいただくための例ですので、あまり細かいことは気にしないでください。

(Ⅰ)プロセスとは特性の一貫性を示す何かである
(Ⅱ)因果的なプロセスとはマークを伝達する過程である
(Ⅲ)マークがある間隔にわたって伝達されるのは、途中の相互作用無しにその間隔の間のすべての時空点においてそのマークが現れるときである
(Ⅳ)マークとは単一の局所的な相互作用（interaction）によって導入される、特性の変更である
(Ⅴ)相互作用とは、ふたつのプロセスの交わり（intersection）である
(Ⅵ)因果的相互作用とは、両方のプロセスがマークをつけられるような相互作用である

ダウはこのようにまとめたときに、たとえば「マーク」と「因果的相互作用」が循環定義になっているのではないか、というところを指摘します。

また、この定義は「特性」という概念を利用していますが、実はこの概念を曖昧なままにしていることであらが見えないようにしているのではないか(特性の概念を具体化すると、とたんにいろいろな反例が生じてしまう)、という点をダウは指摘します。

また、サモンの定義の大前提として、因果的なプロセスというものを経験主義(あくまで実験・観測などで確かめられる範囲内のことしか言わないという立場)の枠内で定義できないだろうかというのがそもそもの問題設定にあるのですが、その目標が達せられていない、というところをダウは指摘します。

須藤　細かいところはわかりませんが、少なくともこの指摘にある「マークと因果的相互作用とは本質的に同じことに過ぎず、互いを独立に定義できていない」「特性とは何であるのかわからない」という部分はその通りだと思います。では、ダウの指摘のどういう点が評価されているのか、もう少し詳しく説明してもらえますか。

伊勢田　たとえばⅢは実はマークの伝達の定義としてまだ不十分なので補っていく必要があるのですが、サモン自身のやり方に従うと、「マークがある間隔にわたって伝達されるのは、途中の相互作用無しにその間隔の間のすべての時空点においてそのマークが現れるとき、そして当初の相互作用無しにはそのマークが現れなかったであろうような場合である」といった補完をすることになります。

ここで、この「当初の相互作用無しにはそのマークが現れなかったであろうような」というのは反事実条件法と呼ばれる形式になっています。つまり、現実にはその相互作用があった、という条件の下で、ではその相互作用がもし無かったらどうなっていたか、と考えるのが反事実条件法です。起きてしまったことを変えることはできないので、これは確かめることができないような内容について述べていることになります。これが問題だというわけです。さきほど、この反事実条件法を使うアプローチもあります、ということを紹介しましたが、経験主義にこだわるかどうかで、因果を分析する際のアプローチの選択肢がいろいろ変わってきたりするのです。

須藤　うーん、難しいですね。でも結局は、これではマークが伝達されるということの意味が適切に定義されていないということなのですね？　それであればわかります。

伊勢田　まとめると、ダウのサモンへの批判は、定義が循環している、使われている概念が曖昧であるだけでなく、曖昧さを取り除こうとすると問題が生じる、そして経験主義の精神に反する反事実条件法を使っている、といったあたりになります。

須藤　これまた言い方が非常に難解ですが、つまるところ、そもそもマークという概念が明確でないということでしょうか。

伊勢田　この論文の後半で、ダウは自分の保存量伝達理論を提案します。彼の立場はふたつの命題で表されます。

1　因果的相互作用とは、保存量の交換（exchange）を含む世界線の交わりである。
2　因果的過程とは、保存量を示す（manifests a conserved quantity）対象の世界線である。

ここで、「世界線」というのはミンコフスキーダイアグラムにおける時空点の集まりを指し、「保存量」は現在の科学理論によって普遍的に保存されることが示されている量を指します。また、「交換」というのは入ってくる過程と出ていく過程の少なくともひとつにおいて保存量の値が保存則を満たす形で入れ替わっていることを指します。

ダウは自分の立場を四つの事例を使って図解していますが、ぜんぶ見ることはできないのでひとつだけ見ます。窒素にα線があたって酸素と陽子が放出されるというプロセスはダウの考える意味で因果的な過程です。電荷と質量数がこの反応では保存されています。

保存量伝達理論は循環定義を使っておらず、「特性」のような曖昧な概念も使っておらず、反事実条件法も使っていません。ダウは以上のような理由から自分の立場の方がサモンより優れていると主張します。

サモンはこの批判を受けて保存量伝達理論に鞍替えをします（これは哲学ではあまり見ない光景です）。サモンは三つの批判のうち最初のふたつはなんとかなると考えたようですが、三つ目については確かにその通りだと納得したようです。

須藤　確かにダウの方がずっとすっきりしていると思いますね。また保存量という物理学的に明確な概念を持ってきたので、主張が明快ですし、ある意味では当たり前のことを書き出しただけかもしれません。その代わり、これは哲学者が知りたいと考えている原因と結果という話のごく一部分しかカバーできないようにも思えます。私はむしろ、この論文の話を聞いて、無数の「原因の候補」となっている現象・過程が持っている保存量が、今注目している「結果」

という現象の持つ保存量の中でどのような割合を占めているかの重要度に応じてソートすれば、「原因候補」の重要度を判定できるという基準を提案したいと思います。といっても、これは、すでに繰り返し述べてきたパラメータ推定の話と本質的には同じですが。

伊勢田　そういう拡張はダウも歓迎すると思いますよ。でも、まさにその基準が原因候補の重要性の推定の手法として適切であるということを示すには、少なくとも一度はダウがやっているような考察を経由している必要がある、ということにはこだわると思いますが。

ダウの論文をひとつの例として、哲学の論文というのが中身ではどんなことをやっているかについては、少しは感じていただけたでしょうか。

須藤　はい、これについては少なくとも変ではないようだ、ということはわかりました。ただし、このようなレベルの話を「理論」と呼ぶのかという純粋な驚きはありますが、これは文化の違いでしょうね。せいぜい、説、解釈、主張と呼ぶのが適切でしょう。

伊勢田　それは文化の違いと訳語の違いの両方がありますね。哲学の世界では「理論」と「説」や「論」を明確に区別はしません。また、英語では theory という言葉が使われるので、機械的に訳すと「理論」になったりしますが、哲学ではどちらかというと theory でも「説」と訳すことが多いかもしれません。哲学の論文の評価は結論よりも途中経過でなされるとよく言われます。ダウの論文は例外的に結論自体もけっこう新しいですが、たいていの場合は、結論そのものはこれまでに存在するなんらかの立場と似たようなものになります。したがって、その著者のオリジナリティや腕の見せ所は途中経過に表れます。

ちなみに私はダウの保存量伝達理論は因果的過程の理論としては見当はずれだと思っていま

す（因果という概念の適用の大半は保存量と関係無いところで起きているので）。

須藤　すでに述べたようにそれにも同意します。「保存量」に限ってしまうことで、全く自明の場合（素粒子の反応のような素過程など）以外には、応用することができないでしょう。狭い領域に限ればうまくいくと思いますが、世の中で悩んでいる因果の問題を解決するためには、もっと広い状況でも用いられる議論に一般化する必要がありますね。

伊勢田　しかし、私は、この論文がいい論文だということも喜んで認めます。それは途中経過を評価しているからです。

ダウの論文では、その「腕の見せ所」が前半と後半のそれぞれにあります。サモンの議論を漠然と読んでいるだけだと「経験主義」という制約と「マークの伝達」の定義の間に齟齬が生じている、といったことは見逃してしまうわけですが、ダウはそこをうまく切り出してくれたわけで、そこがひとつ評価ポイントになります。ダウ自身の立場の構成も、循環が無いとか、曖昧な言葉を使わないとか、反事実条件法を必要としないとか、自分がサモンに対してした批判をうまくかわすことが求められるわけです。それをきちんと組み立ててみせたところがもうひとつの評価ポイントです。「保存量」という、ちょっと因果と関係があるかどうか怪しい概念が無理矢理出てくるのも、反事実条件法を使わない、という制約の下で何か因果と関係するものは無いかといろいろ考えた末の選択だと思います。

須藤　なるほど。そのような視点は私には全くありませんし、なかなか評価が難しいですね。

伊勢田　あと、クリシン型の哲学の論文の評価では、「減点ポイントが無い」というのも大事です。ダウの論文は全体で二〇ページほどですが、その中に大きな論理的な飛躍や誰も受け入れないような前提にもとづく議論などがあれば、論文全体の評価も下がります。その意味では、メインの議論だけでなく、副次的な議論も含めて全体がきちんと構築されていることがよい論文の必要条件ということになるでしょう。

須藤　なるほど、哲学ではそのような点に神経を使っているのですね。だからこそ、枝葉末節で本質からずれた理想的状況を設定して、途中経過が厳密かつ「間違っていない」ことに神経を集中させてしまうのだなと腑に落ちました。もちろん自然科学では、論理が間違っていることは論外でも、仮に荒削りであろうとどれだけ独創的な視点が提供できるかが大切ですから。十分に検討に値する説であれば、それをみんなでさらに計算し検討することでより高いレベルの理論に完成させていけばいいんです。

伊勢田　ある問題が枝葉末節かどうかというのは本当に価値観の問題ですよね。あと、荒削りでも独創的な視点を提示している論文が哲学で評価されないわけではないです。そういう書き方をされた論文には別の判断基準が適用されるというだけです。査読の際には「荒削りだけど独創的」な論文は不利になりがちだと思いますが。

須藤　まあそれもそうかもしれませんね。私がいつも驚くのは、数学においては、ある定理を最終的に証明する以前に、予想した人もまた高く評価されるということです。フェルマー予想などはその端的な例ですね。数学のように完全に論理的に証明することが本質のような学問にあっても、直感、あるいはセンスによってある主張の正しさを予想することを高く評価しているのは素晴らしいことだと思います。

少し脱線したので、ダウの論文に戻ると、それ自体はこぢんまりとまとまっていて別にどこにも文句はありませんが、伊勢田さんがすでにおっしゃった「ダウの保存量伝達理論は因果的過程の理論としては見当はずれ」という意見に賛成します。仮にこれが科学哲学の世界で広く評価されているのならば、複雑に絡み合って分離が困難な状況での因果という問題の本質を解くことが目的ではなかったのか、と再度思ってしまいます。

伊勢田　それが重要な問題だということを否定する科学哲学者はいないと思いますし、須藤さんと問題意識を共有できる科学哲学者もいると思いますよ。前にもちょっと言いましたが、サモンやダウの路線をそのまま受け継いでいる人はあまりいなくて、パールなどのもっと複雑な図式の方が注目を集めています。そこにはやはり須藤さんと同じような問題意識はあるでしょう。でも、因果の問題のその側面を扱わない論文は、それだけで評価しない、というのはあまりに偏狭な態度ではないでしょうか。

1　通常は、光の速度である時空点に到達できるような過去の時空点をすべて含む領域を指す。空間の次元をひとつ下げて二次元平面とし、それに直交する向きに時間軸を選べば、その三次元時空における原点に到達できる領域は、原点を頂点として過去に無限に開いた円錐形となる。このため、光円錐と呼ばれている。

第5章

科学者の理解しにくい科学哲学的テーマ②

——実在論と反実在論をめぐる応酬

因果の問題になぜビリヤードのような単純化した例を用いて迫れるのかが全く理解できなかった須藤氏と、問うている問題の所在がずれていることを指摘した伊勢田氏。

科学哲学にとって重要なことと、科学にとって重要なこととの違いが、少しずつ見え始めたところで、もうひとつ、科学哲学で重要とされているが、科学者と科学哲学者の間で問題意識のすれ違うことが多い「ものはどこまで実在すると考えられるのか」という問いについて取り上げたい。

世界は実在するか？

伊勢田　もうひとつ、科学的実在論と呼ばれる科学哲学の大きな分野についてお話ししたいと思います。これは理系の人に話してまず共感を得られることが無い話なので、ぜひ須藤さんに話したかったんです。他方、これは科学哲学では本当に定番の論争で、実在論と関係の無さそうな本でもなぜかひとこと実在論論争上の立場について触れていたりする。科学哲学者にとっては、科学は何をやっているのか、科学に何ができるのか、という科学の本質に関わる問題だということで、その重要性は共有されていると言っていいでしょう。この、哲学者と科学者のこの話題に対する温度差は、それ自体非常に興味深い現象だと思います。

科学的実在論論争の背景として、「科学的」のつかない実在論vs反実在論（観念論）という論争が、大昔からあります。デカルト（一五九六－一六五〇）が出した問題で、そもそも我々の外側の世界が存在するのかという話があって、「すべてのことが夢である可能性が否定できない以上、我々は外側の世界のあることを知ってはいない」という議論があります。デカルトは自分でそれを論駁したつもりだったのが実は論駁できていなかったというので、その後ずっと同じ問題が残るんですが、ただ、哲学の中でもある程度以上やると不毛だっていう気持ちがわくんですね。

須藤　一応そんな普通の感覚も持っているわけですね。

伊勢田　さすがにそのレベルでずっと議論していても不毛ではないかという話になってきて、とりあえず目に見えているものはもうこれ以上話をするのをやめようとなりました。

須藤　先に結論を聞いておくと、デカルトは自分の外の世界を知ることができないという結論に行き着いたわけですか？

伊勢田　先にというか、デカルトの話はとばすつもりだったんですが、じゃちょっと戻りましょう。デカルトの答えは、外の世界について感覚によっては知ることはできない。理性によって知ることができるという立場なんですよ。

須藤　感覚と理性を区別するのですね、難しい。でもその後反駁されたということは、現在は哲学業界でも外の世界が実在するという考えが主流なのですか？

伊勢田　そうです。実在するというのが主流です。ただ、ややこしいのですが、デカルトには有名な「デカルトの懐疑」というのがあって、これは世界は存在しないという論証なんですね。ところが、これデカルト自身の立場じゃないんですよ。デカルトの懐疑っていうのは世界は存在しないという論証なんですが、デカルト自身の反駁があるんです。

須藤　なんか混乱しますが、結局のところデカルト自身は外の世界があると思っているのですね？

伊勢田　そうです。デカルト自身は世界は存在すると考えている。ただ、その証明に神様が存在することを使うんです。神様を信じていない人にとっては、神という前提が途中に入るような論証は全く何の価値も無い。それだけであればキリスト教圏の中では通じるんだけれども、でも、それにプラスアルファしていろんな変な前提が入るんですね。神様が完全であるということを我々はどうやって知ることができるかとか、神様は我々を騙すような存在かどうかみたいな、定義により神は我々を騙し得ないみたいな話があったりして、ようやくその論駁になるのですが、その途中に入ってくる前提がどれひとつとしてよくないということで、デカルト自身の反駁は、同時代的にもほとんどだめだとされていました。でも、その結論のままでは困ってしまう。

たとえば「目の前にこのコップがあって、この中に紅茶があります」ということを、我々が知らないという結論になるのは困るでしょう。

須藤　もちろん私は外の世界は存在するという立場ですが、困るかと聞かれれば、別にそうではないかもしれません。本当は存在しない世界を信じて今まで生きてきたのだとしても、別に不都合はありませんでしたからね。つまりそんなのは嫌だっていうだけなのかもしれません。外に世界が無いというのは、どうも生理的に受け入れられない気味悪さがあるという意味で。
伊勢田　嫌だといえば嫌だなんですけども、そういうよりは、我々は世界がそういう世界じゃないことを知り得ないというのはいきすぎだろうということです。
須藤　「いきすぎ」ではなく、「そうあってほしくない」が出発点でしょう？
伊勢田　もちろん、「そうあってほしくない」が出発点ですが、ただ、外の世界が存在するという論証に失敗したら当然「存在しない」ということ、あるいは少なくとも「存在しないかもしれない」という可能性を受け入れざるを得ないわけですよ。ですから、なんとかこれをみんなはやっつけようとしてきたわけですね。
　たとえば、デカルトの懐疑のとても重要な部分に、「疑いのはさみようが無い」ことが知識の定義として入っていたりするんだけれども、それは定義としてきつすぎるだろうというような議論ですね。でも、知識の定義を変えたらうまくいくかというとそううまくいかない。いろんな路線でこのデカルトの懐疑に答えようとしてきた議論はあるんですが、みんなが納得する答えは今のところ無い。
須藤　なんか議論自身がとても曖昧で、本当に真面目に考えているのかどうかすら不明ですが、結論としては「やっぱりわからない」ということですか。
伊勢田　曖昧と感じられるのは、私がすごいざっくりまとめているからなのか、デカルト以来の議論そのものが須藤さんが明確にしてほしいポイントを明確にしていないからなのかどっちでしょうかね。「本当に真面目に考えているのか」と本当に真面目に疑問にお思いでしたら、デカルトやらジョン・ロック（一六三二－一七〇四）やら、実際に読んでみてください。で、議論してみた結論ですが、わからないというか、いろいろな人が抜け道を探したのだけれども、満足のいく抜け道が見つかっていない。とりあえず「我々は自分たちの意識の外に世界があることを知っている」と言うのは非常に難しい。そこで、目に見えるものはあるって考えましょうとする。さすがにこれは解決していないけれども、これを疑うのはちょっとクレイジーだろうと。

須藤　それを言ったら、そもそも出発点からクレイジーじゃないですか？　まあ、私もそろそろ免疫がついてきたので、むしろ「目に見えるものはあるって考えましょう」を疑うことだって許してあげたい気がしてきました。

伊勢田　出発点ということで言えば、古典的な実在論の話から科学的実在論の話へ移行するとき、話の出発点を変えるんです。何を出発点とするかで当然結論はぜんぜん違ってきます。たとえばデカルトの場合、我々が知覚という体験をしているということ自体は認める。ただ、それは知覚していると思っているだけで、夢かもしれないけれども、何かしら経験していること自体は確かだという意味です。

須藤　そっちの方が受け入れやすいですね、哲学者が認める意味で正しいかどうかは別として。

伊勢田　ただ、これは先に触れたウィーン学団の話とも関係するんですけど、ここから世界が構築できるかというと、できないんですね。ひとつの路線としてはこれをベースにして世界を再構築する路線がずっとあったんですけれども、それは最終的にどうやらうまくいかない。若干置き換えて、そこで、「見え」までさかのぼるのはやめて、観察可能（observable）な対象に関しては存在することを前提として認めましょう、というように議論の路線が変更されていく。さきほど言った、出発点を変えるというのはたとえばこれのことです。つまり、コップの「見え」があるんじゃなくて、コップがあるということぐらいまでは認めることにしましょう。それで、そこからどこまで行けるだろうかっていう話をするのが、現在の科学的実在論のひとつの出発点なんですね。

科学者からはまず共感されない反実在論

須藤　そろそろ議論になりそうですね。では「目に見える」の定義は何ですか？　それと「観察可能」とは違うのですか？　顕微鏡、望遠鏡、X線、ガンマ線、さらには素粒子衝突実験の検出器出力をコンピューターディスプレイで可視化したものも「目に見える」ですよね？　それをどんどん認めれば、科学者が通常前提としている実在論に帰着しますよね。

伊勢田　とりあえず出発点としては肉眼で見える可能性があるものです。ただ、もちろん望遠鏡で見えるようなものは近くに行けば肉眼で見える、という意味では、近くに行って見えるものは見える。

須藤　たとえばニュートリノはどうですか？　ニュートリノは直接目には見えないが、他の素粒子と反応することで最終的には「目に見える」。それは大丈夫なのですか？

伊勢田　それは反応した結果が目に見えている。

須藤　言い換えれば、「ニュートリノ」を見たわけではない。

伊勢田　はい。

須藤　そのあたりから、だんだんずれてくるんですね。

伊勢田　とにかく、そういう目に見えるものはとりあえずあるとします。そこからどこまで我々は拡張できるのかという話をしたときに、実在論論争に関するひとつの立場として反実在論の立場があります。これもちょっとわかりにくいのですが、その中の今代表とされている立場は、科学の目的は少なくとも目に見えるものを相手にすることだと考えます（「構成的経験主義」と呼ばれる立場ですが、他の立場は紹介しないので、以下「反実在論」といえばこの立場のことだと理解してください）。

須藤　今や科学の目的は今まで説明してもらったような文字通り「肉眼で見える」ものだけを対象にはしていないことは明らかです。したがってその立場自体がそもそもナンセンスだと思います。

伊勢田　ちなみに、この立場が出てきたのは一九八〇年代の話です。

須藤　それは驚くべき時代錯誤ですね。一八世紀、一九世紀であればいざしらず。むしろ時代的には、狭い意味での「目に見える」という定義を一般化してどこまで広義の観測を「目に見える」と解釈してよいのかを考えようという方向に進んできたのだとばかり思っていました。今まで伺ったような狭い（偏狭なと言うべきでしょう）「目に見える」だけを対象としている限り、二〇世紀の科学についてはほとんど何も語れません。

たとえば天文学においては、目に見えないが重力を及ぼすダークマターの存在は一九七〇年頃から真剣に議論され、一九八〇年代半ばにはほぼ市民権を得ています。ダークエネルギーという概念は一九九〇年頃から理論的に必要性が指摘され、一九九八年の宇宙の加速膨張を示す観測データを通じて、今や宇宙論の最先端の研究テーマとなっています。懐疑主義に徹してそれらは科学ではないというのはひとつの立場だとは思うけれど、科学哲学が、我々科学者が扱っている「科学」を論じることを目指しているのだとすれば（科学的に哲学することを目指してはいないが、科学とは何かを理解するのが科学哲学だという結論でしたよね）、そもそも出発点から完全にずれています。

伊勢田　そうですね。それについては二点お答えする必要があります。まず、ここで話題にしようとしているタイプの反実在論は、そういう科学の営みの存在はよく理解しているし、肯定的に評価しています。ただ、そういう領域で何が起きているのかについて、おそらく科学者たちの自己認識とちょっと違う分析をする。それと別に、ダークマターやダークエネルギーといった、実験室の中での実験にかけられないような理論的要請物というのは実在論論争の観点からもとりわけ面白い対象で、だから天文学は、この話題で論争になることが多いんですよ。

須藤　そうなんですか。そんな不毛な論争の存在自体、普通の天文学者は誰も聞いたことが無いのですけどね。

伊勢田　それで、目に見えないものの存在にコミットするのは科学的には要請されないとする。

須藤　「狭義の科学」をそう定義するという立場はあり得ます。

伊勢田　科学の定義の話ではないんです。別に目に見えないものにコミットしたからお前のやっていることは科学ではない、という判断をしようというわけではないのです。また、個々の科学者は好きにいろんなものの存在にコミットしてもいい。ただ、分野としてのコミットメントは科学の目的みたいなものに制約される。そういう考え方です。

それに対して、「いやいや、十分我々は合理的に目に見えないものにコミットできますよ」ということです。一応、これは論争が成立するんですよ。このコミットメントがどれぐらい合理的なのか。

須藤　論争ですか？　もはやそれは立場の違いというか、やっぱり好き嫌いの問題に過ぎないんじゃないでしょうか。別に科学の定義がひとつである必要は無いし。科学Ⅰ、科学Ⅱ、科学Ⅲ……がある。それだけですよね。

伊勢田　定義と考えるとそういう反応になると思うんですけれども、ここはもうちょっと規範性がある話なんです。つまり、これ以上のものにコミットするのは合理性に関して何か問題があるかもしれない、という意味合いでの規範性があるんですね。つまり、「見えないものの存在までコミットしちゃって、あなた本当にそれで科学の合理性にもとるところが無いと言えるの？」という問いに対し、「合理的にその根拠はある」という応酬が可能なんです。

須藤　それまたかなり現場から遊離していますね。科学者は、狭い意味での「目に見える」とか「見えない」とかいった不毛な議論などスキップして、あらゆる手段で現実世界の背後にある法則と存在を探り理解しようとしています。すでに科学的合理性があるかどうかという議論を戦わせた結果として、「見えない」領域にまで適用できる世界観を構築してきているのです。それに対して「あなたたちがやっている科学というものはその基礎が実に曖昧ですよ。そもそも勝手にでっち上げている世界を対象にしているんじゃないですか」と今さらのように主張しているわけですか？

伊勢田　そこまでは言いませんが。ある意味で両方とも科学はすごい合理的な営みであることを認める立場同士ではあるんです。ただ、反実在論側の人の考える科学の合理性というのは、あくまで最終的になんらかの形で我々の目に見えるものに還元したところでチェックされるものとしての科学なんです。

須藤　これまた同じことばかり繰り返すようですが、「目に見える」の定義を明確にしてほしいですね。それによっては、実は全く同じことであるにもかかわらず、表面上、実在論と反実在論という異なる言葉を使っているに過ぎない可能性すらある。ある意味では我々が取り組んでいる科学は「目に見える」ものだけを対象としていると言うこともできます。もちろん、その場合の「目に見える」はかなり広義ですし、物理的素過程を理解していさえすれば、それがおそらく哲学者が考えている狭義の「目に見える」と本質的な違いが無いこともわかるはずです。

伊勢田　その物理屋さんの感覚はわかるんですよ。ただ、この話はそこから出発していない。どこから話が始まっているのかというのは、こういう哲学的論争を理解する上で重要な点なんです。科学的実在論争は我々が経験している世界についてどれだけ知り得るのかという話から始まっていて、科学というのはその我々の世界について知り得る方法を拡張してくれたものだと考える。科学的な機器を用いた観測というものが行われるようになる前から、もともと我々はいろんな外界からの情報を五感を使って取り入れてきている。科学的な機器を使った観測が行われるようになってからも、その機器が理論にもとづいて作られている場合には理論の信頼性を一旦吟味しなくてはいけないだろうし、理論が正しくても機器そのものの信頼性が劣るということがあるだろうし、さらにこの話題との関連で大事なのは、基本的にはどんな機器を使って得た情報であれ最終的には五感を通して我々の頭の中に情報として取り入れられるわけですよ。その五感を通して得た情報から、我々はその五感というのはこういう働きだという理論化を行うけれども、でも、それはどちらが優先順位を持つかっていうことに関して、最終的に我々が世界について知る方法という意味では五感というのはすごく特殊な立場にあるんですよ。

須藤　とすれば、五感だけは別格と考えるというのが「目に見える」という意味なのですね。狭い意味での五感そのものも疑うという立場であれば、むしろ私は認めたいと思います。それなりに首尾一貫しているので、やりたければどうぞ、という感じです。また心理学的議論とも絡めて、五感は本当に外の世界を教えてくれるのか、というまさに哲学的な議論も意味がありそうです。でも、五感までは認めるが、ニュートリノが反応した結果を画像として見たときにはニュートリノの存在は認めないとするのは、明らかに中途半端ですし一貫していません。「目に見える」というのも基本的には目の中に飛び込んで来た光子の生体内での相互作用の結果ですから、これら両者の間に境目はありません。

伊勢田　見えるという話をするとき、一人称的に考える場合と三人称的に考える場合を区別する必要があると思います。一人称的には、理屈はわからなくても見えているものは見えるし、それは受け入れざるを得ない事実です。光子などに言及したメカニズムの解明は視覚という現象を三人称的に分析するときに出てくる見方です。

須藤　何を言っているのかあまりわかりませんが、なぜものが見えるのか、という仕組みを理解していない時代の話をおっしゃっているのでしょうか。それであれば理解できます。しかしデカルトの時代とは異なり、今やそのような仕組みは常識になっているので、かつての偉大な哲学者と同じ出発点にしがみついたまま物事を考えていてはいけないと思います。過去の哲学書を読むだけでなく、その後の科学による新たな知見を加えた上で、再度その問いに現代的な意味があるかを常に問い直してから出発するかどうかを判断しなければ。逆に我々科学者は過去の偉大な科学者の原論文を読まなすぎる傾向はありますが（私も恥ずかしながら、ニュートン、マクスウェル、アインシュタインらの原論文を読んだことはありません）、そのおかげで皮肉なことに常に最新の問題意識の下に研究しています。心理学の絡みで五感の本当に意味するところに立ち返って考察するのは意味があると思いますが、自然科学の研究において五感だけを特別に取り扱うのは明らかに変ですし、時代錯誤です。

「見える」「見えない」をどこで分けるか

伊勢田　ちょっと待ってください。そこはもうちょっと考えた方がいいと思うんです。我々が見えるという現象について物理的に知っているということ自体の根拠は何かということを考えると、要するにそういう理論を構築するために使っているデータも最終的には五感を経て我々は手に入れているわけですよね。

須藤　はい、そうです。

伊勢田　そういう意味では「その理論の根拠は何？」と聞いたときには、最終的には我々が見たり聞いたりしたことが根拠になっている。

須藤　それも認めます。その意味では、ニュートリノの反応も最終的にはコンピューター上で可視化して「目で」見ています。にもかかわらず、それは「ニュートリノを見た」わけではない、と主張するならば、どこを問題にしているのかわからないと申し上げているだけです。その論拠を質問するのはけっこうですが、それは議論以前に自分であらかじめ勉強してから出直してきてくださいというだけです。

それとも、これはその基礎となっている物理学、たとえばニュートン力学、量子力学といった枠組みそのものから疑うという立場なのですか?

伊勢田　「疑う」というときの内容によるのですが、それらの物理学の理論が「経験的に十全である」、つまり、非常に高い精度で様々な観測予測を成功させるという点については反実在論は疑いません。ただ、それらの理論が観察できないものについて行う存在論的な言明については一旦かっこにくくるのです。

須藤　つまり「世界の実在を信じない」という意味は、科学者がその世界の振る舞いから帰納する過程の正当性と、それを前提として作り上げた世界の実在を同時に疑うという立場なのですね。

伊勢田　目に見えるもの同士に法則的な関係が成り立つことは認める。つまり、目に見えるもの同士の関係に関して法則が必要なことに関しては認める。おそらくそこに関して正しいことを言うからには、何かしら正しいことを言っている。でも、その法則の背後にあるメタフィジックスに関して、何がある、何が無いに関して言うと、我々は直接の証拠を持っているわけじゃないから、それにはコミットしない。法則というものの受け入れ方が……。

須藤　何を言っているのかわかりません。具体的な代替案があるわけでもなく、ただただ自分が納得できていない部分に系統的ではない散発的な批判をしているだけに思えます。中途半端なのが悪いのです。

目に見えるように思えるものの、実はこの世界には何も無い。たとえば映画『マトリックス』のようにすべては仮想現実だとする出発点は、哲学的な問題設定として認めてよいし議論に値すると思います。でも、目に直接見えないものだけを排除するのが出発点だとすれば、全く理解できません。そういう主張を展開する人たちは基礎的な物理学を学んだことがあるのでしょうか？　目でものが見える仕組みが本質的には素粒子実験から粒子の存在を突き止める過程と同じであることを知っているのでしょうか？

伊勢田　これを言い始めた、ファン＝フラーセン（一九四一－）という人は科学哲学者の中では量子力学をよく勉強している人です。ですから、物理学者の考え方はもちろん押さえている。その上でそのストーリーの中の、目に見えないレベルで、何があって何が無いのかというレベルの話に関して、受け入れる理由が本当にあるのかどうかと言っている。

須藤　そこを問うこと自体は理解できます。でも現代科学はそれに対してすでに（少なくともひとつの）無矛盾な（現時点で知られている実験・観測事実とは矛盾しないという意味において）解釈を与えているわけです。それを疑うのは良いですが、であればそれと同等以上に無矛盾な具体的な解釈を提案しない限り科学的議論にはなりません。ましてやその出発点に、目に見えるものだけを信じる、という大前提がそのまま組み込まれているとすれば。

伊勢田　「目に見えるものがある」ということを受け入れる理由は、受け入れないという選択肢がほとんど無いからです。もうちょっと正確に言うと、これを受け入れないとしたときの選択肢（『マトリックス』的なイメージ）は矛盾しないように展開するのが難しい。知覚による、我々に対する「見え」とさきほどから呼んできたものをできるだけ哲学的に洗練したものを「センス・データ」と呼びます。センス・データというのは、ある種二次元的な平面の上のいろんな色の配置、形の配置です。コップを見たときに、「視野のこの方向に白い色の複雑な形をした区画がある」というような感じです。

ただ、この概念自体がどうも不整合じゃないかと。センス・データという概念が本当にちゃんと成立するのかどうかって考えると、実はこれけっこう疑わしいんですよ。仮にセンス・データというのが我々の「前」に提示されていたとして、じゃあその提示されたセンス・データを我々はどうやって「見る」ことができるのか。また、そういう二次元的な光と形の配置という意味での見えというものが、本当に我々がこの世界について考える際の出発点なのか。実は、「コップ」とこの「二次元的な像」の間にはものすごい距離があって、ここから出発してもどこにもたどりつかないので、我々の知識の出発点は「コップ」の側でしかあり得ないっていう。

須藤　すみませんが、その話と「五感だけは受け入れる」という立場の正当性の関係がよくわかりません。「受け入れない選択肢がほとんど無い」という言い方が許されるのであれば、科学者にとっても「五感以外でも目に見える」という広義の定義の正しさを「受け入れない選択肢はほとんど無い」と切り返すだけですね。もちろんたとえば三〇〇年前の説だとすれば、当時の科学から考えてどこもおかしくない主張として認めます。ところで、そのフラーセンという人は、光子の存在は認めるのですか？

伊勢田　「光」ではなくて「光子」ですね。その意味での光子の存在は認めないというか、コミットしないという立場です。

須藤　コミットしないとは、どういう意味ですか？　彼の言い分は、光子そのものは「見えない」なのだと思いますが、そもそも我々の目で何かが見えるのはまさにこの光子が存在するおかげです。すでに自己矛盾していませんか？

伊勢田　という「理論」ですよね。

須藤　確かにその通りです。この世界を理解する解釈がただひとつしか無い理由はありません。ひょっとしたら同等にうまく説明できる解釈が複数存在するかもしれない。その意味で、現時点の科学理論というか解釈のみを絶対視せよ、と主張するつもりはありません。しかしながら、それを批判して反実在論とやらを唱えるのであれば、既存の理論と同程度の完成度まで高めておくべきです。首尾一貫した無矛盾な解釈が存在するにもかかわらず、その一部分だけに自分の無理解なのかあるいはもっと本質的な問いかけなのか区別できないような曖昧な文句を言うのではなく。

むろん、そのような問いかけをする人がいること自体に反対するつもりはありません。少数派であっても既存の理論に反対する人の存在は、その既存の理論の正当性をより深く検討するという意味でも重要です。しかしながら、科学哲学では反実在論が少数派ではなく、むしろ主流であるとすれば、その分野の科学と乖離した危うさを感じてしまうのです。光子の実在を疑うのであれば、光子無しに目が見える説得力のある提案をしてから議論を始めてもらわないと、科学者が頭から相手にする気がしないのも当たり前でしょう。

伊勢田　それはどうでしょう。目にものが見える見え方について、光子は無いけれどものが見えるという、そういう状態は考え得ないということですか。

須藤　何度も繰り返していますが、そのような問いかけは一般論としてではなく、具体的な例を提案してこそ初めて真面目な考慮に値するのだと思います。少なくとも我々が住む現実の世界においては、光子を認めること無しに整合的な科学像は無いと言ってよいと思います。現在の科学にもとづく解釈は十分な整合性を保っています。その中から一部分だけを取り去ってしまえば、その整合性は崩れてしまうでしょう。その構造に見て見ぬふりをしておきながら、単なる懐疑論だけを振りかざしても意味が無いと思います。光子が存在しないと主張しているくせに、ものが見える仕組みについては説明不要だとする態度はおかしいですよ。

伊勢田　だからそれは出発点が違うんですよ。おかしいと言われるとちょっと反論せざるを得ない。それに論点がすり替わっていませんか。

須藤　だから出発点は何なのか明らかにしてくださいと申し上げています。また論点がすり替わっているというのは具体的にどの部分でしょうか。そのような出発点や論点を明快にすることができないようであれば、クリシンとおっしゃるような分析的な思考などできないと思うのですが。

伊勢田　出発点は一応説明しましたよ。五感をなぜ重視するのか、なぜ「あるように見える」ではなく、五感で存在を確かめられるものについては「ある」まで認めるのか。それで不十分だと言うのは、代案を出さない限り反論を認めないという立場ですか。

須藤　認めないとまでは言わずとも、真剣に検討するに値しないという立場です。自分が気にくわない部分だけを切り出してきて、そこだけを断片的に批判して何が明らかになるのでしょうか。論点を整理し、作業仮説であろうと代案を出して検討する過程でさらに優れた理論を構築する方向を目指すべきであって、そうしなければ単に支離滅裂な意見に思えるだけですよ。

伊勢田　それは出発点が違うから支離滅裂に見えるんですよ。

光子というものが存在しているということが本当に理論の一部ですか。つまり、メタフィジカルという言葉はよくないかもしれませんけれども、光子が存在しているのと同じような数学的な関係が存在していればいいんじゃないですか。

須藤　光子ではなくて、別の同じ役割をするものの存在という意味ですか？　それだと単なる定義の話でしかなく、単にそれを「光子」と呼ぶことを認めれば良いではないですか？　むしろ、「光子」という言葉に対して何らかの先入観を持っているから違和感を覚えるだけで、単にその役割（正確に言えば、電磁場を量子化したときの光子場）だけを承認すれば同じことではないでしょうか。

伊勢田　観察可能な範囲で光子と同じ役割を果たすなら、メタフィジカルにどんなに現在の光子のイメージと違っていても「光子」と呼んでいい、その部分は全く気にしないというお立場でしょうか？　それはこの論争ではどちらかというと反実在論側の立場なんですけどね。須藤さんと反実在論者は言葉遣いの違いとかをちゃんと整理すれば同じことを言っているかもしれませんよ。

なぜ、反実在論が「目に見える」ことの説明にまで立ち入らないかについてもうひとつ論点があります。光子なんかの話に関して反実在論者たちが言うのは、あることに関して説明を要求する水準はいろいろありますが、どんな物理理論にも、なんでこれとこれがこうなってるのっていうのを突き詰めていくと、どこかでそれ以上のことはわからないということがある。

須藤　それは当然です。当たり前ですね。

伊勢田　では、それがなぜ、今ただ目に見えるというレベルであってはいけないのか。つまり数学的な関係としてはここにこういうものがあったら、我々はこういう経験をする。そのときにそれを媒介するものが無いと、なぜ見えるのか説明がつかないから、説明しろと言うときに、それは説明の要求しすぎだと思う。

須藤　そうでしょうか？　もちろん、科学全体のレベルが低いときにはそれで全く問題ありません。十分に哲学的、さらには科学的問いかけとして意義を認めます。でも今やそんな時代ではありません。現在の科学の進歩を考慮した上で、適切な出発点を再設定した上で問いかけなくては時間の無駄ではないでしょうか。そんなことではまともにとり合う気が起きないですよ。

まあ、同じ議論ばかり繰り返していても意味が無いので少し先に進みましょう。それで結局、反実在論とは具体的にどのようなものと言えるのでしょう？

伊勢田　反実在論は、目に見えないものに対するコミットメントをできる限り追い払いましょうという考えです。その結果として、科学のやり方が少し変わるかもしれないと言います。つまり、目に見えないものの存在を前提としてそれについてもっと探究するようなタイプのものではなくて、もっと目に見える関係について深く調べるような、そういう方向に進むかもしれない。

須藤　まさに物理学はそのような立場から出発して、現在の体系にいたったのだと思います。

したがって、今さらそれを大した説得力も無く蒸し返すような議論につきあう気がしないのも当然ではないでしょうか。科学哲学者は、科学的実在論と反実在論のどちらかを支持しているのですか。

伊勢田　実は大半の科学哲学者は科学実在論者なんですよ。ただ、各論になって受け入れる理由の説明を要求されると、けっこう困ることがある。

須藤　あれ、そうなんですか？　私が読んだ教科書には、「科学哲学では実在論は旗色が悪い」と書いてあるものが少なくとも二冊ありましたが（内井惣七『科学哲学入門』世界思想社、一九九五年。戸田山和久『科学哲学の冒険』ＮＨＫブックス、二〇〇五年）。

伊勢田　それは哲学のお作法で議論すると立証責任が実在論の側に回ってきて、実在論はどうしても防戦する側に回らざるを得ない、ということだと思います。人数は多いけれども、みんなして防戦に回っている、という感じでしょうか。

須藤　そんな文化があるのだとすれば、あまりにも悲しいですね。いずれにせよ、微視的な世界を突き詰めていくと現在の物理学では記述しきれていないレベルの世界に到達することは確かです。したがってある段階までいくと、その先の世界が実在しているかどうかは厳密にはわかりません（少なくともその時点では）。だからといって物理学者が目指しているのは、単なる数学的な構造ではなく現実に存在している世界の構成要素の記述なのです。そして、そのようなレベルを記述する正しい理論がどのようなものであろうと、現在の物理学が構築したより大きなスケールの世界の記述法はほとんど影響を受けずに残るはずです。これが前にも強調した、現象論の威力です。

「議論を始める」地点の違いが生み出すもの

須藤　たとえば、一般相対論はニュートン力学では説明できない現象を正確に記述できます。だからといって、それまでにニュートン力学で説明できていた現象の記述法が変わったかと言えばそんなことはありません。より基礎的な理論ができても、それ無しで記述できていた現象についての説明は相変わらず正しいのです。これがそれぞれの時点での物理学理論を（精度の問題は別として）信頼してよい理由でもあります。

伊勢田　反実在論を言っている人たちは、現象論を否定はしないんですよ。現象論の世界の話にものすごく強く支えられて科学が成立しているということをむしろ重視するんですよ。それこそが科学の本体ではないかと言うわけです。

須藤　もし本当にそうであれば、その部分はかなり私の意見と近いです。では、反実在論の人たちが指している現象論とは具体的にはどんなものですか？　たとえば、量子力学の基礎方程式であるシュレーディンガー方程式が記述する波動関数というものに実在性を認めるわけではないでしょう？　これは物理学者の間でも意見が分かれる、量子力学の解釈問題そのものとなりますが。量子力学の予言もまた認めてくれるんですか？

伊勢田　数学的な関係としては認めるんですよ。反実在論は、メタフィジカルなレベルの話なので、シュレーディンガー方程式も認めるし、波動関数も認めるんですよ。ただし、メタフィジカルな解釈に関して、つまり、たとえば量子力学の解釈で多世界解釈というのがあるのをご存知だと思いますが、あれはある種メタフィジカルな解釈なんです。それには何の根拠も無いでしょう。

須藤　確かに完全に理論的な解釈であり、それを支持する直接的証拠があるわけではないですね。

伊勢田　そのレベルの話なんですよ。

須藤　本当でしょうか？　量子力学はその最も基礎的な部分でどう解釈すべきか理解できていない部分があり、だからこそ標準的な「コペンハーゲン解釈」に対して、それとは全く異なる「多世界解釈」が提案されています。今のところ「多世界解釈」の方を支持する証拠があるわけではなくとも、では「コペンハーゲン解釈」の方が正しい証拠があるかと問われればそうでもない。その意味において決着はついていない。反実在論とはそれに対応するようなレベルの話だったのですか？　もしそうなら、これだけ大議論を展開したわりには、本質的には同じことをあえて誤解を生むような表現で人目を引いているだけのものの言い方に過ぎないことになりますが。そうではなく、光子は信じないけれどそれと同じような数学的関係は認めるといった極めて曖昧な言い方をしているだけで、およそ実在論と比較できるだけの具体的な代案になっていないじゃありませんか。

伊勢田　でも、光子を使って記述される様々な現象は受け入れているわけですよ。

須藤　現象を受け入れるというのは、実験事実のことですか？　それは受け入れるも何も、自然科学である以上当然です。今議論しているのはその解釈ですよね。その上で、科学とはそれらの背後にある単純な摂理とそれを可能にする世界の構成要素を探す試みです。光子のみならず、電子もまたその量子力学的な振る舞いが外村彰さん（一九四二－二〇一二）の素晴らしい実験によって実証されているではありませんか。

伊勢田　外村さんの実験についての科学哲学的解釈として、それは電子そのものを見ているというよりは実験の結果を見ているんです。我々は実験装置を見ているわけです。実験がどのように設定されているかを見ている。ただ、電子自体が見えているかというと、ちょっとそこは……。

須藤　繰り返しますが、そのような曖昧な言い方ではなく、電子が存在しないとすればいったい何がその実験結果を説明すると考えているのか代替案を教えてください。

伊勢田　だから、電子を認めない認めなさは、物理と矛盾しない認めなさなんですよ。

須藤　でも電子が存在しなければ物理学的な説明はできないはずです。そのあたりをもっと具体的に説得してください。

伊勢田　物理理論はそのまま受け入れるし、それが観測可能な事実をよく説明することも受け入れる。ただ、その理論がうまくいっている理由がメタフィジカルな部分まで正しいからなのか別の理由によるのかについては保留する。どういう態度か、という説明としてはこれで十分具体的だと思います。もちろん須藤さんはこれで対案として満足しないでしょうが、それより具体的な対案を出すのは物理学の中の話になってくるのではないかと思います。須藤さんもわかった上であえて無理な注文を出されているんでしょうけど。

須藤　そうではありません。単純に何をおっしゃっているのか、その立場が全く理解できていないのです。わかろうと努力しているつもりではあるのですが。では質問を変えれば、物理学者でもわかるように、「目に見える」と「目に見えない」を明快に定義している論文はあるのでしょうか。

伊勢田　目に見えるものの典型例も、目に見えないものの典型例もあるんですよ。その間は曖昧だと言うのが、このファン＝フラーセンという人です。これはさっき、科学と占星術に関しておっしゃったのと同じような構造なんです。典型例がはっきりしていればいいじゃないかという目に見えるものについて、肉眼で見えるものを典型例としているんです。

まあ、望遠鏡で見えるものとか顕微鏡で見えるもの、光学顕微鏡で見えるものだと、まあ、けっこう境界領域があります。で、電子顕微鏡になると――ファン＝フラーセンの立場で言うと――それはもう理論が入っているので、その理論を介して見えたものを見えると言うべきかどうかは、これはちょっと保留するべきだとする。

須藤　ということは、そもそも何をもって「目に見える」こととして採用して出発するか自体が曖昧だということですね。確かに「見える」という現象は理論を介して光子が存在していることを意味しています。したがって「見えること」の説明を放棄しない限り、光子の存在は認めざるを得ない。

伊勢田　それは前後関係が完全に逆転してるんですよ。「これが見える」というところから出発するんです。

須藤　そうなんです。だからこそ、物理学者は光子の存在に行き当たったわけですね（光が単純な波の性質だけではなく、光子という粒子的な振る舞いも兼ね備えていなければならないというのは量子力学の発見における最も本質的な考察です）。現在の物理学が与える具体的な説明が存在しないときにはそこから出発することは認めましょう。しかし、今や少なくともひとつの立派な理論がある以上、それを否定するにはもっと完成度の高い理論を持ってきてくれなくては。

伊勢田　今の物理学は「これが見える」から始まってるんですよ。

須藤　当然です。だってそれが観測事実ですから。その部分のどこに疑問を呈しているのですか？　すでに完成した建築物から、それを支えている一本の釘を抜いておいて「ほら、この釘が無いと崩れてしまうじゃないか」と言っているに等しいように思えます。

伊勢田　崩そうとはしてないんです、これは。申し訳ないけれども。

須藤　崩そうとしてない。じゃあ、何をしようとしているのでしょう？

伊勢田　科学の本当の姿を捉えたいんですよ。科学の本当の姿を捉えるときに、科学が無いところから話を始めるんですよ。ある意味、科学の全く無いところから始めて科学を積み上げていったときに、我々は科学をやることによって何をしていることになるのか。

須藤　もし科学の本当の姿を捉えたいのだとすれば、方法論を考え直すべきではないでしょうか。それはプログラムとしては壮大だけど、「五感しか信じない」という出発点からそんなことが本当にできるのだろうか。

伊勢田　まあ、そうですね。

須藤　むしろ、現在の科学が唯一無二のものであるという思い込みから出発していませんか。私は現在の科学は、この世界を理解する解釈のひとつではあるけれども、歴史的・偶然的な要因によって現在の体系になっているのだと思っています。したがって、異なる体系の存在は否定しません。だからこそ、その具体例がほしいのです。それさえあれば、ぜひとも真剣に検討したいと考えています。残念ながら、反実在論というのは私の理解した範囲では、話にならない説、あるいは物理学で用いられている定義をあまりに文字通り解釈しすぎているための誤解で本当は当たり前のことを言っているだけ、のどちらかのように思えます。

伊勢田　もちろん、現在の科学が唯一無二でないかもしれないと思うから反実在論という議論も出てくるんですよ。そして、対案が哲学者にも作れるような場合には積極的に作りもすると思います。

ただ、現代の素粒子物理学は哲学者がそう簡単に対案を作ってまな板に載せられるようなものではなくなっています。問題意識としてはやはり科学についてもっとよく知りたいんですよ。科学には、やっぱり壮大な一貫した体系があります。科学哲学の持っている興味のひとつは、すごい一般的な言葉で言えば、「これいったい何?」っていうのが知りたい。

「これいったい何?」について答えるときのその疑問の持ち方が、たとえば科学が全く無いところから始めた上で、科学というものがその上に乗っかってきたと考えたときに、いったいこの科学は何ものなのかとか、あるいはいろんな可能性の中でこの可能性が選ばれているのは、他に選択肢が無いからなのか、いろいろ選択肢はあるんだけれども、この科学がたまたまなんかの理由で選ばれてるだけなのか。

須藤　今おっしゃっている科学とは、我々の世界が採用している物理法則の組み合わせという意味ですか。それであれば、すでに述べたように我々科学者が考えていることと同じなのですが。

伊勢田　物理法則そのものが別の組み合わせでもあり得たか、という意味ですか?　その話ではないです。

須藤　では、我々は壮大な世界のごく一部にだけ着目してそれだけを解釈しているために、他にもたくさん真理があるのに、限られたことだけを科学と思い込んでいるのではないか、という意味ですか？

伊勢田　その可能性があるだろうという話です。

須藤　その意見であれば同意します。伊勢田さんがおっしゃっている意味とは違うかもしれませんが、私が考えている「可能性」とは次のようなものです。

この宇宙に「世界の法則集」という古文書がある。ところが、それを一挙に解読することはできず、時間をかけて少しずつ解読するしかない。その途中過程では世界の記述はあくまで断片的なものでしかなく、首尾一貫した描像は見えてこない。一九世紀の物理学はまさにそのような状況だった。古典力学と電磁気学だけでは、物質がどうして安定でいられるのかといった本当に基本的な問題を説明することはできない（実際には量子力学、さらには原子核物理学、素粒子物理学が必要）。つまり、体系としてまだ首尾一貫したものとは呼べないものだった。一方、現在ではそれらがかなりのところまで解読が進んでいる（全く個人的な主観で言えば、すでに七割ぐらい解読できているのではないかとすら思う）。その結果、別に不自然さに目をつぶるとすれば、物理学による世界の記述はかなり首尾一貫した矛盾の無い体系となっている。もちろん、「ではさらにそれはなぜ？」といったタイプの疑問は無限に続くので、より根源的な説明を探る努力はずっと続いている。たとえば、陽子と中性子と電子からなる原子模型はより基本的な素粒子の標準模型から説明される。同じようにこの素粒子の標準模型はさらに根源的な超紐理論から説明されるのではないか、というわけだ。さらにはその下に誰も知らない究極の物理理論が控えているのかもしれない。ここまで概観した上で、あえて次の問いを考えてみる。

なぜ我々は、古典力学、電磁気学、量子力学、素粒子の標準模型という順序で解読してきたのか。逆に、量子力学、超紐理論、電磁気学、古典力学という順番で、世界を読み解く可能性は無かったのか。科学が常に発展途上の過程であるとするならば、ある任意の時点で切り取った科学は、様々に異なる体系をとり得たのではないのか。

伊勢田さんがおっしゃっている可能性とはこういう意味ですか？

伊勢田　たぶんちょっと違います。

須藤　あれ、それは残念。でもこの問い自体はけっこう面白いでしょ？　そういう立場であればとても共感できたのですけれどね。

伊勢田　それは面白い問いだと思いますが、たぶん、古文書の例で言えば、こんなふうに解読したけれども違う人が読んだらぜんぜん違う文章になってないかという疑問がいろいろ出てくる。同じ古文書のこの部分をAさんが解読してこういうふうに読みました。そして、我々はAさんが解読した情報しか持ってない。そこで、全く違う背景を持ったBさんが同じところを読んだときに、どう違うように読むかを見ていく。

須藤　別の順番で違う場所を読み進んだというわけではなく、同じ場所を読んだにもかかわらず異なる解釈をしながら進んでいるということですね。科学論文を読むという習慣からはあまりそのような発想は出てきませんが、哲学、さらに言えば文学を考えれば、むしろそのような文献解釈型みたいな可能性もあり得ますね。

伊勢田　まあ、宇宙を対象とした文献解釈型でしょうか。

須藤　たとえるならば、もやもやとしているものを見て、伊勢田さんはこう解釈するけども、私は別の解釈をする。その上で世の中ではほとんどの人が伊勢田さんと同じ解釈をしているようだが、それは本当かと問う……そんな感じですか？

伊勢田　そうです。それで、今我々が知っている物理学は光子という概念を使ってこれを解釈している。そして、同じものを見たときに違う人たちが見たら、ぜんぜん全く違うタイプのメタフィジックスを使ってその同じ状況を解釈するかもしれない――というのが、これが本当に矛盾していないのかどうか。で、これはもしもそれが矛盾していないんだとしたら、そのことを知ることによって科学についてちょっとわかったことがあるんじゃないのと。

須藤　またまた一般論としてはいいけれど、光子が例として出された瞬間に幻滅してしまいますね。結局は、光子に代わる概念が必要で、単に同値なことを別の言い方をしているだけになりそうです。もっと根本的なレベルから問い直すような何か独創的な観点が無いと……。

伊勢田　反実在論の立場の人であれば、まあ根本的に違う科学のやり方がある可能性もあると言うでしょうね。

須藤　さっきから何度も言っているように私もそれは否定していません。でも、その程度の曖昧で中途半端な主張ではだめです。光子が無いと仮定するとどこかに矛盾が出る。だから光子を存在する科学はサポートされるといった程度の話しかできません。

伊勢田　これを使って科学をサポートしようとしているというよりは、やっぱり、「科学ってなんだろう」っていう疑問に答えようとしているんですよ。

須藤　だからそのような本質的な問いに答えられるような深みを持っていない問いかけ方でしかないと言っているのです。大学院生がそんな曖昧なことを言っていたら「疑問自体は重要だけどそれに挑戦するだけの具体的な問題設定になっていないから、全く違うことをやるべきだ」と助言してあげたいですね。研究に対するそのようなアプローチの仕方を助言してあげる人がいないと学生がかわいそうだと思います。

伊勢田　どうかな。その、目に見える、見えないっていうのに関して……。

須藤　でも伊勢田さんは反実在論派ではないんですよね。自分とは違う立場を代弁して擁護しているんだとすると明快に答えるのは難しいですよね。ゴチゴチの反実在論者であれば、私の疑問に直接答えてくれるのかな？

伊勢田　どうなんでしょうね。私は割と反実在論にシンパシーを持っているんですよ。もともとの認識論の問いを出発点にしているところから五感というものをとりあえずある種特権化するというのは、この議論の哲学的な背景から考えたならば、一応整合性はあると私は思うんですよ。

須藤　整合性に対して課しているレベルが低すぎますよ。もちろん物理学の整合性も完璧ではありませんが、それと比較しても反実在論（文字通りに解釈した場合ですが）はとても認められないレベルだと思います。懐疑論を振りかざしているだけで、何も建設的な描像を与えるものではないですからね。何か文句の言いっぱなしという感じだけが残る。どうせやるんだったら、科学哲学ならではの壮大なことをやってほしいなあ。

伊勢田　まあ、壮大なことをやるのもなかなか大変だというのもあると思いますけど。

須藤　そりゃあ大変ですよ。でも私はてっきり、反実在論の人は「実在しない」という証明をしようとしているとばかり思ってたんです。実在するという主張は怪しいよねという文句をつけているだけだとすると、拍子抜けだなあ。

伊勢田　反実在論にもいくつかパターンがあって、そもそも、目に見えないものについて我々は語り得ないから実在するも何も無いっていう立場もあるんですね。我々の言葉というものがどうやって意味を持ち得るかというのを考えると、我々の言葉はあくまで目に見えるものと相関することによってしか言葉は意味を持たないとする。

須藤　昔であればそれはどこも問題ありません。二〇〇年ほど前ならば。

伊勢田　でも、何か目に見えないものについて我々が言葉を定義したつもりでいても、本当にその定義したものをちゃんとその言葉が指しているかどうか——指示の理論といいますが——と考えると、けっこう面倒なんです。

須藤　それはわかります。でもその言葉の意味と定義の問題と、光子の実在の問題とは切り離すべきです。物理学者が「光子」と呼んだときに、本当にその性質を一〇〇％理解している保証はありません。予想されていなかったような振る舞いをかいま見せてくれる可能性もあるし、ましてやそれを「言葉」で表現し尽くせるわけはない。でもだからといって、その実在を否定するのはおかしい。物理学者が当初考えていたものを超えた存在という意味で「反実在」と呼んでいるのならば、呼称の適切性を別とすれば認めてもよいが、どうもそうでもなさそうですね。反実在論者が、通常の物理とは違うものが見えるメカニズムについて具体的な仮説を出してくれれば良いですが、それが無い限り、現在の物理理論のレベルから考えれば論理矛盾に等しい。

伊勢田　それは矛盾ではないですよ。

須藤　でも明らかに懐疑論を出すだけで、どこもその代わりに優れているところが無いじゃないですか。たとえば自分では1＋1の計算ができないくせに、他の人が2の平方根は1.41421356……というのを聞いて、平方根という概念は実在するのかと文句をつけているような感じです。

伊勢田　もし、なぜものが見えるかについての現代の理論を受け入れずに、しかも「見える」ものを受け入れることが須藤さんのおっしゃるように「論理矛盾」なのだとしたら、時代や場所に関係なく矛盾しているはずですよね。

でも、なぜ見えるかについての解を持たない人が物理学を始めたんですよ。ニュートンはその解を持っていなかった。なぜ見えるのかについて理論は持っていましたけど、彼は間違っていた。でも、そこから始めて、彼が見た様々な現象からニュートン力学を作ったわけです。だから、そのとき彼は別に「なぜこれが目に見えるのか」について答えないと先に進めないなんてことはなかった。だから、まず我々もとりあえず目に見えるものはあることにしておこうと。そこから話をして、じゃあ、このあるものについてその法則を考えたらどんな法則ができるだろうかといって、たとえばニュートン力学の三つの法則とか万有引力とかが出てくる。

須藤　ですからそれは歴史的なもので、当時のレベルを考えればどこも問題ありません。まさにその矛盾を一つひとつ解決していく営みが物理学なのですから。現在の物理学もまた、今までの枠内では矛盾が残っているからその先に進み続けているわけです。すでにあるレベルの理論が構築されており、しかもそれに矛盾があるわけでもないのに、それにとって代わる理論と称して、既存の理論で説明できるものすら説明できないレベルのものを見せられても話にならないでしょう。

伊勢田　それは違いますね。ちょっと思考実験をしますが、誰かがタイムマシーンでニュートンのところに行って、現在の素粒子物理学のさわりの部分（光子とか電子とかも含めて）を講義したとします。仮にニュートンが「そんなの信じないよ」と一蹴して、しかし目に見えるものの存在は受け入れた状態で、力学の研究を続けたとします。このときの、ニュートンの頭の中の状態は、現在の反実在論者の状態と非常によく似ています。目に見えるものは受け入れて、現代の科学で存在が想定されている目に見えないものの存在は受け入れていない状態です。この仮想ニュートンはなんらかの意味で矛盾を犯していますか？　この仮想ニュートンの頭の中の状態にある現代の反実在論者の頭の中の状態も、矛盾とは言えないのではないでしょうか？

須藤　矛盾とは言えませんが、端的に言えば現代物理学から見ればニュートンの理論はレベルが低かったというだけのことです。決して現代物理学にとって代わるものにはなりませんから。それにしてもその場合、未来の物理学者（これを反実在論者を対応させているのでしょうが）は、ニュートン（実在論を信じている現在の物理学者）に単なる結論ではなく、なぜ実在論はだめであるのかを説得する責任はあるでしょう。それ無しでは、それを信じない方が当たり前です。あたかもノストラダムスの予言を信じろ、と言っているようなものですからね。

むしろ私にとっては、まさにアインシュタイン（今度はこちらが現在の物理学者に対応します）の目の前にニュートン（反実在論者に対応させます）が現れて「そのような思弁的な学問は信じられない、経験的に裏づけられたものは私の力学だけである。したがって、君の理論は間違っている」と主張しているようなものですね。実際は、ニュートン力学と一般相対論は、あるレベルではどこも矛盾していないにもかかわらず。つまり単に時代を逆行しているに過ぎないのではないかと。

伊勢田　反実在論の立場が論理矛盾はしていないということは認めていただけたようで何よりです。あと、須藤さんの方の思考実験に合わせて言うならば、その反実在論者ニュートンが言うべきことは、「光子とか電子とかそんなものがあるとはちょっと信じられないけど、確かに君の理論はうまくいっているねえ」ということです。

何を前提として科学を捉えるか

伊勢田　ちょっと切り口を変えてみましょう。「なぜものは見えるか」を研究するときに、本当に「ものが見える」ことを前提としてはいけないでしょうか？

別の事例にあてはめてみましょう。「なぜ象の鼻が長いのか」という問いを考える人は、説明がつくまでは象の鼻が長いということを受け入れてはいけないと思いますか？「なぜデフレが続くのか」についての研究をするときに、現在存在する説明仮説をすべて否定している人が、デフレが続いているということを前提として受け入れては本当にいけないでしょうか？

一般に、説明が問題となる多くの文脈において、説明されるべき現象は、それ自体は疑わないものだと思います。もちろん、どうやってもうまく説明がつかないので見直してみたら、被説明項がそもそも思い込みだった、ということは無くはないでしょうが、例外に属するでしょう。

須藤　対応関係がずれていませんか？　「なぜものは見えるか」を研究するときに、「ものが見える」ことを前提としてはいけないなどとは言ってはいません。「なぜものは見えるか」に対する解答のひとつとして光子の存在を主張している人に対して、「なぜものは見えるか」に対する解答は提示しないまま「光子は存在しない」と主張する反対論のむなしさを指摘しているだけですから。

伊勢田　「むなしい」という評価なら、それは問題意識が共有できていないんだな、ということで、それならいいんです。でも、須藤さんはちょくちょく「支離滅裂」とか「矛盾している」とかそういう表現をはさんでくるので、こうして確認しているんです。須藤さんは同じことをちょっと違う表現で言っているだけのつもりかもしれませんが、哲学者にとっては、「あなたの議論はむなしい」という反応と「あなたの議論は支離滅裂だ」という反応では雲泥の違いですし、「あなたの立場は矛盾している」は不用意に発言すればつかみ合いの喧嘩になってもおかしくないくらいのきつい評価です。

須藤さんが具体的な対案を出せとおっしゃり続けるのでだんだんどこでずれているかが見えてきたのですが、我々のやっている実在論論争というのは、須藤さんがイメージする以上に、現実の科学理論と違う、メタな次元の論争です。

たとえば、ファン＝フラーセンは、現在の最良の科学理論は、字面の上では全面的に受け入れるのです。理論の中に光子という言葉が出てくれば、その言葉も受け入れ、電子という言葉が出てくれば、電子という言葉も受け入れます。それらの言葉が指すはずのものについてのイメージ――非常に小さい粒子であるなど――も受け入れます。反実在論が出てくるのは、その理論の科学理論としてのステータスを考える、ちょっとメタな視点をとったときです。この理論は、確かに電子や光子があると言い、そして非常にうまくいっている。だから、この理論を採用することには問題は無い。でも、その理論が含意するメタフィジックスは、どこまで受け入れるべきだろうか、と考えると、そこはもう科学の範囲外ではないか、と考えるのが、反実在論です。

「電子や光子があるというメタフィジックスを含意する理論がうまくいっている」ことは受け入れなくてはならないが、「電子も光子もある」まで受け入れる義理は無い。これは理解しにくいところだと思います。

つまり、その理論が観察不可能なことについて言っているものをどこまで受け入れるのか。観察可能なものについて言っていることは非常に正しいというのはわかっているので、理論もそういう理由で受け入れます。でも、その理論は観察可能なことについてばかり言うのではなく、ある意味で非常にメタフィジカルなことも言うわけですね。たとえば、この世界の構造について、単に実験結果がこうなりますと言うだけではなくて、この実験結果がこうなるのはこうだからですという、その実験結果の背景にある仕組みに関して話をしますね。

須藤　はっきり言って、「メタな視点である」とか、「理論が含意するメタフィジックス」とか意味不明な言葉を用いて説明されても全く理解できません。「これは理解しにくいところだと思います」ではなく、単にわかりやすく表現できていないだけだと思います。
伊勢田さんは例外的にわかりやすい文章を書き、説明ができる哲学者だと思いますが、この部分はもっと嚙み砕いてほしいですね。一般に哲学者は自分の言いたいことをもっと普通の人々に理解してもらえるように表現する努力をすべきだと思います。人にわかりやすい明快な説明を心がけるのは、学問の初歩です。難解な表現の羅列でごまかして良しとしてはいけません。私は学生に対して、内容に自信があれば難しい式や言葉を避けて物理的な意味が伝わる発表をすべきである、逆に言えば、内容がつまらないからこそ、難しい式や言葉で理解できないように虚飾したくなるものだ、と指導しています。ほとんどの哲学者の文章はまさに後者にあてはまるように思われます。

伊勢田　厳しいご指摘をありがとうございます。確かに今の話は哲学者の内部でしか通用しない言い方になっていたと思います。では今言われた「メタな視点」と「メタフィジックス」についてもうひと頑張りしてみます。

まず「メタな視点」の方ですが、これは「メタ・フィクション」とか「メタ認知」とか「メタ・アナリシス」とかと言うときと同じ「メタ」です。上の例がそれぞれ「フィクションについてのフィクション」「認知についての認知」「分析についての分析」を意味するように、反実在論というのは「科学理論についての理論」です（理論という言葉に違和感があるなら「説」でも「主張」でもいいですが）。

須藤さんは、どうも、哲学者が、科学者と同じ平面上で、科学理論の対抗馬として反実在論を提案していると理解されているように見えます。対抗馬なら、それは対抗する相手と同じくらい魅力的でなくてはならないですよね。でも、科学哲学はそもそもそういう意味での対抗馬を出そうとはしていない。理解の助けになるかどうかわからないんですがちょっと比喩を使ってみます。「日本の首都は東京です」と言う人に対して、「日本の首都は東京ではなく京都です」と言ったらこれは対立しています。対抗馬です。でも、「「日本の首都は東京です」は一〇文字です」と言うのは、最初の主張に反対しているわけではない。そもそも内容に反対しようというわけではない。反実在論者が科学理論に対してやっている分析は、前者よりも後者に近いんです。どの理論がよい理論かということについて哲学者が判断を下そうとしているわけではない。今の理論は非常によい理論で、哲学者がちょっと考えたくらいで対抗馬を思いつけるようなレベルのものではない。でも、そのことと、その素晴らしい理論をどう理解するか、どういう関わり方をするのが正しいのかは一応独立の問題で、そこには考える余地がある、というのが反実在論側の考え方になります。

もうひとつ、「メタフィジックス」ですね。これは確かに大変説明しにくいものを「メタフィジックス」という言葉でごまかしている面があります。この世界には何があるのか、それは「もの」としてあるのか、それとも「もの」の持つ「属性」「状態」「関係」などとしてあるのか、それともそもそも「もの」など無く「過程」だとか「出来事」だとかが一番基本的な存在なのか、それが「もの」だとしてそれはどんな「もの」なのか（たとえばつぶ状のものなのか、連続的な「もの」の切片なのか、そしてどんな属性や状態や関係を持つのか）、それはもっと基本的な要素に還元できるのか、それとも還元できない何かなのか。こういうものをぜんぶひっくるめてメタフィジックス（日本語訳は形而上学ですが）と呼んでいます。

科学理論は数学的構造の形で提示されるのが普通だと思いますが、その数学的構造には解釈が伴います。その解釈の部分が、今説明した意味での「メタフィジックス」なわけです。そして、さきほど言った、現代科学の素晴らしい理論とどういう関わり方をするか、という問いについてのひとつの選択肢が、「目に見えないものについてのメタフィジックスの部分はコミットメントを保留する」というものだったわけです。

「コミットメント」も説明がいりますかね。これは本当に日本語に無い概念なのでカタカナを使っています。これはあるものを受け入れる際の「本気さ」を表す言葉です。たとえばある社会運動にコミットメントを持つ、と言えば、やったりやらなかったりといったいいかげんな関わり方ではなく、自分のやるべきことをきちんとこなす、自分の都合よりもその運動を優先する、といった態度を指します。科学理論を受け入れるのは別に運動ではありませんが、あるメタフィジックスにコミットメントを持つということは、それが正しくても正しくなくてもどっちでもいい、というような距離をおいた態度ではなく、もっと積極的にそのメタフィジックスを弁護するような態度をとるということです。

これで須藤さんが納得されるかどうかわかりませんが、できるだけの説明を試みました。

須藤　どうもありがとうございました。完全とは言えませんが、おかげでかなり意味がわかり始めてきた気がします。特に、「反実在論は科学理論の対抗馬として提出されているのではない」というあたりは今まで完全に誤解していました。仮に、「光子を用いて物理現象を説明する」という実在論にもとづいた具体的な科学理論に対して、「光子無しに物理現象はどこまで説明できるのか」を問うのが反実在論の立場だとすれば、それは理解できます。つまり、反実在論とは「物理学で扱っている世界は存在しない」という主張ではなく、「そのような世界が存在しないと仮定して物理現象を説明する」試みを指すのだとすれば、です。といっても、一旦その立場を認めたとしても、結果的には実在論にもとづく解釈しか思いつかないとすればそれ以上深まる話ではなく、「そのような考え方もあり得たかもしれませんが、でも実際はねえ……」程度で終わりそうです。

適切かどうかはわかりませんが、次のような比喩はいかがでしょうか。「神」の存在という観点からは、「この世の中の現象は神によって支配されている」＝実在論、「この世の中の現象は物理法則に従っている」＝反実在論。しかし、後者は通常の科学における実在論ですね。また、「神」という言葉に、我々が通常想像するような付加的な意味を与えなければ、この文脈では「物理法則」とは「神」と同義であり、実際には用語の違いでしかありません。その意味では、実在論と反実在論の違いは本質的ではありません。実際に、「物理法則」そのものは直接観測できないという意味において、まさにメタな存在ですから。

私は「物理法則」の存在は信じていますが、それがこの世の中にどのような形態で存在するかはわかりようがないという意味において、それが「実在」するとまでは言えません。これがメタな対象である「物理法則の実在」についてのコミットメントは留保する、ということでしょうか。

もう少し砕いて言えば、物体がニュートンの法則に従っているという事実を認めるとき、その法則はどこにあるのか、という疑問です。これを言い換えれば、法則はこの世界にどのような形で実在しているのか、となります。それに答えなど無いのかもしれませんが、実在論と反実在論とはそのような意味ですか？

伊勢田　法則のステータスとか実在性も、因果とか実在とかとの話と関係したり関係しなかったりしながら科学哲学で論じられる話題です。法則はあくまで観察された規則性以上の何ものでもないと言う人もいれば、もうちょっと抽象的な世界における必然性という関係として考える人もいます。ただ、実在論との関係ということで言うとちょっと微妙なんです。基本的には、「反実在論は無い」とは断言しません。あると考える理由が無いというところで主張を止めるので。

須藤　やっぱりそれじゃ中途半端じゃないかなあ？　世の中が物理法則に従うことはどうやって説明するのですか？

伊勢田　まず、法則という言葉を使うときに、法則の観察可能な部分は成り立っていることを認めるんですよ。その上で問題にしているのは、観察不可能な部分の構造です。

須藤　観察不可能なものとは、具体的に何のことですか？　また同じ質問に立ち返ってしまうようですが……。

伊勢田　同じ答えを繰り返してもまた堂々巡りになるので、ちょっと違う答え方をしてみます。反実在論者は電子という概念が登場する理論が、大変経験的に十全であるという言い方をします。つまり、すごくよくできている理論であって、経験的に十全であることについて、我々はもうしっかりと確認した。その上で、それを超えて、本当に我々が見ていないところで電子がそのへんを飛び交っているのかという問いが出てきたときに、そこまでコミットする必要は無いでしょうという考えなんです。科学というのはそういうものではないだろうと考える。

須藤　それは「科学がなぜこんなにうまくいっているのかを理解したい」という科学哲学の目的からは、ずれていますね。勝手に科学の限界を定義してしまっているだけです。ある意味では、科学の最先端は常に実在するかどうかわからないものを対象としています。しかしそこで出されている理論は、それが実在するという具体的な「仮説」を提唱した上で、なんとかその実在を突き止めたいという前向きな提案でもあります。それに対して、その理論を改良するつもりもなく、横からそんなことはできっこないという単なる批評家的な後ろ向きなコメントをするだけでは、無意味ではないでしょうか。

伊勢田　「後ろ向き」というのはある意味当たっていると思います。ある意味で、反実在論というのは大変保守的な態度なのです。これはファン＝フラーセン自身の用語ではないんですが、反実在論の動機を説明するときに「認識論的リスク」という言葉を使うことがあります。これは、普通の意味でのリスクの話ではなく、我々にわかるかどうかに関係なく、誤ったことを信じてしまうということ自体をひとつの望ましくない出来事と考え、それをリスクと呼ぶものです。大胆な仮説を受け入れると、もちろん得るものも大きいけれども、この意味での認識論的リスクも大きくなる。

それで、反実在論を支える動機は、ひとつの見方としては「科学ができなくなってしまわないようなギリギリの範囲で、認識論的リスクをどれだけ低く抑えられるか」だと見ることもできます。科学のひとつのエートスとして、確かなことがわからないときには判断を保留する、という態度が推奨されるというのは須藤さんもお認めになるのではないかと思います。そのエートスを、ある意味科学者たち自身が普通はやらないようなところまで拡張したのがここで言う反実在論の立場だと言えると思います。

つまり、認識論的リスクについて、普通の科学よりはるかに保守的な態度をとるのが反実在論なのです。だから確かに後ろ向きですが、でもその動機を共有してもらえる人にとっては無意味ではない。反実在論の一応定義的なことを言えば、ひとつには、科学理論が観測不可能なものについて我々はコミットする理由を持たない。

須藤　その言葉だけを聞くと、思想的な香りはするもののまあ立場として許容できるような気もする。「反実在論」という言葉、またいくつかの本に書かれている記述を読んだ範囲では、そのような保守的立場ではなく、逆にはるかに過激な立場だとばかり思い込んでいました。

伊勢田　観測不可能なものというものの範囲が、反実在論では広いわけです。電子なんかは観測不可能な方に入る。ファン＝フラーセンの出した基準だと、肉眼で見えるレベルの大きさのものとそうではないものの間に途中の曖昧な領域はあるとしても、はっきりと肉眼ではどう考えても見えないものは観測不可能な例であるとしています。

須藤　うーん。さきほどの一般論までなら何とか共感を持てるところまでいったのですが、肉眼とかいった例を出し始めた瞬間に、やれやれお話にならない、と判断してしまうんですよね。もっとまともな高次のレベルで言うのであればわかるんだけどなあ。

伊勢田　そうですね。この同じ枠組みをちょっと違うレベルで使うことはできると思いますね。

須藤　そうでないと、では何をしたいのかわからないままなんですよ。物理学の最先端では現象を説明するために理論が導入した仮想的な粒子が本当に実在するかどうかを実験的に確認しながら進むという歴史を繰り返している。その意味では、ある要素が実在するのかという反実在的な懐疑を、具体的な実験を通じて検証し、「実在」するという結論を一つひとつ確かめながら進んでいるわけです。曖昧な懐疑だけを提出して先に進もうとしない思考停止的立場が反実在論だとすれば、それとは質的に異なります。トムソンによる電子の発見（一八九七年）、ラザフォードによる原子核の発見（一九一一年）、チャドウィックによる中性子の発見（一九三二年）、パウエルによるパイ中間子の発見（一九四七年）、ライネスによるニュートリノの発見（一九五六年）、クォークの発見（一九六九年）、Wボソン、Zボソンの発見（一九八三年）、ヒッグス粒子の発見（二〇一二年）、など枚挙に暇がありません。このような歴史と実験の具体的な内容を学ぶことで物理学者はそれらの実在を段階を踏んで納得しながら世界観を更新し続けています。それに対して、単に直感的な好き嫌いとしか言えない曖昧な反論（あるいは保守的なだけなのかもしれませんが）で光子や電子の実在を認めないという態度はいったい何を生み出すのかと問いただしてみたいですね。

特にクォークの例は教訓的です。というのは、クォークという素粒子は、それだけでは決して外に出られるのではなく、陽子や中性子の中で常にクォーク三つが組をなすという性質を持つものとして導入されました（これをクォークの閉じ込めと呼びます）。とするとさすがに、そんな都合のよいモデルは単なる便宜的な説明に過ぎず、実在していない仮想的・便宜的モデルに過ぎないだろうと考える人が大半でした。しかしながら陽子の中心部に高エネルギーの電子を衝突させることでそこには何かぶつぶつの点粒子が存在することが実験的に示されたことによって、初めてクォークの実在が認められるようになりました。

このような歴史を知った上で、自分たちが提唱している反実在論がどのようなレベルで、それが世界観の醸成にどのような貢献をするのかをよく考えてほしいものです。ちなみに、このレベルまで電子を実験的に操作できるような状況にあって、電子の実在を信じないという立場が相手にされないのは当然だと思います。そしてこのような明快な歴史的説明を聞いても、クォークはおろか電子の実在をも認めないのが反実在論者なのでしょうね。

伊勢田　まあ、反実在論者の立場からは、クォークが実在することにコミットする理由がある状況にはまずならないでしょう。

世界を理解することと、「理解するとは何か」考えること

須藤　では、どのような材料が提示されれば反実在論が誤っていると認める用意があるのでしょうか。それがあらかじめ提示されていなければエンドレスの不毛な議論ですよね。そもそも、物理学の既存の領域は実在論で良いとしても、その最先端の部分は理論的仮説が正しいのかどうかを検証しようとしているという意味においては、反実在論の立場から批判的に研究を進めていると言い換えても良いわけですからね。それを反実在論と呼ぶのであれば言葉遣いの問題に過ぎません。でもそんな立場ではないのですよね。

伊勢田　何をやろうとしているのかっていうことですね。

須藤　そうです。やっぱりゴールが知りたい。何のためにそのような主張を、しかも問いかけというよりも、断言するのかを明確にしてほしい。

伊勢田　たぶんこの手の理論は反証されるというのが、かなりあり得ないものなので、それは

ある種、規範理論なんですよ。ある種の規範的な側面を持つ理論はたいていそうなんですよ。須藤さんは「ゴールが無ければ学問じゃない」とずっとおっしゃっていますが、それは規範理論ですよ。それを反証してくださいと言ったら、須藤さんがどう答えるかはわかりませんけど、まあそういうものに反証は無いですよね。

須藤　伊勢田さんが詳しく説明してくださったような広い意味での反実在論の立場はそれなりに納得できるものがあります。しかし、さらにそれを進めた反実在論者の具体的な議論（たとえば、五感だけを信じよう、したがって光子や電子は実在しない）になると単に稚拙だとしか思えません。規範理論だから、などと言われても共感できるレベルではない。

伊勢田　もちろん究極的にまでいけば「赤が好きか白が好きか」かもしれないけれど、その前の段階でいろいろできることはあって、だから、「本当にその立場でいいんですか」と考えるときに、いろんな直観が持ち出されてくるわけですよね。

須藤　実在論の話で直観？

伊勢田　反実在論の話でもそうです。だから、この場合に使われる直観は科学とはどういうものかに関する直観とか、実際に科学の営みを見たときに本当にこんなやり方やこんなイメージで科学の営みは説明できるのかとか、いろいろなレベルの議論があるんですね。まさにこれについていろいろな議論がなされてきている。

あと、これを正当化するための議論として、第3章で説明したＩＢＥ（最善の説明への推論）のステータスというのもけっこう重要です。基本的には見えないものの話をする際に我々はＩＢＥをしている。演繹というのは見える結果について話をするわけですけども、そうではない見えていないものの行動などについて話をするためには我々はＩＢＥを使う。たとえば、電子がもしも無いんだったら、なんで電子があるかのようにこの世界は動いているんだというのは、まさにＩＢＥなんですね。

須藤　それに対しては反実在論の人はどう答えるのですか？

伊勢田　反実在論の人は、そもそもその推論そのものが怪しいと言います。この推論を使うことをやめたらどうなるのかというところから話を始めるんですね。

須藤　やっぱり非生産的ですね。電子の実在を認めないとすれば、それを認めることによって開拓され説明が可能になった広範な世界の振る舞いに目をつぶる、あるいは説明を求めないことになります。もしもこの世界をより良く理解することがそもそも実在論・反実在論の議論を行う最終目的であるとするならば、両者の優劣は明らかです。一方それが目的でないのならば、少なくとも「科学哲学」の枠内ではなく、「世界を理解して意味があるのか。人間はそのような行為を追究すべきではない」というむしろ宗教の教義として主張すべきです。もしそうならば、私は喜んで、どうぞご自由に、というおおらかな気持ちになれます。「科学すること」自体を否定するのであれば仕方ないですが、「科学によって得られた成果」を否定するという立場なのであれば、もっと勉強してからでないと。

伊勢田　科学によって得られた成果を否定しようとしているわけではないんですけどねえ。さきほどから言っているように。

ただ、「この世界をより良く理解する」ことがこの論争の目的かというと、もうちょっと間接的だと思います。「この世界をより良く理解するというのはどういうことか」についての論争だと言った方が正確かもしれません。

須藤　なら電子の実在を信じないという立場から、どのような世界観を提示しようとしているのですか？

伊勢田　須藤さんが、電子だけを抜いて考えるイメージが逆に不思議なんですよね。理論から電子を抜いたりしないんですよ。それに対するメタフィジカルなコミットメントだけを抜くんですよ。

須藤　物理屋は電子の実在にコミットしているというわけですね。そして反実在論では、電子に対するメタフィジカルなコミットメントだけを抜くと。前者は私の立場でもありますし、イメージが明確ですが、後者はやっぱり具体的にピンときませんね。電子が実在していようといまいとまあどっちでもいい、と言った瞬間に、それが関与する現象には口を閉ざさざるを得ないのではないでしょうか。その部分が大切で本質的であれば、もっと誰にでもわかるような説明をしていただかなければ。

伊勢田　メタフィジカルなコミットメントってやっぱり難しいですか。

須藤　難しい。日本国民の中でその意味がわかる人の割合は〇・〇一％以下でしょう。さきほど丁寧な説明をしていただいたおかげで少しは理解できてきたつもりですが、それでも私が本当にわかっているとは思えませんし。

伊勢田　そうですか。

須藤　「メタフィジカルなコミットメント」という言い回しがいかに難解で、人々にわかってもらえないかという事実を理解できていないこと自体、哲学の人の感覚がずれている証拠ですよ。もっと現実を知ってわかりやすく伝える努力をしてもらわなければ。

伊勢田　この辺を扱う科学哲学者は、むしろどれだけ難しい言葉を避けながらやれるかを意識しながら頑張ってきたつもりなんですよ。

須藤　確かに言語そのものの限界があるから仕方ないのかも知れません。でもそれを職業としているからには、自分の考えたことをわかりやすく言語に翻訳する責任もありますよね。それをせずに無意味に難解な用語を発明しそれを用いて業界人だけで議論をする。そして、横から「この言葉はどういう意味ですか」と質問すると、実はその専門家の間ですら解釈が異なっていることがわかる。そのあげく、「これが哲学における文献解釈学の大切さである」などと言われては、本末転倒ですね。「十全」なんてあんまり使わない言葉を使うのは、すでに日常的な意味が付与されている既存の単語を避ける意味もあるのかもしれませんが、逆に言えばそのような名前をつけただけで安心して関係者だけで共通の理解が得られたものと誤解してしまっているのではないかな。

ともかく、反実在論を主張するならば、もっと完成度の高い枠組みを準備してもらわなければ。少なくとも今までお伺いした範囲の議論は、私が期待する科学哲学と呼ぶに値しないレベルのものでしかないと判断します。未熟すぎです。

伊勢田　それを作るのはなかなか大変なので、なかなか誰もやらないのですけれども。須藤さんに科学的実在論論争の面白さを理解いただけなかったのは、まあある意味予想通りではありましたが、これだけ時間をとって議論につきあっていただけたことで、なぜ面白さが共有されないのかについては、私の方ではだいぶクリアになりました。ありがとうございます。

須藤さんが反実在論への批判として言う、観察可能性の概念が曖昧だとか、現代の科学のメタフィジックスに対する対案を出さないとかというのは、実は科学的実在論の側もいつも言っていることです。しかし、哲学者同士が話している分には、それは確かに反実在論側の抱える重大な問題ではあるけれども、この論争そのものを無意味にしてしまうような性格の問題だとは思われていない。それはむしろマイナーな論点で、主な議論は、たとえばエーテルやカロリックといった一時期成功したメタフィジックスが全く的外れだったという過去の事例からどういう教訓を引き出すべきか、といったあたりを中心に展開されます。今回はそこまでたどりつきませんでしたが、今回その話題にたどりつかなかったということ自体が、科学哲学者の側がちゃんと受け止めるべき教訓なのだろうと思います。

須藤　きれいにまとめていただいてありがとうございました。伊勢田さんご自身を批判しているつもりは決してありませんのに、ついつい私の反実在論に対する不信感をぶつけてしまった上、そのように言われてしまうと恐縮です。でもおかげで、自分の理解のレベルはかなり上がったと思います。

第6章

答えの出ない問いを考え続けることについて

科学者はなぜ科学哲学者と意見が一致しないのか。今までの対談を通じて見えてきた違いについて、本章で整理してみたい。科学者が理解できない「科学哲学的な考え方」が見えてくる。果たして科学哲学者が科学者を納得させることができていない理由は、科学者の無理解のためなのか、あるいは科学哲学者の「理論」が熟していないからなのか。

哲学の議論の「根拠の無さ」への違和感

須藤　ここまでずっとお話ししてきて、第一に感じるのは、科学哲学が問題としているポイントとその「根拠」の曖昧さです。第1章でも述べたように、科学者はあまり原点に立ち返ることが無く（それ自体はほめられた話ではありません）、結果的に単に過去の研究を引用するというよりは、必要に応じて毎回科学的な論証を示すのが常です。一方、文科系ではむしろたとえば「カントがこう言っている」を主張の根拠に用いることが多く、権威主義に陥る危険性があるように思います。

伊勢田　権威主義というよりは、自分より賢いと思っている人から引いてきているんですよ。だから、カント研究者で、自分がカントより賢いと思っている人はあんまりいない。ほとんどのカント研究者はカント先生の言っていることの少ししか自分はわからないけれども、それをちゃんと解明するのが自分の仕事だと考えている感じなんですね。

須藤　でもカントが正しいのであれば、彼の言ったことをもっと簡明にまとめて説明すればいいではないですか？　科学では最初の提唱者の説明は難解でも、その後の人々がよってたかって咀嚼する過程でより明快で理解しやすい説明法が生まれ、その方が継承されます。それ無しに絶対的に正しいものとしてカントを引用するだけでは、私の言っている意味での権威主義だと揶揄されても仕方ないのでは？

伊勢田　絶対的に正しいというのではなく、自分の意見を言うよりはカント先生の意見を言った方がよっぽど信憑性が高いだろうという感覚だと思うんです。

須藤　それは科学の感覚とかなり違っていますね。

伊勢田　調べれば白黒つくような話題についてだったら、哲学者もそんなにカント先生を引き合いに出したりはしないと思うんですよ。でも、たとえばデータを出して白黒つけるものではない「価値」の問題などについて話すときに、どこに依拠していいかわからないということはあるでしょう。そうすると、自分よりその問題についてよく考えた人がどういう答えを出したかというのは、データとして非常に重要になるんです。

それに、「その問題についてよく考えたこの先生もこんなことを言っていましたよ」ということを持ち出すのは、それが絶対的に正しいという意味ではないですし、「この問題についてよく考えた人もこんなふうに思った。では、自分の考えをもういっぺん見直そう」という根拠には十分なるでしょう。

須藤　なるほど。あくまで議論の出発点としてカントを引用するのであれば、問題は無いですね。その後の議論がそこで打ち切られるのでなく、さらにそれ以上の深さまで達するのであれば。これは古典的文献での議論を知らない私の劣等感のためなのかもしれません。

伊勢田　そういうときには、「ところで、○○先生はこの問題についてどのぐらい考えたんですか」みたいなことを聞くと、そこから話が深まる可能性はあります。

科学哲学者の科学への問いは「好み」の問題ではないのか

須藤　結局、白黒つかないものばかりを対象にしているから、先人の到達点を参考にしないと仕方ないということになるのでしょうかね。

伊勢田　哲学で扱う問題の大半は、実験で白黒つかないんですよ。カント先生は自分の言っていることをよく吟味した上で言う。たとえば「我々は自殺をしてはならない」と言うためにものすごく巨大な理論装置があります。

須藤　なるほど。理論装置などと言われてしまうと、カントには壮大な体系があるのかもしれないけれど、実際に著作を読んで理解しない限りそのすごさはわかりませんね。その点は文科系の方々の方が科学者に比べてよく勉強している優れた点だと思います。でも結局なんだか知らない間に誘導されて納得させられてしまう危険性もありそうですね。

伊勢田　倫理学者の中では、カントの論証は失敗していると言う人の方が多いですよ。

須藤　今回の対談の主旨とはかなりずれてしまいますが、たとえば「自殺していいか」などはまさに価値観の問題であり、「白が好き」か「赤が好き」かに帰着するような話です。それも倫理学なのですか。

伊勢田　倫理学において議論ができる対象ですよ。

須藤　それは答えを出すためではなく、いろんな考え方を学ぶために、ですね？　その問いにイエスかノーかといった答えがあるはずないですから。「私はこう考えます。あなたはどう考えますか」という議論を通じて、考えの幅が広がるというだけのことでしょう？

伊勢田　そんなことはないですよ。「なんで自殺してはいけないんですか」という質問をして、答えが返ってきたとき、いろいろな根拠が出てきますが、その中にいい根拠もあれば悪い根拠もあるはずです。

たとえば、「生命というのは自己保存するものだからだ」というような生物学的な理由が持ち出された際に、「そもそも生命は自己保存しない」という証拠が出てきたら、その議論は崩れますよね。あるいは、上位の規則を持ち出して「このルールからこの前提条件をつけると自殺してはならないという結論が出てきます」と言われた際に、「この上位のルールを、別の議論にあてはめたらおかしな結論が出てくるけれどどうしますか」と言って問題点を指摘していって、議論の修正を迫り、最終的に「それでは自殺の禁止という結論は出てきませんね」という方向にいくこともある。このように、価値に関わる問題についても、けっこう筋道の通った議論の余地はあるんですよ。お互いの見方をただ単に比較しているだけではないんですよ。

須藤　仮に数学のように、共通した出発点があれば、後は論理だけである種の結論に達することは可能でしょう。一方、価値に関わる問題については議論を通じて、自分が暗黙に仮定していた前提、すなわち自分の価値観はこうだったのか、が明確になるわけです。もちろん、その過程で論理的におかしな部分を発見して意見が変わることは十分あり得ますが、もしそうでなければ最終的には、結論の違いの起源を「白が好き」か「赤が好き」かという出発点に還元する作業ですね。むろん結論に関係無く、議論を通じて多様なものの考え方を学ぶことは有意義です。これは伊勢田さんとほとんど同じことを言っていませんか？

伊勢田　「ものの考え方を学ぶ」という言い方ですと、私の言っていることと同じではないですね。

須藤　自殺をしていいか悪いかについて本来答えがあるはずだということですか？

伊勢田　違います。正解は無いけれども、よりましな答えはある。

須藤　ましな答えとは、イエス、ノーという結果を指すのではなく、それにいたる考え方のことでしょう？　だから「考え方を学ぶ」のだと思ったのですが。

伊勢田　イエス、ノーの答えがあるとは限らず、こういう理由でイエスはましだけれども、こういう理由でイエスはだめだとかの議論ができるということです。

須藤　それこそ考え方を学ぶということではないのですか？

伊勢田　それは考え方を学ぶということではありません。私が言っているのは、自分の結論も変わる可能性があるような議論の話をしているんです。

須藤　結果として「私もそう思う。しかしやっぱり反対だ」、あるいは「私はそっちがより好きかもしれない。だから意見を変えて賛成側につこう」と変化することもある。でもそれは結局、好き嫌いの問題に帰着するのでは？

伊勢田　好き嫌いではなくて——もちろん好き嫌いで変わることもあるでしょうが——「確かに自分の議論は間違っていた」という理由で変わることもあるのです。ですから、それは単に視野が広がるというのとは違った、もう少し合理的な、批判的な議論の対象になり得る。

須藤　前者には合意しますが、後者の部分との区別が難しいですね。でも倫理や道徳の話題になると、私が言えることは無いと思います。少なくとも私はそういった価値観から独立した科学をやっているもので。

伊勢田　私も自殺の話など具体的な問題を話したいとはぜんぜん思っていないんですが、一方で無関係だとも思いません。「科学者は帰納を使うべきではない」とか「天文学は人間と宇宙の関係について答えるべきだ」といった判断は「自殺をしてはならない」という判断と同じような性格を持っています。どちらも価値や規範というものが関わってくる問題です。

基本的に、須藤さんと私の言っている道徳や倫理に多少食い違いがあるんですね。決して宗教の話をしているわけではないんです。私が言っている倫理とか規範の問題というのは、ある程度合理的な議論が可能である問題なんです。

須藤　議論は可能ではありますね。

伊勢田　いえ、単なる「議論できる」ではなく、ある程度合理的な議論が可能なんです。たとえば、共通の前提があれば、その前提から見てなんらかの議論は可能であるか、言っている内容に矛盾が無いかといったことです。そういう意味で、いわゆる俗に人の言うところの「道徳」とはちょっと違うレベルの話なんですね。

須藤　おっしゃっていることはわかります。でもやっぱり、最終的には「赤が好きか、白が好きか」というレベルに帰着するしかないだろうと思うんですよ。私はそれを指して「宗教の問題」と呼んでいるだけで、別に深い意味での「宗教」のつもりではありません。

科学哲学の議論は恣意的ではないか

伊勢田　宗教というのは、「単なる恣意的な取捨選択」と同じような意味で使われているのですか。

須藤　だいたいそのような意味で使ってきたのですが、あまりふさわしくない使い方かもしれませんね。不用意な言葉遣いで混乱を与えてすみません。自殺の問題なども合理的議論で最終的に赤白問題に帰着するでしょうし、価値観が絡む問題は突き詰めればすべて赤白問題になるだろうと思っています。

伊勢田　「物理法則が明日も変わらない」という前提を立てるのも恣意的な選択であるということですか。

須藤　それはちょっと違います。積極的な理由が無い限り、うまく機能している公理系をあえて複雑にする必要は無いでしょう。しかし、その公理系がその後厳密には正しくないことがわかったとしても不思議ではないと言っているまでです。ただし、現時点でそこまで考える必要は無いかもしれませんね。

伊勢田　「無いかもしれない」ではなくて、そういうことを実際に考えている人に対して自分のおっしゃる意味の「宗教」の優越性みたいなものは何か、説明できますか。

須藤　「宗教」というのは、物理法則は変わらないというモデルの優越性のこと?

伊勢田　はい。そうです。

須藤　その仮定を崩すべき理由が存在しないということですね。同じ現象を説明できるのであれば、仮定が少ない方を選ぶ。これが科学の大前提です。

伊勢田　まあ、そうなんですけども。

須藤　私は単にそれだけのことを言っていて、とりたててどこも何も深い主張はしていません。

伊勢田　でもまさにその今おっしゃった「科学の大前提」なるもののステータスの話をしているんです。それは、恣意的な選択なのかどうか。科学が「仮定が少ない」という意味で経済的だとかミニマムだとかいうのは、単なる好みの問題なのですか。それとも、もうちょっと何か正当化が可能なのでしょうか。

須藤　正当化が可能かどうかというのも、結局のところ趣味の問題だと思いますよ。

伊勢田　では、趣味の問題だということは、つまりそれを受け入れないで全く経済的な考え方をしない人たちの意見と対等の選択だということを認めるんですよね。

須藤　それは違います。

伊勢田　なぜ違うんですか。趣味の問題だとしてしまったら、それらは対等になるでしょう?

須藤　それはおかしいと思います。たとえば同じ現象を説明できるふたつの異なる理論があるとする。一方はパラメータを一個、他方は二個含むとする。むろんパラメータが多い方が悪いわけではない。でも、美しさあるいは簡便さという点から比較すれば、前者が優れています。しかしながら、前者では説明できない実験事実が明らかになり、後者はそれをも説明できるとすれば、喜んでそちらを選ぶようになるでしょう。その意味では対等ではありません。

伊勢田　それは科学者の考え方ですね。

須藤　確かにそうですね。科学者の間ではかなり普遍的に共有される価値観ですが、一般の人には通じないかもしれませんね。

伊勢田　科学者と科学者ではない考え方をする人の間のずれについてです。要するに、哲学が何をやろうとしているかという話をするときに、どのぐらいまでさかのぼろうとしているのかという話をしているんです。

たとえば、「美しい」「経済的である」といった様々な判断基準がありますね。哲学者は科学者がそういう判断基準を使うことはもちろん知っているんです。それを知った上で、なぜその判断基準を使うのか、それはどのぐらい正当化できるのかと、さかのぼって考える。たとえば須藤さんが「趣味」とおっしゃるときに、ではそれは「どのぐらい本気で趣味だと言っているのか」と問うのです。

須藤　そう言われると、趣味の定義がわからなくなります。もちろん科学者、もう少し私が理解している物理学者の場合に限れば、そこにある種の美しさというか審美眼が関与していることは間違いありません。この状況をファインマンは「数学を知らない人にとって、この自然界の美しさ、言い換えれば、この世の中で最も深遠な美、を本当に理解することは困難である」と表現しています。ある程度物理学の修業をすれば、その感覚を共有できると思いますが、そうでない限り納得してもらうことは難しいでしょう。そしてそれにしても極論するならば、すべては結局、好き嫌いの問題であるし趣味の問題であるし「宗教」の問題であると思っています。私にとっては、それらに本質的な違いはありません。しかしながら、誰でも科学的な考え方を学べば、思想などとは無関係に、その価値観は理解してもらえるものと信じてはいます。

伊勢田　別に私も違うとは言っていませんよ。須藤さんがすべて同じ意味で使っているんだろうと思っています。問題は、趣味の問題なり宗教の問題なりと言ったときに、その考え方をしない人の考え方と自分の考え方との相対的な関係をどのように捉えるのかということです。つまり、「明日から物理法則がぜんぶ変わります。だから、今の物理学を信じて橋を作るなど意味が無いでしょう」と言う人がいたときに、その人の考え方と自分の考え方が全く対等であると考えるのか。もちろん、科学の中という枠組みを外して考えるんですよ。

そもそも、須藤さんはもしかして、世の中には物理の問題と趣味の問題の二種類しか無いと思っていらっしゃいませんか？　須藤さんがそのふたつ以外の問題のカテゴリーがあり得るということを認識しようとしないのなら、たぶん私たちは永遠にわかり合えないままですよ。私も、「同じ物理法則が明日も成り立っている確率は？」という問いが、物理学の中で扱えない問題であることは同意しますが、そうはいっても、これは我々がどんな世界に住んでいるかということに深く関わる問いですから、「趣味」では片づかない問題でしょう？

須藤　なるほど面白い指摘ですね。そしてこのあたりが、我々の議論が噛み合わない「原因」なのかもしれません。

表現が大雑把で申し訳ありませんが、私は、世の中には「現時点の科学で明確に答えの出る問題」と「現時点の科学では明確に答えの出ない問題」の二種類があると考えています。大まかには客観的と主観的と表現しても良いですが、それだとあまりにも窮屈な感じがするので、「物理」と「趣味」という言葉で代表させたつもりです。

前者の、明確に答えの出る問題については、どこまでも突き詰めて結論を出す意味があるでしょう。一方、後者の「現時点の科学では明確な答えの出ない問題」は、大きく三つに分けられると思うのです。(1)倫理や道徳のように本質的に科学の枠内では扱えないもの、(2)現時点の科学ではまだわからないけれどもそれをもう少し先に進めると答えが出ることが期待できるもの(たとえば、無生物から生命を誕生させる具体的な方法、超紐理論は素粒子の標準模型を自然に説明できる具体的な理論となっているか、など)、(3)究極的には科学で取り扱いたいが、現実的には不可能だと思われるもの(たとえば、なぜ物理法則は存在するのか、再現可能であるのか、宇宙はなぜ誕生したのか、なぜ我々は時間一次元、空間三次元に住んでいてそれ以上の多次元ではないのか、など。実はこの分類こそ、私がずっと科学哲学者に期待していたテーマなのですけれど)。もちろん(2)と(3)の分類自体、さらにはその間の無数の小分類があるはずです。それは別として、この三つはいずれも「現時点では」、趣味の問題と呼んでいいでしょう。

誤解してほしくないのですが、決して侮蔑するつもりで「趣味」と表現しているのではありません。ただし、その学術的な価値を客観的に判断してもらえるような、独創的かつ建設的な視点を提供することはとてつもなく困難です。通常の物理学で取り扱える命題であれば、それを記述する方程式を提案し、具体的に解き、さらに実験データと比較する。さらに、検証あるいは修正するプロセスを経て、やがてはその正否を判断できます。ただしそれが面白いテーマであるかどうかとは無関係です。一方、非常に面白いテーマであっても、その正否がわからないような主張を堂々と展開する場合、結局のところその根拠は「趣味」に帰着してしまうのではないかと思うのです。

伊勢田　なるほど。今実験できない科学理論についての議論も趣味の問題だと言われるのだとすると、そもそも「趣味」という言葉自体のイメージが私と須藤さんで違う可能性が大きいですね。あと、「結局のところその根拠は「趣味」に帰着してしまう」というのは、たぶん私も同意できるのですが、その「結局」にたどりつく前にまだまだいろいろやることがある、と思っているあたりで、一足飛びに「結局」のところまでとんでいく須藤さんと話が食い違っているのでしょうね。

実験データなどで白黒つかない主張についても様々な視点を使って優劣を論じることができるというのは、哲学を支えている大前提だと思います。比較のためのものさしが全く共有されていなければもちろん議論になりませんが、内的整合性や、関連する近隣分野の知見との調和、単純さ、スコープの広さ、豊かさなどのおおむね誰もが認めるものさしがあります。ちなみに、今挙げた五つのものさしは、クーンが異なるパラダイムの間の選択についての判断基準として挙げたものです。科学の世界でもある程度基礎的な枠組みのレベルになってくると、こういうものさしで優劣を判断することになるというのがクーンの立場です。

須藤　それは表現が違うだけで、ファインマンが述べた「物理学者が共有する美的感覚」と同じだと思いますよ。たとえば「明日になったら物理法則が変わる」という主張は、決して今日の段階では否定できませんが、それを支える「美的理由」が全く存在しないという意味において、はっきり言ってナンセンスです。ただしこの議論において私が「美的理由」を持ち出した時点で、これは趣味の問題だということは認めます。

伊勢田　須藤さんから見ればナンセンスなわけですね。では、そのナンセンスという判断の根拠は何ですか。自分の趣味によって相手をナンセンスだと言っているんだったら、それはとても不当な評価でしょう。単なる自分の趣味によって、「自分は赤が好きだ。だから青い服を着ている人はナンセンスだ」と言うのとどこが違うのでしょう。

須藤　だから私は、議論を突き詰めた結果、最終的に赤が好きか白が好きかに帰着したら、それ以上議論しても意味が無いと思っています。「物理法則は今までずっと同じだったから明日も同じだという宗派の人と、物理法則は今までずっと変わった例は無いけど明日から変わるのじゃないかという宗派の人ですね」というだけ。

伊勢田　で、それらは対等ですか。

須藤　そこまでくれば、対等かどうかというような問題なのでしょうか？　異なった価値基準を持っている以上、説得はできないでしょうね。それを対等と呼ぶのであれば対等です。私は、「物理法則が明日変わるかもしれないから、橋を作る必要が無い」なんて言う人は、やっぱりナンセンスだと思っているわけです。もしも、「明日になると物理法則が変わる」、「明日も物理法則は同じ」という二択の賭けがあり、どちらも倍率が同じであれば、私は迷うことなく全財産を後者に賭けます。しかし、前者を信じて賭けようという人がいたときに（しかも極めて論理的で知的水準も高くその可能性が低いことも理解した上で）は、尊重しますよ。だって、それは自由じゃないですか。その意味では対等と言っていいのではないですか？

伊勢田　ただ、哲学がずっとやろうとしてきたのは、もうちょっとシンプルで、相手方の人にも通じるようななんらかの理屈を何段階か作ることができないかということなんです。

須藤　一般論を言っているのですか？　それともこの「明日になっても物理法則は変わらないはずだ」という具体的主張を、論理的に正当化したいのですか？　後者ならまた繰り返しになりますが、帰納をどこまでも尊重する限り、物理法則が変わらないという確率の方がはるかに高いでしょう。でもそれはすでに帰納法という仮定がそうであるだけですよね。私は今まで五〇年以上生きてきました。したがって、その経験事実だけをもとにすれば、明日急に死ぬ確率は低いはずです。そして明日も生きていたとすれば、確率的には明後日死ぬ確率はますます低くなるはずです。これを繰り返していけば……でもこれは全くナンセンスですね。

　しかし実はこれは我々が「人は誰でも死ぬ」という全く別のところからの経験事実を知っているからです。もしも私が生物界最初で最後の生命だとすれば、さきほどのナンセンスな帰納ですら極めて論理的になるかもしれません。

伊勢田　おっしゃる通りですが、それはどちらかというと相対主義の側の人が持ち出す議論のような気も……。

須藤　一方、この物理世界においても、もしかして最終的に宇宙が収縮して特異点になるとするならば（一応宇宙物理学者として正確に言っておけば、現在のすべての観測事実は、この宇宙は未来永劫膨張しっぱなしで収縮することは無い方を支持しています）、その時点で物理法則は破綻します。つまり、「明日になっても物理法則は変わらないはずだ」という主張こそ、いつかはナンセンスになります。このように、何を認めるかによってふたつの可能性に対する確率は大きく違ってきます。とすれば、その出発点として何を認めるかこそ本質的であり、それはつまるところ「趣味」なのではないでしょうか。

伊勢田　もちろん、そのことを否定する気は全くありません。ただ、それは明日になればわかると言うけれども、我々は今判断を下さなければいけない。

須藤　だからこそ、今判断するのならば、明日も物理法則が変わらないと判断するべきだと思いますよ、私は。でも多数決で決めろと言われればそれにも従います。それ以上、何をしたいのですか？

伊勢田　ここまでおっしゃったことからは、その結論と全く逆に、「判断するべき」ではなく、「私はこう判断します、後の方はご自由に」という結論にしかならないように思えるのですが。私も多数決で決めようなんて話はしていません。そんな数の多少で決まる問題ではないでしょう。たとえば、経済的かどうかという話に関して、哲学者が心配してきたことのひとつは、「経済的であることやシンプルであることが、理論の正しさと何か結びついているだろうか」というようなことです。

須藤　すでに述べた通り、それは物理学者も考えています。

伊勢田　もしも「経済的であるものが真理に近い」ということに何か理屈が立てられるのであれば、これは異なる理論を信じる相手にも通じるはずなんですよ。

須藤　それができるならね。しかし私は、単純さが理論の正しさと関係しているはずだと信じていながら、それを意見が異なる人に合理的に説得できるかについては自信がありません。物理学は、理論の美しさを指導原理として進歩してきました。そして今までのところ、それは驚くべき成功をおさめています。しかしだからといって、その指導原理の正当性を論理的に証明できるなどと考えている人にはお目にかかったことが無い。むしろその事実こそ、自然界の持っている信じがたい性質であると、ただただ驚嘆しているのです。そしてそれこそが物理学の魅力です。

伊勢田　まあ、そうですね。

須藤　言ってしまえば単にそれだけのことなんですよ。その方法論がうまくいく必然性は無い。でも今までのところうまくいっている。自然とは何と素晴らしいものなのだろう。実は私はこれを「物理教」と呼んでいるのですが、その言葉遣いの善し悪しは別として、それで良いじゃないですか。

伊勢田　科学者はそれをやっていただければいいんですよ。一方で、我々はある意味勝手に、科学者さんのやっていることを見ながら、なんでこれうまくいっているんだろうという疑問を抱くんですよ。

須藤　それだけならばもっともですし、どこにも問題はありません。しかし、科学哲学ではその疑問からやがて「科学は本当は間違っているのではないか」という結論に到達してしまうようですね。科学は論理的に正当化できない、科学は実在しない世界を論じている、と。これは困ったことです。

伊勢田　科学は論理的に正当化できない、というのは今まさに須藤さん自身が「最終的には趣味の問題」とおっしゃったその主張ですよ。須藤さんと同じ結論に達している人が「困った」

扱いされるのには困惑します。それから、「科学は実在しない世界を論じている」と言う人は今はあまりいませんね。「科学の論じている世界像は観察不能な部分ではコミットメントに値しない」くらいでしょうか。

でも、これも、たった今須藤さんが自分からお認めになった、経済的であるものが真理に近いなんて理屈が立つわけがない、といったあたりから出発してるんですよ。でも同時に、科学がある意味で大変成功していることも、これも疑いようが無い。不思議ですよね。

須藤 確かにそうですね。物理学者も気にしているし、不思議だと思ってる。結果的にうまくいっているのは、偶然かもしれないし、科学者同士が互いに厳しくチェックし合い、ある程度実験もできるという、様々な複合的な要因のおかげかもしれません。だからこそ、それを簡単に説明できないからといって、科学者がとても受け入れられないような科学像を作るのはいかがなものでしょうか。世界がなぜ対称性を持つ法則に従っているのか、物理学者、特に素粒子論学者などはまさに不思議だと思っているはずです。

伊勢田 それはどうなんでしょう。本当にそれをみんな不思議だと思ってます?

須藤 そう思いますよ。結局のところ、その必然性なんてどこにも無いのですから。アンリ・ポアンカレ（一八五四－一九一二）の言葉「科学者は役に立つから自然を研究するのではない。楽しいから研究するのであり、自然が美しいからこそ楽しいのである。もしも自然が美しくなければ、それを理解しようと努めるには値しないし、あえて生きる意味すらないかもしれない（『科学と方法』岩波文庫、一九五三年。原書は一九〇八年）」は、まさにそれを表現したものだと思います。

伊勢田　科学者がとても受け入れられない世界像を作るということについては、ある程度は科学哲学の側の未熟さもあると思うのですよ。科学哲学者が科学の実践を知らなすぎるために過度に理想的な科学のモデルを作ってきてしまった面は確かにあります。ただ、それとはまた別に、視点の違い、興味の違いから、科学者にとっては理解できないモデルを作るということはあり得ます。

たとえば、すでに説明したように、反実在論の考え方の背後にある状況設定は、(1)科学というものが存在しない状態までさかのぼる、つまり、科学的な観測機器もなく、それこそ五感だけが頼りという状態まで一旦さかのぼる、(2)「認識論的なリスクを避ける」、つまり科学という営みと両立する範囲でできるだけ誤った信念を持たないようにしたい、という観点から科学者の主張を吟味する、というふたつの要素があると思います。そういう観点から科学というもの全体を積み上げ式に再吟味するときに、「五感で捉えられないものについてのコミットメントが科学をする上で本当に必要なのか」という疑問が意味を持つわけです。須藤さんにとってこの状況設定が全く意味不明だというのはお話ししてよくわかりました。でも、私が見る限り、この状況設定そのものには（面白い問題かどうかは別として）特に内部矛盾しているところはありません。だから、そこにあるのは関心の違いです。そういう関心の違いが原因で科学者にとって受け入れられない議論を科学哲学者はやってはいけないのか。そこはやはり文化の違いというものをもう少し許容していただければと思います。

須藤　その状況設定を伺ってやっと誤解が解けたかもしれません。単なるものの言い方の問題ではありますが、「目に見えるもの以外は信じられない」として科学理論を批判する立場なのか、あるいは「五感で捉えられないものについてのコミットメントが科学をする上で本当に必要なのか」と問う立場なのかによって、科学者側の受け取り方もずいぶん違います。

今回説明していただいたように反実在論が後者の立場からの考察なのであれば、確かに科学者は無意識のうちに当然として受け入れて来た「五感」の一般化が、現代科学の構築においてどのような位置づけにあるのかという、科学哲学ならではのテーマになることと思います。言い換えるならば、反実在論とは、実在しないことを結論とする理論ではなく、仮に実在しないとしたときに何がどこまで言えるかを考える理論、というのが私の解釈です。それであれば、別に内部矛盾はないですね。

ただし私は、その考察の結果、やはり狭い意味の「五感」だけに頼ってしまう限り、科学的に開拓できる世界を縮小せざるを得ないという結論、あるいはやはり実在を認めざるを得ないといった背理法的に実在論に帰着する結論が得られるだろうと想像します。でも、もしその方向の探究であれば十分意味のある研究になりますね。

「議論の善し悪し」と「趣味の問題」の違い

伊勢田　今言った反実在論の立場をもう少し一般的な言葉に換えて表現すると、一旦まっさらなところまで戻って、受け入れざるを得ないもの、受け入れる積極的な理由があるものだけを受け入れる、という態度だと言えると思います。こういう問題設定の開祖はデカルトです。デカルトは、あらゆることをまず白紙に戻し、ぜんぶ疑った上で、確実なこと、すなわち、絶対に間違っていないとわかったものだけを改めて信じることにするのです。そのとき信じることができたのは「自分が存在する」ということだけでした。

デカルトの考える「絶対確実なものだけを受け入れる」というのは今から見るとあまりに厳しすぎる基準ですが、デカルト的なプログラム自体は、形を変えながらも生きています。我々はどの程度確実な、間違えようのない知識を持てるのかという問題設定を、その後もずっと哲学は考えてきて、「ヒュームの問題」というのもその一部と言えます。我々は未来のことに関して確実な知識を持てるのだろうか、ということです。ヒュームの答えは「持てない」。そこで話は終わっていました。でも、素朴に考えると持てそうな気もするので、「もうちょっと頑張ったら何か言えるのではないか」と思う人がヒュームの後の時代に出てきて、それについていろいろな人が考え続けてきた。

須藤　何を前提としているかによってその答えは変わりますよね。両方とも同時に正しいし同時に間違っているとも言える。前提だけの問題ではないでしょうか。

伊勢田　そのときに、前提の善し悪しまで議論するんですよ。つまり、ある前提を立てたらこの証明ができた、というとき、その前提を我々は受け入れるべきなのか、というところまでさかのぼる。

哲学があまり蓄積的じゃない理由のひとつでもあるのですが、このとき、みんな自分で前提から組み立ててるんですよ。みんなそれぞれ違うものを組み立ててるんですね。他の人から見ると、「なんでそれを前提に入れているのかわからない」というようなことも当然起きている。それをお互いに壊し合って、また個々に新しいものを作る。

須藤　それは私が繰り返し主張してきた「赤が好きか、白が好きかという趣味の議論」に帰着するように思えます。哲学者は必ず優劣がつくはずだと信じてやっているのでしょうか？

伊勢田　必ずつくとまでは言わないけれども……。議論の善し悪しはやはりあるんですよ。受け入れやすい前提かどうか、など。

須藤　それはそうだと思います。でも受け入れやすい前提の方が正しいという理由もありませんからね。「物理法則は変わらない」は明らかに受け入れられやすい前提ですが、実は明日になれば変わってしまうことも否定できない。言い換えれば、「明日になれば法則は変わる」という前提は受け入れがたいのは事実だけれど、だからといって間違っているとは言えません。だから、この両者のどちらが正しいか判断はできません。

伊勢田　どっちが正しいと言えるかどうかと、優劣がつけられるというのは、またちょっと違うんですよ。

須藤　それはそうかもしれません。でも実験や観測で検証されることを前提とする科学の場合、どんなに優れているように思える理論でも間違っていることはあり得ます。またそれを通じて、優劣の定義が逐次的に修正されるわけです。それこそ科学の進歩そのものですね。一方、そのような検証ができないことの場合、正しいかどうかを判断するために前提の良し悪しを用いるのはかなり危険そうです。

伊勢田　そこで、とりあえず経済的な理論の方がいいと思っている人と、いや、そんなのぜんぜん関係ないと思っている人の間で何かしら共通する前提が発見できたら、そこで話が噛み合うじゃないですか。

須藤　もしも発見できたら、ですね。

伊勢田　強いて言うなら、「科学者たるもの根拠の無い主張を受け入れてはならない」というのは、科学のエートスとして割と共有されている前提ではないかと思います。それを科学者自身よりも徹底して推し進めるのがヒュームだったり反実在論だったりするわけです。だから、共有できる前提は無くはないんですよ。でも、そうは言っても帰納は必要だし、電子の存在を受け入れるなと言われても困ってしまう。だから、すでにひとつ共有される前提とそこから導かれる結論はあるのだけれど、その結論では困ると思う人が、それに対抗できるような共有される前提を探している、と言う方が正確かもしれません。

もちろん、そんな都合のいいものがあるかどうかはわからないし、発見できたらすごいでしょう。でもそういう共有できる前提が見つかるかどうかにかかわらず、そこには問題はあるわけです。問題があるからには考えようじゃないか、というのが哲学のスタンスということになると思います。

須藤　すでに述べたように、さきほどの伊勢田さんの説明が反実在論の立場を代弁しているのであれば、そのスタンスは理解できるようになりました。その結果、科学者が最終的な拠り所としてきた経験的な美的感覚——単純さ、明快さ、深さ、など——以外にも、「なるほど」と納得できるような論拠が提示されるのであれば素晴らしいと思います。しかしながら、「え？そんな？」と思われるレベル、具体的には「科学は実在しているものではなく、勝手に自分たちが作り上げた概念でしかない」とかいった結論に達するのであれば、当初の立場にも疑問符がつきますね。

伊勢田　科学が実在しないと言う科学哲学者はめったにいないと思いますが……まあでも言わんとするところはわかります。

須藤　つまり「科学を理解したい」と言っておきながら、「自分たちには科学の営みを正当化できない」ことから逆に「科学の営みはおかしい」といった方向に議論が進んでいるのだとすれば、全く論理が逆転しています。科学哲学の大多数がそうかどうかはわかりませんが、私にはそのような部分が目立ってしまうのです。

しかしながら本来は、科学者は世界で何が起こっているかを問い、科学哲学者は科学者がなぜ科学的方法論を信じて進んでいるのかを問う。こういう役割分担でそれぞれ研究を進めているのだということですよね？

伊勢田　なぜ信じているか、というよりは、そもそも科学者がやっているのはいったいなんなのか、という問いですね。

須藤　それがおそらく伊勢田さんにとってはメタということですね。ヒッグス粒子を例にとりましょう。ヒッグス粒子があるか無いかを問うのが科学だとすると、ヒッグス粒子があるという信念がなぜ生まれたのかを問いかけるのが科学哲学。科学者が何を拠り所としてそのような信念を獲得するにいたったのかを。

伊勢田　心理学的な問いとしてではないですよ。

須藤　心理学的問いじゃないでしょうが、私の答えは究極的には美的感覚だというわけなので、やはり心理学的と評すべきかもしれない。科学の最先端が美しさとか簡単さを指導原理にしていると聞いたら、危なくて宗教と同じではないかと思われるかもしれません。でも実際、物理学者が共有している美的感覚から予想された理論が、数十年後に大規模実験で確認されたというのが素粒子物理学の発展の歴史です。繰り返しますが、実に不思議なことです。私にはなぜなのかわかりません。その不思議さそのものは、科学者みんながずっと以前から共有していると思います。その不思議さの謎を問いかけ続けてきたのが科学哲学だとすれば、いったいどのような新たな知見を与えてくれたのでしょうか？

科学哲学は、科学者にとって「当たり前のこと」しか言えていないのではないか

伊勢田　今おっしゃった意味での不思議さについての知見というと難しいですね。別種の知見の話で言えば、たとえばヒュームは、物理法則について、ヒューム自身は「明日変わるかもしれない、けれども、我々はそこでものの考え方の習慣として変わらないと思って生きている。それは決して悪いことじゃない」という結論を出す。

須藤　結論と言いますが、それはほとんどの科学者が当たり前だと思うことではないでしょうか。それほどすごい結論でしょうか？

伊勢田　ヒュームの主張は因果とか法則とかいうものについてのかなりラディカルな反実在論で、須藤さんのような言い方をされると、ほとんどの哲学者よりもはるかに相対主義的な立場をとられているように感じられるのですが……。須藤さんのようには思っていない人の方が多いと思いますよ。

須藤　そうですか？　実は私にはなぜそれが反実在論なのかわかりません。すでに何度も同じ

ことを述べてきたのですが、再度明確に言うならば「明日物理法則が変わる可能性は決して否定できるものではないが、経験的にも美的感覚から言ってもその可能性は著しく低い。したがって、明日もまた今までと同じ物理法則が成立していると考えることが最も合理的である」です。もしもそのような意見を求められれば、極めて短時間で述べることができる程度のことだと思いますよ。

伊勢田　そうですか。ヒュームが言っているのは、経験的に確率が低い、というのは帰納の正当化に帰納を使う議論になっていて単なる循環論法だし、美的感覚など何の根拠にもならないということなんですけどね。だから、結論も、「したがって合理的である」というよりも、「にもかかわらず合理的である」なんですけどね。まあしかし須藤さんは科学を将来の予測に使うのはただの趣味の問題だとすでにお認めになっているのでヒュームに確かに同意はされているわけですね。それはひどくラディカルな見解ではないんですか。

須藤　私が「趣味の問題」と言う場合、論理的にその正しさを証明せよと言われてもできない問題という意味です。それが誤解を生んでしまったかもしれません。それは別として、ラディカルどころか、むしろ常識的・保守的な見解に思えるのですけれどねえ。

伊勢田　須藤さんがそういうふうに感じられるのだとしたら、それはある意味では現代の我々はヒュームのおかげを受けているというのもあると思うんです。ヒュームがやろうとしたことは、帰納とか因果とかというみんながわかった気になって使っているけれども本当はよくわかっていない概念について明確にし直すという作業なのです。漠然と我々が思っている帰納的推論とかそこでの因果の役割について、データとして持っているのはここまでで、思い込んでいるのはここからでという線引きをはっきりさせようとした。

須藤　因果がよくわかっていないという事実を認識させたのであれば、それは素晴らしいことです。ただその結果として哲学者以外の我々一般人が影響を受けているとも思えません。ヒュームのことを知っている科学者は少なくとも私の世代以下ではかなり少数派だと思われますが、彼らはそれには関係無く十分論理的に立派な科学的研究を行っていますし。

伊勢田　通常の研究をする上では、哲学の知識はたぶん全く役に立たないと思うんですよ。通常の研究に集中する際の科学者というのは野球選手に似ていると思うのです。野球というスポーツの歴史とか、それぞれのルールがどういう理由で今のルールになってきたかなんてことは知らなくてもいいプレーはできるし、むしろいい選手に求められるのはそんな知識よりも実際にプレーをする身体能力なわけです。

　しかし、科学を野球にたとえるなら、科学者は場面によっては選手というよりは野球連盟の役員のような仕事、つまり科学というゲームのルールを創設したり改訂したりするような仕事もするわけです。その場合にはそれぞれのルールの根拠についての知識が必要になりますよね。科学者がそういう立場に立つときには、ヒュームの名前くらいは知っておいていただければと思います。実際、科学哲学の議論が科学者に一番よく参照されるのは、新しい分野が作られたときとかなんらかの危機が訪れてその分野の基礎的な部分の再検討が迫られたときだと思います。

未来予測に科学を使うのは趣味の問題か

伊勢田　それで、ヒュームが何を明らかにしたのか、という話に戻ります。やはり須藤さんの関心は帰納よりも因果の方にあるようなので、そちらについてもう少し考えましょう。ヒュームは、我々がわかった気になって使っている用法の中で、「必然的連関」というのが、因果と概念的に結びついていることが気になっていました。そこでヒュームはビリヤードボールなどを例に挙げ、必然的連関などは見えないのだから、そんなものは因果という概念の一部であるわけがないという議論をしたのです。ヒュームによれば、実は我々が帰納的推論を行う最大の根拠はこの「必然的連関」です。つまり、「Aが起きたらBがそれに引き続いて起きる」という関係についての知識がなんらかの必然性についての知識だと思うからこそ、まだ見ていない、これから起きることについても、Aを観察したら、「きっとBが起きるだろう」と推測するわけです。

こんなふうに、ヒュームの因果についての議論は、帰納についての議論の重要な一部をなしているわけです。そしてもしヒュームの結論が正しいとすると、我々が将来の予測に科学を使う理由は何も無いんですよ。

須藤　どうもそのあたりから全く理解できません。さきほど私が自分の言葉に翻訳した内容がヒュームの結論と同じであるとすれば、それには同意できます。ところが、それからは「将来の予測に科学を使う理由が何も無い」といったとんでもない結論は導けません。むしろ正反対で、だからこそ科学を用いるのが最も合理的である、という結論になるはずだと思っています。

全く変ですね。ヒュームが用いている「必然的連関」という難しい言葉を、私は単純に「物理法則」と同一視しており、それに依存する論理体系を科学と呼んでいるのではないかと思います。その意味では、言葉遣いの問題でしかないのだと思いたいのですけれど。

伊勢田　まあ言葉遣いの問題かもしれませんね。須藤さんにとっては「合理的」というのと「趣味の問題」というのがほとんど同義のようですので。物理学を実際にやる場面に関しては それでいいかもしれませんけれども……。

須藤　物理学に限らず、より広く、未来の予測に科学を使うのが万能ではないにせよ、最善だと思います。ところで、ヒュームは科学哲学者ではないのですか？

伊勢田　ヒュームの時代ではまだ科学哲学という分野が存在しないんです。もちろんニュートンの『プリンキピア』はすでに出版されているし、そういうものを踏まえて話はされているけれども、主なターゲットはもうちょっと日常的な哲学でしょうか。

須藤　日常的な哲学と言われると、なおさら議論が難しいですね。とにかく具体例を挙げましょう。この世界を支配する四つの相互作用は、宇宙が膨張し、温度が下がるにつれて変化しています。つまり、物理法則は時間とともに変化するという言い方をすることも可能です。もちろん、その宇宙の温度依存性をも取り込んだ理論が、現在の物理学であり、その立場からすればもうひとつ高いレベルで時間に依存しない物理法則があると言う方が妥当でしょう。しかしながら、将来宇宙の温度がどんどん下がっていくと、我々が全く知らないような物理学の原理に従って、さらに新たな相互作用が見えてくるかもしれない。もしそうだとすれば、「明日になれば物理法則は変わるかもしれない」などという曖昧な言い方ではなく、もっと具体性のある議論を展開することは可能です。そこまでやるとすれば（やるかどうかは別ですが）十分意味がある仮説へ発展するかもしれません。

伊勢田　すみません、「明日になれば」という表現がわかりやすいかと思って使ってきたのですが、そこが一番大きなディスコミュニケーションの原因になっているかもしれません。

明日のことを予測するのは、帰納的推論の重要な役割のひとつですが、もうちょっと正確に言えば、「すでに観察したもの」から「まだ観察していないもの」への推論全般が帰納的推論になります。すでに起きたことについても、我々が実際に観察した範囲を超えて帰納をしていいかどうかはわからない、比喩的に言えば我々が後ろを向いたとき背中で何が起きているかということだってわかりはしない、というのがヒュームの懐疑的な議論です。

もちろん、宇宙の温度変化に伴って物理法則がどうなっていくか、というのは、因果や法則をめぐる哲学の議論にも大きな影響を及ぼす話で、私も物理学におけるそのあたりの知見が今後どうなっていくかには興味があります。ただ、それを実際に研究するとなると、物理学の方にやっていただかないと。哲学者にそういう研究を求めて意味があるかというと……。

須藤　哲学者にそういう研究を求めているつもりはなく、もしもおやりになるのであればそこまで具体化しない限り「クリシン」はできないのではないだろうか、と言っているだけです。

伊勢田　でも、我々は、もうちょっと一般的なレベルでクリシンをしてきたんですよ。

須藤　であれば、具体的にどういう成果があったのですか？　ヒューム以降の議論を経て、科学哲学ではどういう新たな知見を得ましたか？

伊勢田　帰納の問題というのは、要するに、我々が持っているデータが何で、そこからどれだけはみ出さなければいけないのか、という問題という言い方ができます。そして、どれだけはみ出したら、たとえば、今我々が普通にやっているような日常的な推論が成立するのか、という方向で、日常的推論の成立根拠を考える、という方向に知見を深めていく、というのもヒューム以後の議論の流れのひとつです。

須藤　はみ出すというのは？

伊勢田　極端なことを言えば、視覚情報や文字情報として我々が持っているデータというのは、ある意味非常に二次元的な色の空間配置のデータなんですよ。そこからまず、その背後にある、何か世界に関する推論をして、その世界の持っている規則性について推論をする。推論で進める場合はこういう流れになるわけです。実際はしていませんが。

そのときに、帰納的な推論というものは何をやらなければいけないのか。普通の演繹的な論理的なものに、何をプラスすれば帰納推論になるのかを考える。たとえば、原因と結果の「必然的連関」というのはデータの中には無いので、それを使うなら絶対後から足さないわけにいかない。

須藤　また難しい話になってきて私にはよくわかりませんが、自然科学の中心である帰納法を論理的に正当化することは不可能だと思います。そこで持ち出される必然性とは、結局のところ物理法則だと思うんです。世の中を強引に分けると、初期条件があって物理法則があると結果が生まれる。言い方を換えると、原因があって、ある必然性があって結果にいたるという対応だと思うんです。それでほぼ良いんじゃないかな。

伊勢田　つまり、その物理法則は外から足してあげなくてはいけないということですよね。

「その物理法則が正しい」という前提を外から入れてあげないと、我々がこれまでに持っているデータから新しいことについて何も言えない。

須藤　そうだと思いますよ。

伊勢田　我々は物理法則に関する直接的な知識は持たない。我々が見ているこのデータからの論理的な導出はできない。

須藤　論理的という意味を「厳密に」と解釈するならば、「できない」が答えだと思います。そして、そもそも科学というのはそういうものだと思うのです。だからこそ、作業仮説を立て、試行錯誤を繰り返し、あーでもないこーでもないとやっているうちに、けっこう良い理論ができあがる。さらにその理論に矛盾が見えるまでとことん予言し、実験的・観測的に検証する。そのフィードバックをもとにして、理論がさらに次の段階に進歩する。科学哲学が、この方法論が果たして正しいのであろうかと立ち止まって悩んでいる間に、科学は常に前に踏み出しています。それでいいではないですか。科学哲学者が横からいろいろ言うけれども、科学者からは「耳を傾けるべき重要な指摘だろうか」と首を傾げることばかり（たぶん、科学哲学者の皆さんから袋叩きに遭うでしょうが）というのが、正直な印象です。

伊勢田　もちろん、どんどん前に踏み出していただければと思います。それをじゃまするのが科学哲学の目的でもないし、むしろどんどんやっていただいて、我々が考えるべきことをどんどん増やしていただければ。

ただ、ここで、「野球選手」ではなく「野球連盟の役員」的な視点で考えてみていただきたいのですが、そこで出てくる結論の確実さについてはどのぐらい確実さを与えますか。特にそれが将来にも――そのプロセスで得られたものが明日無くなるということに関する確実性に関してはどのぐらいでしょうか。

須藤　それらを定量的に評価できるはずが無い。これが私の答えです。

伊勢田　量を与える必要は無いけれども……。

須藤　でしょう？　だからそんなことはせず、私たちが具体的にできる方法論で科学を進めているわけです。しかも一応それで健全な方向に進んできたと思っています。でもたぶんこれはつっこまれそうですね。

伊勢田　健全と言われると、あれっと思いますね。

須藤　でも、科学哲学者の科学者へのコメントこそ、まさにそうですよ。自分は健康だと信じて、しかも実際に何も問題無く過ごしてきた科学者の前に、見るからに不健康な雰囲気を漂わせた科学哲学者がやってきて「あなたのやってること、それで本当に健康にいいんですかねえ」なんて詰問されているような気がします。

さきほどの野球の例を使わせていただくならば、現役の科学者たる「野球選手」にアドバイスを与える立場の、「コーチ」、「監督」、「野球連盟の役員」などは全員とはいかずとも、やはりかつての「野球選手」が大部分を占めるべきだと思うのです。アドバイスする立場の方々が、現場をどれだけ経験していたかがそのアドバイスの説得力を決めるのだと思います。昨今の日本のプロ野球界においても、「野球選手」でもなかった人が大きな権力を持っているがために、ゴタゴタを引き起こした例があったような気も……。

伊勢田　選手へのアドバイス、ということになるともちろんそうですね。科学哲学が科学者から見て不健全だというのは本当におっしゃる通りだろうと思うのですよ。今言おうとしたのは、それとちょっと違う話です。須藤さんが一方で科学の一番基礎の部分である帰納を認めるかどうかというのが完全に趣味の問題だということも認めつつ、他方ではそれを「合理的」「健全」という言い方をされていて、中立的な観点から見てもその選択が支持できるものだ、と思っていらっしゃるようなニュアンスを感じるんですよね。そのずれにちょっと「あれっ」と思わざるを得ない。でもこのずれは須藤さんだけのものではなく、科学哲学が登場する前から哲学者がこの三〇〇年間格闘してきたまさにその問題でもあるんですよね。

しかし、これだけご説明しても須藤さん自身がそのずれをぜんぜんお感じにならないのだとすると……これは困りました。思った以上に物理学者と哲学者のものの見え方の違いというのは大きいのかもしれません。

須藤 うーん、そうでしょうか。すでに繰り返してきたように、「合理的」「健全」という考え方は、厳密にその正しさを証明できるものでない限り、最終的には「趣味」の問題に帰着するというのが私の価値観です。この言葉遣いは私特有のもので誤解を招いているのかもしれませんが、基本的にはご指摘の「ずれ」は感じないのです。

「未だ検証されていない物理学理論をなぜ支持するか」という疑問を突きつけられたとすれば、いろいろな状況証拠（間接的な証拠、理論的美しさ）などを列挙することはできますが、その証明は今後の実験を待つしかない。その態度を「合理的」、「健全」と評しています。しかしながら、未だ実験的確認がされていない段階では、最終的には「趣味である」と認めることこそ、むしろ最も正直な「科学的」態度だと思うのですけれど。

第7章

科学哲学の目的は何か、これから何を目指すのか

科学者にとって科学哲学が、「根拠の無い」「議論の曖昧な」「趣味の問題であり、当たり前のことしか言っていない」ように見える理由は、すべて「科学哲学に明確な目的が欠如しているからではないか」と須藤氏は指摘する。逆に伊勢田氏は、科学哲学の扱う問題を「趣味の問題」とみなしながら、それと科学の合理性を認めることとの間の「ずれ」を認識しない科学者の科学像に困惑しつつも、目的志向的でない科学哲学のあり方の弁護に努める。

科学者から見ると、科学には明確な目的があって、それに向かって研究するものであるのに対し、科学哲学にはそれが無い。逆に科学哲学者は、目的が簡単に設定できるような課題は哲学から離れていくのだ、と切り返す。

科学者が「科学哲学の目的は何か」「これから先も同じようにしか続いていいかないのか」と問いかけ、科学哲学者が科学者と異なる価値観を提示する。

両者の価値観のずれはどこに向かうのか。この応酬は、今後、科学者・科学哲学者の双方に生かすことができる何かを生むのだろうか。

科学哲学に学問的志向性はあるか

須藤　私には、科学哲学にあまり志向性が感じられないのが不思議なんです。

科学ではこの自然界で理解したい現象がある程度はっきりしており、そのリストの上の方にはなかなか手出しができないけれども、それにいたる過程で大切となるピースの一つひとつをできることから解明していく。目的とするリストはある程度階層的になっており、たとえば「宇宙はどうやって誕生したか、その前に時空は、物理法則は存在したか」などという根源的な問題はその最も上の階層に属しているが、だからといってそれに直接手出しすることはほとんどない。それでいて神棚において毎日拝んでいるような感じ。いつになるかわからないけれども、やがてより下の階層の諸問題が解明され時機が熟すのをじっと待っているわけです。

一方、科学哲学は――私の曲解かもしれませんが――その目的はかなり曖昧で、「偉い」人が突然思いついたように「面白い」説を提案すると、皆が群がって批判し合う。その結果、その問題に明快な結論が出るわけでもなく、いくつかの異なる説が並列したまま野ざらしにされる。こういうことを繰り返している。この志向性というか目的が階層的に整理されていないから、今から三〇〇年前には十分意義のある問題設定であっても現在の科学のレベルから見れば再定義が不可欠と思われるような問題を、相変わらず同じ状況設定の下で繰り返している。自然科学では、私たちが理解できる世界の範囲の境界をどんどん拡大する方向を目指して進もうとしている。その志向性が非常に明確だし、それ無しには良い研究はできない。科学哲学にはその意味において、進歩はあるのですか？　このような問いを発すること自体が、科学的価値観だけにもとづいた偏見の表れなのでしょうか？

伊勢田　哲学が研究している対象と、科学の対象が違うというのは確かにあると思います。哲学者が昔から興味を持ってきたのは、「我々から見える世界」であったり、「我々から見える世界と我々の関係」であったり、「我々はいったい何者か」のような問題であったり。そういう問題に関して考えるときには、「人間として生きている」ということだけで、ある意味では我々はすでにデータを持っていると言える。

ただ、それをどのように見るかについて手がかりが必要になる。言ってみれば、我々が人間として生活している中で得ているデータに関して違う角度から見るための手がかりを、「偉い」哲学者からもらうということでしょうか。そのときに、その角度のつけ方がやはりいろいろある。そういう意味では、確かにデータが増えるということではないでしょう。最近出てきた科学哲学の分野では、自然科学的なデータを用いることもありますが、昔ながらの哲学はどちらかというと人間が普通に暮らしていて得るものがデータとして用いられます。それに対して、どういう角度から見るかという行為が、哲学者がずっとやってきたことであり、新しい読み方は新しい角度から出たということになる。

須藤　ではその「新しい角度から出た新しい読み方」の具体例を列挙してほしいものですね。

伊勢田　因果の話はちょっと食傷気味かもしれませんので、反実在論の話の続きをちょっとしましょうか。

おさらいしますと、科学的実在論は、科学理論が観察不可能なレベルの対象について言っていることも基本的には正しいという立場、反実在論は、その考えが間違っているとは言わないけれども、正しいと認める積極的な理由はない、という立場です。

さて、須藤さんもこだわっておられたように、「観察可能」と「観察不可能」の境界線をどう引くのか、といった問題を抱えつつも反実在論が一定の支持を保ってきた理由のひとつに、「悲観的帰納法」という論法があります。一九八〇年頃にラリー・ラウダン（一九四一－）という人が書いた論文でその骨組みが作られています。その議論はだいたい以下のように進みます。「実在論者は、これだけ予測を成功させる理論が目に見えない部分で大間違いをしているなんて考えられないと言う。でも、ちょっと科学の歴史に目を向ければ、驚くべき成功をおさめた理論が「存在する」と言っていたものが存在していなかった例はたくさんある。天動説における恒星天球、ニュートン力学における絶対空間、一九世紀電磁気学におけるエーテル、熱力学成立の過程で使われていたカロリック（熱素）など。だとすれば、これだけ予測を成功させている現在の理論が「存在する」と言っているものについても、存在しないなんて考えられない、というよりはもうちょっと慎重な態度をとることだってできるのではないだろうか」

これは、通常は科学の蓄積的進歩の歴史として語られているものを、視点を変えることで（形而上学的コミットメントの変遷に着目することで）むしろ悲観的な帰納ができるような歴史に読み替えたわけです。これはこれでひとつの新しい「角度」のつけ方だと思います。

また、この議論が強力だということを認識しながらも実在論をとる論者たちは、様々な形で限定的な実在論を展開します。つまり、天球やエーテルやカロリックの事例が今の科学には一般化できないと言うために、これらの対象と今の科学で想定されているものとの本質的な違いをいろいろ指摘したのです。イアン・ハッキング（一九三六－）という人は、その違いは「操作可能性」だと考えましたし、ジョン・ウォラル（一九四六-）という人はこれらの事例でも「構造」はずっと保存されているので、構造こそが科学的実在論の対象だと考えました。それぞれ「介入実在論」「構造実在論」などと呼ばれます。

このような立場は、その正しさはともかくとして、それぞれの視点から科学の歴史や実践をもう一度見直すきっかけを与えてくれます。たとえば、天文学が科学哲学で話題になるという話をちょっと前にしましたが、それは、文脈としては、「エーテル」と「電子」の一番大きな違い（つまり「エーテル」概念の歴史的教訓にもかかわらず電子の実在にコミットする理由）は操作可能性だ、というハッキングの主張を踏まえると、じゃあ我々が直接操作できない天文学の対象（ブラックホールとかダークマターとか）はどうなるの、ということになるからです。

須藤　せっかく反実在論は決して「物理学的対象が実在しないという主張ではない」という理解をして、その立場を納得しかけたところなのに、やはり私がもともと想像していた通りの「実在を否定する」という意味での反実在論説が登場して少し残念です。それはさておき、すでに伊勢田さんもおっしゃったようにこれは、蓄積的科学の進歩をあえて反実在論的な解釈をしたというだけであり、それに対する実在論者（?）の反論も含めて、議論のための議論だとしか思えません。まあそのような解釈学を繰り返したければご自由に、という感じです。

ただし、科学において実在だと考えられていたものが、その後実は間違っていたという例があるのは認めますし、これからも同じことがあるかもしれません。その意味において、私はその時点での科学が常に正しいなどという主張をするつもりはありません。むしろ、誤りを修正しつつ、より正しい真の世界観へ近づいていく、しかもそれは直線的ではなくジグザグに進む、それこそが科学という営みであると信じています。

それを考慮した上で考えるならば、伊勢田さんから教えていただいた(私が納得した)反実在論の立場と同じく、実在論は「科学が扱う対象には必ずその対応物が実在するという信念で進む立場」であると定義すれば良いのではないでしょうか。天球やエーテルやカロリックが実在するという主張が正しかったかどうかではなく、それらが正しいという信念のもとにその可能性をとことん追究する立場を実在論と呼べばすべて解消するのではないでしょうか。少なくとも私はその立場で研究しています。

天文学の対象である、ブラックホールやダークマターにしても、私は物理法則を信じる限り、観測データの解釈のためにはそれらが実在すると考えることが最も素直で単純な解だと信じています。それらが実在することを疑うつもりは全くありません。しかし同時に、それらが将来の科学の進歩の段階で否定されてしまう可能性が無いとは言えません。にもかかわらずやはり、私は現時点でそれらの実在を信じてさらなる研究を進めるという意味において完全な実在論者です。こう考えれば、天文学の対象は実在論になじむかどうかなどという議論自体が消失する(少なくとも私にとってはどこにも悩む余地が無い)ことになります。

しかしせっかくなので、さすがの私も実在論的立場でいられる自信が無い話題をふらせていただきます。ミクロな世界で粒子がどのように振る舞うかを記述する量子力学においては、観測をするまでは粒子の位置が確定していない(単に知らないという意味ではなく)というコペンハーゲン解釈が標準的な解釈とされています。もちろん、これは日常的な感覚とは全く相容れませんから、まさに物理学が記述するミクロな世界における実在とは何かという本質に関わっています。

これに対するもうひとつの説は多世界解釈と呼ばれ、ミクロな世界とマクロな世界を切り離すのではなく観測者も含めて同時に記述すべきという考察から、実は我々とは異なる無数の並行世界が存在するという仮説に到達します。これは理論的にはとてつもなく独創的で興味深い解釈なのですが、実験は不可能ですからそれ以上は進まない。正直に言えば、私はこの多世界解釈のファンなのですが、さすがにそこで想定されている並行世界が実在していると主張するほど信仰は深くありません。このような具体的な科学的世界観について、物理学者と科学哲学者が相補的に研究を進める意義は高いと思います。

伊勢田　多世界解釈を提示したのはもちろんエヴェレット（一九三〇－一九八二）やドウィット（一九二三－二〇〇四）といった物理学者ですが、そういう実験のしようのない提案を精査するのには、むしろ哲学の方が向いていますよね。

須藤　一般論としては、哲学者が追究する価値が高いテーマは物理学にかなり残っていると思うのです。哲学者が単に楽しみながら悩むといったレベルではなく、生命倫理などのように、これからの世の中で何らかの判断を迫られている重要な領域もあります。このように科学の進展に伴って、哲学的な問題の所在も常に変わっていくはずです。それらを怠っているために、実は自然科学ですでに解決済みとなった疑問を昔ながらの問題意識で考えている可能性もあります。本当はそれらこそ、科学哲学に期待するところが大きいのですが。

その一方で、科学哲学は――そもそも名前からして仕方ないのでしょうが――、なぜそこまで「科学」にこだわるのでしょうか？　科学哲学の目的を教えてもらいたいものです。

伊勢田　科学や科学者のために研究していると思っている科学哲学者はあまりいないと思います。基本は自らの知的好奇心に従って自分のやりたい研究をやっているわけです。ただ、須藤さんもおっしゃるように、伝統的に哲学が扱ってきた認識論や存在論という問題について、様々な形で科学が深く関わるようになってきています。たとえば、「知識とは何か」と伝統的にずっと考えてきた哲学者にとって、最近出てきた「科学的知識」なるものはいったいなんなのだろうか、というのは、当然のように興味がわく問題なわけです。

科学者と交流しているうちに、科学者と哲学者の共通の関心が広がっていくというケースもあります。「生物学の哲学」や「認知科学の哲学」はその代表的な例だろうと思います。この場合は、哲学者の研究も科学者あるいは科学のために役立つでしょう。でもこれは、自分の好奇心とベクトルが一致した、ということでもあるでしょう。

須藤　「科学者のため」にやる必要は無いかもしれません。でも「科学のため」にやるという観点無しにできるものでしょうか？　少なくとも科学者がいない場所で、科学哲学者たちだけで的外れな「科学」に関する議論を繰り返しているとすれば不毛ですよね。

伊勢田　個々の議論が的外れであるかどうかの判断基準は何でしょうか。須藤さんにとって興味が持てない議論や須藤さんにとって背景が理解できない議論を「的外れ」と判断してしまってはいませんか。

ただ、哲学者の興味の持ち方は変だと私も思うんですよ。一番わかりきっているように見えるものについて実はわかってないっていうのが好きなんですよ。

須藤　それはわかる。ですから、私自分が判断できないより広い哲学一般について何か言うつもりはありません。しかし、仮にも私が少しは理解しているはずの「科学」そのものを議論しているのであれば、やはり普通の科学者にも共感を持ってもらえるような前提や問題意識があるべきではないかと思うのです。これは今回の対談で何度も繰り返していますが、残念ながらそれに対して納得できる具体的な説明をいただいていないように思います。

伊勢田　世界がどういうものなのかということのレベルで考えたいわけですよ。

須藤　それは物理学者も考えていますよ。

伊勢田　そのときに物理学者はとりあえず今の物理法則を前提として話をしますよね。もう少し一般的なレベルで物理法則が次々に変わるような世界とか、物理法則がずっと一貫して同じであるような世界とか、いろんな世界のイメージは持たないのですか？

須藤　あまり持たないと思います。逆に言えば、科学哲学者は、とりとめのないレベルではなく、そのような様々な「世界」を明確にイメージしながら議論しているのですか？　本当にそうであれば良いのですが。

「物理法則が変わらない」は一通りしかありませんが、「変わる」には無限の異なる変わり方がある。じゃあ、具体的にここがこう変わったときにどうなるのか、という具体的な問題設定をせずに何か意味のあることが言えますか？　そういうことを曖昧にしたまま、「いやあ、今まで君が無批判に信じていた物理法則は不変だという考えは甘いよね」って言うだけならば、何の意味も無い。

伊勢田　そこで話を止めるわけではないんですよ。

科学哲学における興味の持ち方の多様性

須藤　では科学哲学が「答え」として想定している目的は何なのですか？　何度聞いても残念ながらピンとこないから、私には科学哲学の意義が理解できないのだと思います。

伊勢田　こうやっていろいろご説明してきましたが、科学哲学は何をやっているかというのは、なかなか簡潔には答えにくいことなんです。究極の答え方とすれば、「科学というものについて理解しようとしている」とは言えますが、それも多岐にわたります。自然科学の分野全体を集めてきたとしても、科学哲学のアプローチの方が種類は多いでしょうね。それだけばらばらなんですよ。自然科学同士では、全体としてアプローチの仕方は割と近いと思うんです。

科学哲学には、大きく分けて、少なくとも三つは違う興味の持ち方があって、形而上学的な議論（そもそも世界がどうあるのかということについて議論したい人）と、認識論的な議論（我々は世界についてどうやって知るのか、我々の知り方について議論したい人）そして、概念的な議論（言葉の意味について議論したい人）がいる。概念的な問題に興味がある、という場合も、ただ単に調査して答えが出るようなタイプの問いばかりではなくて、その概念をどう使うのが一番いいのかと考え、実際の用法と若干ずれてもいいけども、もっと整理された用法を追究するという問題設定もよくあります。英語でexplicationと言って、私は「哲学的明確化」などと訳しています。後は人間の営みとしての科学について知りたいとか、「実験とは何か」を深く突き詰めたいとか、うまく分類におさまらない関心もいろいろありますね。これらは、全くお互いに無関係ではないのだけれども、それぞれぜんぜん問題も違うし、アプローチの仕方も違う。違うのだけれども、お互いに関係している。「因果」をまた例にとると、「因果とは実際にはどういうものなのか」という形而上学的な問題意識と「因果について我々はどうやって知ることができるのか」という認識論的な問題意識と「因果という言葉はどう使われているのか、どういう使い方を提案するべきか」といった概念分析的な問題意識って相互に実に密接に関わっています。関わっているのだけれども、その関わり方自体も、哲学的なスタンスによってずいぶんイメージが違うんですよね。因果というのは世界の方で起きているのだからまず世界の方から話を始めるべきだという人なら、言葉の使い方が世界のあり方を反映するべきだと言うだろうし、逆に「因果」という言葉を我々が使って世界を解釈しているという事実から出発したいという人は、その言葉が何を意味しているのか、何を意味し得るのか、というところから話を始めて、むしろその「因果」という言葉に対応する何かが世界の側にあるのか、あったとしてどうやってそれについて知ることができるのか、と問題を立てる。こんなふうに、自分たちが何をやっているのかの基本的なイメージすら違う人たちが一緒に仕事をしているので、場合によってはぜんぜん話が通じないことさえあります。

須藤 なるほど、科学哲学者の中でも異なる問題意識で研究している人々がいることはわかりました。でも私が知りたいのはそのような多種多様な興味を持っている人たちが、結局何をしたいかということなのです。ここまで聞いても明確なお答えをいただけないということは、やはり「何をしたい」と発想自体が共有されていないのでしょうね。それが私の感じている違和感の原因かもしれない。さきほど伊勢田さんがおっしゃった問題意識のさらに背後にそびえているものを知りたいのです。

伊勢田　そびえているものとは?

須藤　ゴールです。さっきは、神棚に祀っておいて毎日拝んでいるような大目標と表現しました。たとえば、物理学において、ヒッグス粒子の発見は、世界の基本要素を明らかにしたいというさらに背後に控えている大目的にいたるためのいわば小目的です。このように、一般にゴールは何段階にも階層化している。ただし、そのことまでは一般の方々に伝わっていないかもしれない。今まで存在が確認されていなかった素粒子を発見したということ自体、十分自己完結した科学ですからね。でも本当はその先に何段階も異なる階層の具体的なゴールが並んでいると思うのです。

伊勢田　形而上学は何をゴールとしているのかといったときに、「世界の本質は何かを知りたいと考えている」といった、ものすごい一般的な言い方はできますよ。

須藤　それはそうだと思いますが、その場合の「世界の本質」の具体的な意味がわかりません。広い意味では、物理学も、天文学もさらには文学も「世界の本質」を知ることが最終的なゴールと言えますからね。その間に何段階もの具体的なレベルのテーマがあり、それらを一つひとつ積み上げて初めて「本質」にいたるはずです。それを、たとえば因果の関係をもとにいきなり本質を知りたいと言われても、そのギャップをどう埋めようと考えているのか見当がつきません。

伊勢田　そうかな。科学哲学だと因果そのものが割とこの世界の基本構成要素のひとつなんですよ。

須藤　では、因果の問題が解けたら次にどうするつもりですか？

伊勢田　そういう意味では、あまり解けるとは思っていないかもしれないですね。

須藤　ほら、そうでしょう。

伊勢田　須藤さんの言う意味で解けるとは思っていなくて、その問題をもっと深めていくことによっていくらでも議論はできると考えているんです。進歩が無いとは思っていませんよ。議論をすることによって前よりもその問題についてわかるようになってくる。

須藤　やっぱりわからないなあ。たとえば、因果が「わかる」と言うとき、階層的に問題設定がされていなければ「わかる」ということすら何を指しているのか理解できません。このような考え方自体が、科学者の価値観にどっぷりと浸かってしまっているのでしょうか？　でも「科学哲学」というからには、そのような具体的な問題設定があっても良いと思うのですが。

伊勢田　確かにそういうのがあるとわかりやすいでしょうが、そういうことができるような問題はたぶん哲学者はもう他の人に投げてしまうんですよ。

須藤　なるほどね。だから、最初から意図的に解けない問題だけを選んでいるように見えてしまうわけですね。したがっていつまでも解けないままなのも当たり前で、それを横から眺めている私のような人間に「一体何がやりたいのですか？」などと言われてしまう。

伊勢田　いつまでも解けない、というよりは、解けるようになった、決まった手順で積み重ねていけるようになってしまった問題は、哲学から「卒業」して、独立の研究領域になったり既存の別領域の守備範囲になったりしていくんです。そういう意味での生産性はあるかもしれません。

科学哲学者はこれから何をしていくのか

伊勢田　まあしかし、新しい研究領域が生まれるというのは例外的な事態で、哲学者が同じ問題をいろいろな角度からつつき回しているという状態がずっと続いているというのは確かに合っていると思います。

須藤　そうすると何をもって初期の目的を達成し、一応の決着を見ることになるのでしょう？

伊勢田　哲学的な問題だと、なかなかそうはならないんですけれども。

須藤　それは、あまりに細かいことばかり気にしているからじゃないでしょうか。同じことは自然科学でも起こります。物理学でも、何らかのブレイクスルーがなされ、新たな分野が立ち上がるとそれが急速に進歩する。ところが時間が経つと、解ける重要な問題はほぼやり尽くされて本質的な難問のみが残り、なんとか手をつけられる重箱の隅のような問題をつつきがちになる。つまり、些末主義になり、気がつかないうちにその分野そのものが停滞します。一方でその間に、異なる新しい分野が生まれ、若くて優秀な研究者がそちらに移っていく。このように、自然科学は、積み重ねができることに加えて、新たな実験・観測データが次々と増えるおかげで一〇〇年前と今では桁違いの進歩が可能である。これはある意味ではクーンのパラダイム論を言い換えただけかもしれませんね。

仮に新たな分野が生まれることがなければ、かなりの数の人たちはいつまでも重箱の隅をつつきながら過ごすわけで、外から見ると長い時間をかけて何をやっているのかがわからなくなる。人間が頭だけで考えられることなんて限度がありますから、一〇〇年前にできなければ今もたいていできない。

伊勢田　それは哲学の中でもよく起こることだと思います。特に科学哲学はだんだん話がテクニカルになってくるのは確かです。フェイズが変わる背景によくあるのは、新しい科学の理論や知見が出てくることです。たとえば、脳神経科学の発展は、けっこう哲学に影響しました。科学哲学からは少し離れますが、自由意志論に関して言うと、「リベットの実験」という、我々が主観的に意思決定をしたと思う時点より前に、実は脳内のプロセスが始まっているという実験があるんです。そのひとつの実験で、自由意志論の議論はものすごく発展するんですよ。どういう実験かというと、主観的な我々の因果関係の認識で、我々がこう思ったからこう体が動いた、という前後関係の認識とどうも違うことが脳内で起きているという話です。つまり、私がこれを手に持とうと思うよりも前に、脳内ではこれを持ち上げるプロセスが始まっている。

須藤　それは当たり前なんじゃないですか？　伝達時間の問題だから。

伊勢田　いえ、伝達時間の問題ではありません。たとえば、我々が普通の感覚で全く「ペンを持とう」なんて思わない瞬間がありますよね。その上で「ペンを持とう」と思う。そして「ペンを持ち上げる」。だから、我々が「思う」というのが、この一連の「ペンを持ち上げる」という行為の出発点だと、普通我々は思っていますよね。そうではないらしいということが脳科学的にわかった。つまり、我々が「思った」瞬間より前の時点で、すでに「ペンを持とう」というプロセスが脳の中で始まっていたことがわかったのです。

須藤　まず手が先に動いて、その後に頭で考えてるってことですか？

伊勢田　さすがにそこまでのタイムラグはないんですが、でも、理論的にはそういうことがあってもおかしくないようなことが起きている。

須藤　本当ですか？　何をもって「思う」と定義するのかわかりませんが、すでに脳が何らかの判断をして決定しているのだが、それを自分の明確な意志であると理解するまでに遅延があるということなのではないですか？　すでに脳科学では議論され尽くされているのかもしれませんが、私にはにわかには納得できない解釈ですね。

伊勢田　「思う」というのは、時計を見ながら意思決定をしてもらって、後で意思決定をした正確な瞬間を報告してもらうのです。リベットの実験の解釈は、須藤さんの言うような懐疑論も含めて、論争の対象です。でも、そういう実験が出ることによってすごい活気づくわけです。

須藤　なるほど、それは十分理解できます。

伊勢田　もしかしたら、我々の思っていた自由意志や行為のイメージというものが、全く間違っていたかもしれないという可能性が出てきて、そうすると、これまで見落とされていた選択肢も含めていろんな立場が出てき得る。

須藤　かなり微妙な話なのかもしれませんが、まずはその実験が本当に正しいのか、再現性があるのか。保守的かもしれませんが、そのデータが十分な信頼性を持つかどうかをとことん研証することから始めるべきだと思いますねえ。その部分をとばして、「人間は意思決定する以前にすでに行動を始める」という解釈から出発して哲学的議論をするのは危険だと思います。

伊勢田　それは並行してやればいいじゃないですか。

須藤　まあそう言われればそうかもしれません。確かに結果論ですね。少し前に、ニュートリノが光より速いという実験が話題になったことがありました。本当だとすれば、物理学の根底を揺るがす重大な結果です。そのデータはあらゆる角度から慎重に検討されて、他の問題が見つからないということで、どう解釈すべきかも含めて問うという形で発表されました。むろん、まともな物理学者は誰も信じませんでしたが、一部の暇な（あるいは一発狙いの）物理学者がよってたかっていろいろな仮説を提案しました。しかし結局、単なるケーブルのゆるみだったという信じられない誤りが発見され、あえなく消え去りました。むしろこのような場合こそ、哲学者が本来持っているべき健全な懐疑心を発揮すべきだと思います。実は物理学者は本質的には極めて保守的なのです。

伊勢田 その考えとは、ちょっと違って、そこで開けた可能性について考えたいということなんですね。もしこれが正しかったとした場合どんな結論が出てくるだろうか、まるで我々が思ってもいなかったような世界が見えてこないだろうかっていうところに興味がある。

須藤 考えるのは自由ですが、仮にもそれで給料をもらっているのであれば、やはりそれなりに外から見える結論を出していただかないと……もちろんこれは研究者個人に対してではなく、科学哲学界全体に対して文句を言っているわけですが。

伊勢田 外から見たらあまり進んでいないように見えるでしょうし、中から見てもそんなに進んでいるようには見えないわけですが、いろいろ考えているとそれまで気づいていなかった側面が明らかになっていくものです。

須藤 それはそうでしょうけれど、やはりその結果を具体的に外に発信してくれないと。

伊勢田 もちろん哲学者もみんな論文を書いており、それぞれの論文には結論はもちろんあります。でも須藤さんのイメージしている発信というのはたぶん、「因果の本質は反事実条件法であると判明しました」と科学哲学会が声明を出すみたいなことなんですよね、きっと。それはもう、あり得ないと言い切ってしまいたいくらい、非常に考えにくい状況だと思います。

須藤 そこまで言うつもりはありませんが、科学哲学者の結論の多くが、「良く言えば」わかりにくい、「悪く言えば」おかしい、ように思えてしまうのです。その意味で、少なくとも科学者に意見を問うようなオープンな発信をし、フィードバックを受け入れるような状況になることを期待しています。一般に関係者だけが群れ集まっていると、視点が固定化され問題点を客観視できないことはよく起こります。逆にそういうところは団結力が強いし、排他的になって「我々以外には理解してもらえない」という内向き発想になりがちです。

伊勢田 まあ、問題点、と言うべきかどうかは意見が分かれると思いますが、科学者から見て哲学は進歩が無いと思われているだろうなあという感覚は、たぶん哲学をやっている人はみんな思っています。

須藤 本当にそれでいいんですか、科学哲学は。

伊勢田 繰り返しになりますが、科学哲学者は別に科学者によく思われたいと思って科学哲学をやってはいないのですよ。科学哲学も、科学を素材として行っているとはいえ、哲学の一分野であり、哲学に内在的な問題意識で動いています。では、なぜ科学かというと、それはやはり、科学が今我々の持っている知識の中で最も確実だからなど、理由はあります。

科学者には興味が無い、科学に興味がある

伊勢田 そもそも科学哲学者は、科学者にあんまり興味が無いんですよ。

須藤 科学者ではなく、科学に興味がある。科学者なんてどうでもいいんですね。それ自体は別に問題だとは思いません。

伊勢田 それに、「科学に興味がある」というのはどういうことかと言うと、我々が科学というものが発生する前から持ってきた世界観や、あるいは知識を獲得するための手段などの「現在における最先端」としての科学なんです。哲学が昔から取り扱ってきた問題の中に科学が入ってくることで、科学というものを取り上げざるを得なくなっているとも言える。

須藤 その考え方はわからないでもないのですが、科学のおかげで少なくとも世界観が広がったのは自明でしょう?

伊勢田 世界観が広がればいいんですか? たぶん「世界観が広がる」という言葉の使い方が違うのかもしれませんが、たとえばそれこそ占星術師が新しい宇宙観を提案したとしても、世界観が広がるわけですよ。それと違う形で世界観が広がっているのか、それとも本質的には同じなのか。

須藤 おっしゃりたいことに対して例が悪いだけなのかもしれませんが、どうもそのような問いかけの意味がわかりません。科学者にとっては当たり前すぎて「私たちは占星術師のようなものではないですよ」と言わないがゆえに、科学哲学者が「あなたたち科学者のやっていることはそれと違うんだよ、気にせずに頑張ってね」と応援してくれるということですか?

伊勢田　そういう結論が出る場合もあります。やってみないと、どちらの結論になるかわからない。

須藤　それをあまりにも当たり前だ、と真面目に考えないのは良くないというわけですね。普通の教養を持った人ならば十分分別があり、あえて占星術と線引きをしてあげる理由は無い。むろん、似非科学のようなものから一般の人々を守るということには科学者と共に大いに貢献していただきたいところです。でも、科学哲学の主流が「物理学の対象は反実在論だ」と結論しているのであるとすれば、必ずしも我々のやっているような科学をサポートしていただけるかすら疑問ですね。仮にそうであれば、むしろもっと深みがある違う問題を取り上げてもらった方が嬉しいです。

伊勢田　割と課題がはっきりしている問題に関しては、他にやっている人がたくさんいますから。

須藤　確かに物理学でも重要な問題にはたくさんの人が集中して挑戦しています。でも、ほぼやり尽くされたこと、あるいは現時点ではこれ以上の進展が望めないようなことをずっとやっているような人はいませんよ。

伊勢田　我々は、やり尽くされているとは思っていないからやっているわけですけれども。

須藤　それはやっぱり根本的な価値観の違いに帰着するのでしょうね。「当たり前」を超えて、科学の後づけに回らない、あるいは、狭い意味での科学だけでは解決できない枠の問題、言い換えれば世界の摂理・可能性に、科学の成果を踏まえつつ独自の視点から具体的に挑むことが大切なのではないですか？

伊勢田　世界の摂理や可能性に挑むのはいいですが、哲学でそれをやると、それこそ「私はこう思う」を論証無しにぶつけ合うような領域になる危険性があると思います。それが「クリシン」的な意味で学問と呼べるものになるかどうか難しいところだと思います。ウィーン学団が否定したいと思っていた形而上学というものがまさにそういう感じでした（ただ、それを否定しようとして科学の基礎にあるような形而上学まで否定してしまったわけですが）。

須藤　「物質を分割すると結局はすべて素粒子に帰着する」「万物は粒子であると同時に波である」「ミクロな世界は決定論的論理では記述できない」「決定論的な法則に従っているシステムですら、一般には、未来を正確に予言することは「原理的に」不可能である」「真空は無ではない」「全体がひとつの原子核とも言える星（中性子星）が存在する」「光が閉じ込められて出てこられないような因果的に独立した空間領域（ブラックホール）が存在する」「宇宙には始まりがある」「星には寿命がある」「宇宙の構造は目に見えないダークマターに包まれている」「宇宙はあまねくダークエネルギーに満たされている」「この宇宙はひとつではないかもしれない」「宇宙の次元は３＋１ではないかもしれない」……。

これらは物理学が明らかにした（一部は本当に正しいかどうかはわからない仮説なのですが）世界の摂理／可能性の一例です。いずれも、私が期待する理想的な哲学としても十分な深みを持っています。その意味では、かつての哲学の一部はすでに現代物理学に取り込まれたのみならず、それなりに説得力のある体系のもとに答えが提出されているわけです。

これに対して、「科学哲学」という領域の専門研究が、これらの物理学の例が示すレベルで世界の摂理を明らかにしてくれた例がひとつでもあるでしょうか？　少なくとも「帰納的」には科学哲学は具体的な成果を生んでいないことが証明されたことになると思いませんか？

伊勢田　なるほど、物理学は世界の基本的な姿を明らかにしてきましたし、そういうものを「世界の摂理・可能性」と言うのなら、確かに有意義な仕事ですね。そして、今回の対談では意図的に話題から外しましたが、量子力学の哲学や時空の哲学はまさに須藤さんのおっしゃるような意味での摂理や可能性についての研究だと思います。

ただ、私がやってきたような、哲学由来の科学哲学は、世界の摂理や可能性を明らかにしようとはあまりしていない。我々が世界を見る見方、我々が世界や科学について語るときの言葉などを分析の対象にしてきましたから。それを「具体的な成果を生んでいない」と言うなら、確かに須藤さんのものさしで「具体的な成果」と呼べるものは生んでいないでしょう。

科学者と科学哲学者の溝は埋まるのか

須藤　さてこれまでけっこう長時間議論を行ってきました。おかげで、意見の違いは明らかになったとは思いますが、果たして何か決着がつくのでしょうか？

伊勢田　決着はつかないでしょうね。

須藤　すると、やはり結局のところ「白と赤のどっちが好きか」という問題に帰着しているのでしょうか。今回、自由意志の問題を発端として、科学と哲学のアプローチの違いを伺い、その具体例として因果論、実在論・反実在論論争の話を教わりながら、私なりに科学哲学への疑問をぶつけさせていただきました。たとえば伊勢田さんの説明してくださった反実在論の立場についてては、その意義が理解できました。しかしながら、それについてすら反実在論者が得た結論らしきものには納得できない気持ちが残っています。私の持っている（おそらく科学者的視点にバイアスされた）価値観の方が正しいとまでは主張しないとしても、少なくとも科学者にはなかなか手が出ないけれども「この見解・主張・視点は確かに面白いなあ」と納得させてくれるような例がほしいところです。

伊勢田　面白さを共有してもらえるとはあんまり思ってないんです。

須藤　それはなぜですか？

伊勢田　学問観の違いです。

須藤　どんな学問であれ、自分たちが取り組んでいること、そしてそれを通じて得られた新たな発見を、自分とは異なる分野の人々や一般の方々に理解してもらい興味を持ってもらえることは、大きな喜びではないですか？　私の専門である宇宙論や太陽系外惑星の研究は、まさにその典型です。いかなる意味においても「役に立つ」ことは決してありません。その結果を人々に理解してもらって「なんぼ」という分野です。そのため、一般講演会や中学・高校での出張授業など、活発にアウトリーチを行うことで、人々に面白さを共有していただいていることを実感していますし、それが我々の研究の「意義」に対する単なる思い込み以上の自信にもつながっています。自分たちがやっていることは専門家以外には理解されないだろうなとか、ましてや「科学哲学」という名前でありながら科学者にも共感してもらえないだろうなと考えているとすれば、「実はこちら側に問題があるのではないか」と考えてみるべきではないでしょうか。「科学」がなぜうまくいっているのかという観点から「科学哲学」を研究する以前に、

「科学哲学」はなぜうまくいっていないのかという観点から「科学哲学」を研究する必要すらあろうかと思います。

今回の対談のおかげで、過去の科学哲学の研究の流れについては意義が理解できるようになりましたし、ある意味では自然な気もしました。一方、「現在の科学哲学」の意義については現時点では説得されていません。そして私のような価値観は、科学者の中では決して少数派とは思えないのです。明確な目的が設定されないまま研究がずっと続くということも、学問の性格として仕方ないのでしょうか。

伊勢田 補足しますと、私が言ったのは「須藤さんには面白さを共有していただけないだろう」という意味であって、「専門家以外に共有できない」とは思っていません。実際私の書いた本をいろいろな分野の方に読んでいただいて、わざわざ面白かったと連絡してきていただけることもあります。でも、その面白さは万人向けの面白さではないだろうな、という自己評価はあり、これまでの経験から言って、須藤さんのような形で批判をしてこられる方に対して哲学の拠って立つ価値観を共有していただくのは難しそうだな、ということです。

須藤さんの言う「明確な目的」というのがようやくわかってきたのですが、哲学というのは、もともと、須藤さんの言う意味での「科学」ではないんですよ。おそらく科学というものに特別に内在している仕事のやり方のイメージを、哲学にも求めて考えていらっしゃる。

須藤 当初、私が不信感を覚えていたのは、『「知」の欺瞞』に登場したような人々の信じられない挙動ですが、これは科学哲学者でもなんでもない、別系統の人々であると教えていただきました。そんな区別すらついていなかったのですから、今回の対談はとてもためになりました。

決して伊勢田さんご自身の研究や本に関して文句をつけているつもりはありません。伊勢田さんの本も読ませていただきましたが、そこで展開されている議論には違和感はありません。また具体的に挙げるのが適当かどうかは別として、戸田山和久『科学哲学の冒険』は対話形式の楽しい読み物でかつ深みを持った良書だと思いました。特に私の解釈では、戸田山さんはむしろ、科学哲学の分野の中で一般に科学者に受け入れられないような説がはびこっている現状をなんとかしたいという立場のように思えます（誤解かもしれません）。その意味でとても共感できましたが、そもそもそのような現状が生まれている背景自体が理解できないというのが私の主張です。さらに小林道夫『科学哲学』（産業図書、一九九六年）は、私が個人的に考え学部生の講義などでも主張し続けていたこととほぼ同じ見解が書かれておりとても驚きました。おかげで、その本の主張はすっと胸におちて理解でき、すっきりした読後感でした。

伊勢田さんも含めこのように（科学者から見て極めて常識的な）科学哲学者がいる一方で、（考察の出発点としての立場ではなく結論としての）反実在論や社会構成論という主張がなぜ受け入れられているのか、その背景となる事柄を理解したいと考えているのです。これはつまるところ、学問の性格の違いと言ってしまうしかないのかもしれません。科学は常に自然と密に関わりながら具体的に一つひとつ何かを解き明かすことで、少しずつ確実に進んでいる。仮にその過程で多少の遠回りがあったとしても、です。私は科学哲学にそれを求めているのですね。一方、音楽や芸術、小説などが決してそのような性質のものではないこともまた自明です。バッハやモーツァルト、ベートーベンは後世の音楽家に多大な影響を与えたけれども、だからといって誰もが彼ら以上の作品を書けるようにはなりません。ところが科学では、先人の業績をもとに誰でもそれより先に進むことができます。よく考えればむしろ科学の方が例外的な性質を持っているのでしょうね。

そのような方法論を叩き込まれているためでしょうが、仮に私が科学哲学をやるとするならば、その目的は何か、なぜそれをやる意義があり、科学・科学者に対して何をしたいのかについて、聞かれればいつでも人々を説得できるような答えをいくらでも準備しているだろうと思うのです。哲学者の間では「自分たちのやっていることは、捉えどころのないもので説明するのも難しいし、わかってもらえそうにない。でも我々の業界では皆が面白さを共有してやっているんだから、まあいいじゃないか」ということかもしれませんが。

伊勢田　どうでしょうね。さすがにそこまで閉鎖的じゃないですよ。でも逆に哲学者が自分の研究成果を積極的に外部に発信するかといえばそれも考えにくい。たとえば、哲学者はめったなことでは「こんな発見をしました」と言ってプレスリリースなんかしないですしね。

須藤　ではたとえば、判断が難しいときに科学哲学者を呼んで実際の具体的な行動、議論だけじゃなくて行動に役立てるってことはあるんですか。

伊勢田　生命倫理などの分野ではあるかもしれませんね。あと、科学教育のような場面で、科学とはそもそも何か、なぜそれを教育するのかまでさかのぼらないといけないような問題が生じたら、お呼びがかかるかもしれません。

須藤　特に今やその重要性は増していますね。科学哲学の中でも道徳や倫理に関わる部分は、「科学者」が多くを学ぶべき領域だと思います。そのような領域の重要性に関しては何ひとつ疑問をはさむつもりはありませんし、今回の対談でも意図的に話題にしませんでした。

伊勢田　哲学的な議論が参照されたり哲学者が呼ばれたりするというのは、新しい分野の立ち上げのようなときでしょうか。どのようにこの分野を進めていけばいいのかという話をする際に、哲学者が呼ばれたり議論が参照されたりすることがある。たとえば科学哲学者のポパーは、哲学者の中では評判はよくないですけど、たとえば脳科学の立ち上げとか認知科学の立ち上げとか、あるいは分野がちょっと違いますけど、ある種のタイプの分類学とか、いろんなところで参照されています。哲学者がポパーを顧みなくなってからでも、けっこう参考にされているんです。というのも、最低限反証可能性があるようなプログラムを作らないといけないという議論をするために必要なんですよね。しかも、それはけっこう役に立ってきた。

須藤　ポパーの話が出たときに私も言ったのですが、ポパーは科学哲学者の間で評価がいまいちだという理由がよくわからない。とても自然で納得できる意見だと思います。むしろ科学哲学の同業者が、ある程度成功をおさめている彼の説の細かい問題点だけをあげつらい、結局本質を見失った議論に陥っているだけではないかと思います。ポパーが科学哲学者の間で不評だというのであれば、それに代わるだけのより良い説が定着しているのでしょうか。そういうものが無いままポパーが科学哲学界で不評なのだとすると、どっちの方に問題があるのかは自明だという気がします。

伊勢田　誰もが認める対案を出すのが難しいのは確かなんですよ。ポパーの路線の延長線上でその後継者にあたるのは、先にご説明したベイズ主義や、錯誤統計学なんですね。錯誤統計学というのは、統計学のいわゆる有意性検定の考え方を、科学全体にあてはめようという考え方なんですが。

須藤　全く聞いたことがありませんが、何やら小難しいことを振りかざすだけではなく、ポパーの主張する明確なメッセージを本質的に超えているのかどうか。

伊勢田　錯誤統計学が発するメッセージは、割と反証主義に近いんですよ。まず起こないようなことが起きたらこの理論を放棄するというプログラムを作ります。つまりある意味反証というものを統計化して捉え直したというところがあって、割とはっきりしたメッセージを出しています。

須藤　科学哲学の分野で実際に使われているんですか？

伊勢田　そうです。「使われている」というより研究の対象になっているのですが。哲学者が中心になって、統計学の人なども関わりながらやっているプログラムです。今でも知名度が無いので、そういう意味ではポパーと比べても、影響の範囲は限られていると思いますが、メッセージはクリアだと思いますよ。

須藤　であれば具体的な応用例で説得してほしいですね。ポパーの反証可能性はある意味だとお題目かもしれないけれど、実際にはけっこうはっきりしていて、個別の例を出してもらえさえすれば、科学者の間で、それに反証可能性があるかどうかはだいたい判断できる。その意味でも、実際に役に立つ科学の基準だと思います。むろん科学に対する必要十分条件などは無いわけですから。その錯誤統計学では、ある理論なり仮説なりがある場合、それが科学たるべき条件を満たしているのかどうか判断するのは難しくないのですか。

伊勢田　そうですね。どちらも統計的なものなので、クリアしているかどうかを判断するのは難しいです。それに、ベイズ主義は、ある意味変幻自在なので、これを使っていろんな科学者が従うべき二次的なルールみたいなものを様々に証明できます。ただ、では、そのルールに従っているかどうかをいかに判断するかとなると、そんな簡単ではない。それに、プラクティカルなメッセージを発するかというと、なかなか発しないです。

須藤　だとすれば結局ポパーの方が優れているように思えてしまうのです。具体的にどこまで優れた応用が可能かという御利益を示してもらえない限り、単なる些末主義に陥ってしまわないかと。

伊勢田　そういう意味ではなかなか御利益が無いのは確かですね。それで、前にもたとえた鳥と鳥類学者の話に戻るわけですが、この「鳥類学者」はそんなに「鳥」に対して利益を与えたいとは思ってないんですよ。ただ、利益を与えることに全く興味が無いわけではなくて、なんらかの一致する利益があれば、もちろんそれはそれでいいと思ってるんです。でも、それを目的としているわけではない。

ポパーの反証主義とベイズ主義や錯誤統計学の比較で言えば、明らかに間違いがあるが参考としては使いやすい便利な道具としての学説と、明らかな間違いは無い（少ない）けれども実際的な予測を引き出すのが難しい学説との比較ということになります。これは科学の歴史でも似たような選択が何度も繰り返されてきた対比だと思います。そして科学においてすら必ずしも前者が選ばれてきたわけではないと思います（一般相対性理論だって最初のうちは応用可能性という意味での「御利益」のほとんど無い理論だったけれど選ばれたわけですよね）。それなのに哲学の学説選択が他分野への応用可能性で評価されなくてはならないというのは、価値観が大変偏狭なのではないかと思ってしまいます。

価値観の違いをこれからどう生かせるか

須藤 今回の対談を通じて、伊勢田さんから科学哲学者の考え方の一端を直接お伺いし、それに対してかなり率直な議論をさせていただいたことはとても有益だったと思います。しかしながら、結果的には必ずしも我々の議論が何らかの一致を見たわけではありません。この対談において私は同じような疑問をたびたび繰り返し、伊勢田さんはそれに対して回答を下さっているにもかかわらず、それらはやはりすれ違ったままである感は否めません。ただ、この点もまた現状をそのまま反映しているのだと思います。したがって、対談でありがちな、予定調和的めでたしめでたしで無理矢理終えようとはしなかった点も理解していただければと思います。

伊勢田 「すれ違い」について言えば、そもそもの出発点では、須藤さんは『「知」の欺瞞』で批判されているラカンみたいなのが科学哲学の代表だと思っていらっしゃったわけで、そこから見ると、須藤さんにはものすごく多くのことを理解していただけたと思っています。

科学者の方が科学哲学を見たときにいろいろ批判的な意見を持つのは大変自然なことだと私は思っています。ただ、誤解にもとづいて「科学哲学は○○だからいかん」みたいなことを(本当は○○ではないのに)言われるのは正直勘弁してほしい、と以前から思っていました。理解した上で批判していただけるというのはこれは大変幸せなことです。その意味で私にとってはこの対談は「めでたしめでたし」なのですが。

須藤 私のような率直な言い方しかできない人間とおつきあいいただき、本当に感謝していま す。前書きでも述べたように、私は自分の意見が科学者を代表するものであると主張するつもりは毛頭ありません。科学者の中でも教養が高く哲学にも造詣が深い方は、むしろ伊勢田さんの価値観の方に共感を覚えるのかもしれないとすら考えています。しかし、私は自分の無知を正直にさらけ出すことで、平均的な科学者と科学哲学者の間に横たわる本質的な価値観の違いをはっきりさせたいと思いました。少なくとも私よりも若い世代の科学者の大半は、哲学に関して私同様に無知であることでしょう。

伊勢田　科学と科学哲学のずれが「価値観の違い」の問題であるということ自体、対談の中で理解していただいたことだと思っています。いずれにせよ、価値観の違いの問題について「無知」などとおっしゃる必要は無いと思います。

須藤　ありがとうございます。とはいえ、私自身は「科学哲学」の目的に関して、結局あまり説得されなかったわけですが、それはすでに私が狭い意味の科学的価値観にどっぷりと浸かってしまっているからだけなのかもしれません。年齢的にも、柔軟に異なる価値観を受け入れることができない動脈硬化的症状を呈している可能性は否定できません。

伊勢田　確かに年齢による思考の硬化というのはあるかもしれませんが。そういう話にする必要があるでしょうか。

須藤　誤解を与えたかもしれません。言いたかったのは、この対談をまだ思考が柔軟な若者に読んでもらい、その価値観の違いの存在を理解してほしいこと、さらに言えば、できればこれから広い意味での「科学哲学」に興味を持つ若者にこそ、既成の枠組みにどっぷりと浸ってしまう前に本当の科学哲学はどのようなものであるべきかを考える手がかりとしてもらいたいことでした。

伊勢田　それは私も願ってやまないところです。ただ、特に科学哲学を勉強したいという若い方に警告したいのは、ここで私が述べた価値観は、科学哲学の中のひとつの考え方、やり方に過ぎないということです。科学哲学をやるからには私のような価値観を持たなくてはならないということではありません。

須藤　科学哲学であれ、科学であれ、その通りだと思います。決して私は科学哲学を罵倒し批判してすっきりしたいがためにこのような対談をさせていただいたわけではありません（ただし私は単純な人間なので、対談中での意見の表現が稚拙で不愉快な印象を持たれた方がいるとすれば、率直におわび致します。全体をご覧いただいて私の本意を汲んでいただければ幸いです）。むしろ、現在のように細分化しタコ壺化した科学のあり方を憂いているつもりです。そのためにはやはり本来の科学とは何か、さらには科学者とは何かについて、自分の狭い専門分野を離れた高い立場から俯瞰する機会はとても大切だと思っています。そしてそのような役割を科学哲学に期待しているのです。

伊勢田　そうした俯瞰的な役割を科学哲学が果たせていないというご批判は真摯に受け止めるべきだと思います。それは確かに科学哲学がやろうとしてある種放棄してしまった問題のひとつです。個々の科学哲学者の興味がそこから離れてしまったというのはあるにせよ、そういう大局的な見方が必要とされたとき、「科学哲学」という分野が全体としてそれに応えられる場所にいない、というのは大変不幸なことだと思います。

須藤　賛成です。現在の大学においては、基礎科学研究を行うのは主として理学部、科学哲学研究を行うのは主として文学部、と完全に切り離されています。科学哲学という科目は理学部のカリキュラムには存在しません。逆に科学哲学を学ぶ学生も、何らかの科学を具体的に学ぶ機会はほとんど無いでしょう（科学哲学者には、学部では理学部出身という方もいらっしゃるようなので、個人ベースでは様々だと思いますが）。つまり、科学側からも、科学哲学側からも、お互いが完全に無関心で独立であっても問題無し、という判断がされているわけです。これは互いにとって損失以外の何ものでもありません。

私が所属する理学部の立場だけから言えば、本来、科学を志す学生にとって「科学哲学」は必修科目であるべきだと思うのです。しかし、そのためには現在の科学哲学が、理学部の学生が学んで本当に刺激を受けて満足するようなレベルのものであるか、そしてもし仮に現状がそうでないとするならば、「科学哲学は科学に興味があるのであり、科学者には興味が無い」という立場で本当に良いのかは、十分考えてみるべきだと思っています。その上で私は、理学部に科学哲学という講義が開講されていないなどあり得ない、という状況が生まれることを願って止みません。

伊勢田　理学部の学生が学ぶべき基礎教養としての「科学哲学」を、今の科学哲学者が何をやっているかとは独立にもう一度考えてみよう、という呼びかけでしたら、それを考え、教育カリキュラムを組むのは大変よいことだと思います。そして、科学哲学者の側も、自分の研究関心はとりあえず一旦わきにおいて、そうした議論に積極的に参加するべきであると思います。さらに言えば、そういう教育プログラムを考えるときに、今回ご紹介した因果の概念の解明や反実在論をめぐる論争が重要なテーマとして教えられるべきだとは私は実は思いません。もっと他に教えるべきこと、興味を持ってもらうべきことがたくさんあります。

須藤さんが重視されておられるような物理学の哲学の話題の方が優先されるべきでしょうし、そういう話題について哲学者（もちろん物理学について勉強した上で）と物理学者が意見交換をしながら進めるような授業ができれば理想ですよね。最後の最後で、ひとつ、意見の一致する点が出てきたのかもしれません。

終わりに

気の長い異分野間対話のために

伊勢田哲治

読んでいただいた方はすでにおわかりの通り、本書はなかなか他では見ることができない内容の本となっている。科学哲学とはどういう学問かということについて、科学者と哲学者が対談すること自体は他にもあると思うが、話が嚙み合ったり嚙み合わなかったりしながら、これだけの長さの対話を続けたというのは他に無いのではないかと思う。

本書の成り立ちについて簡単に説明しておきたい。私の側からのことの始まりは、インターネット上の書き込みから、東大駒場キャンパスで科学哲学についてかなりひどいことを言っている物理学者がいるという話を聞きつけたことだった。さっそく当時須藤さんがネット上にあげておられた授業資料を見て、「これはぜんぜん科学哲学と関係無い話だな」と思う面と、「ここは実際の科学哲学とも関わるかもしれない」と思う面と両方があった。河出書房新社の朝田明子さんとは当時すでに面識があったのだが、出版企画について相談するついでに須藤さんについてお話ししたところ、せっかくだから対談してみないか、と提案をいただいた。須藤さんとの連絡も朝田さんにとっていただき、この対談企画が実現した。

本書は須藤さんと伊勢田の対談という形式をとっている。実際には、二〇一一年の九月に予備のミーティングを行い、本番の対談を二〇一二年の三月と七月に行うとともに、その前後にメールでのやりとりも行って論点の明確化をはかった。ただし、現在見ていただいているのはその対談をそのまま記録したものではない。まず朝田さんが全体のテープ起こしをし、メールの応酬とあわせて話題ごとに大まかな整理を行った。この段階の原稿に対して伊勢田が補足を行った（第4章のフィル・ダウの論文の分析はこの段階でつけ加えられたものである）。その原稿をもとに、今度は須藤さんが全体の章立てを固めるとともに自分の側の発言を大幅に加筆した。次にそれと応答が嚙み合うような形で、科学哲学の紹介書として足りないと思われた部分を伊勢田が全体に書き加えた。最後に両者の発言を数回にわたって調整し合い、対談としての体裁を整えた。そんなわけで、本書は、実際の対談のおもかげも少し残しているものの、お互いの修正稿に返答する形で書き足すといったやり方で構成された、紙上の対談の比率もかなり大きい。

最初のミーティングからお互いの加筆の作業にいたるまで、かれこれ一年半にわたって須藤さんとおつきあいさせていただく中で、私にとってはいろいろ発見する点、学ぶ点があった。科学哲学に対して厳しい意見を寄せてくださる科学者は他にも何人か知り合いでいるのだが、須藤さんの意見はいろいろ独特で興味深かった。たとえば、須藤さんは当初、物理学に限らず科学全般において原因の概念などそもそも使わないという言い方をされていて、その観点から哲学的な因果論を批判されたりもしていた（これは、実際には「哲学者の言うような意味での」原因の概念は使わない、という意図だったらしいが、いずれにせよ私はかなりびっくりした）。あるいは、物理法則というものの普遍性を須藤さんが率先して否定されたのも物理学者というものについてのイメージを変えることだった。対談後の調整のプロセスで須藤さんはご自身の発言をマイルドな方向に修正されて、そのおかげで本書はより読みごたえのあるものになったと思うのだが、須藤さんの「放言」の魅力みたいなものが薄れたのは残念な気もする。

実際の対談では、私が説明しようと思っていた内容に入る前の前置きに須藤さんがひっかかり、前置きの部分についての説明をさらにさかのぼって行っているうちに時間切れ、ということがしばしばだった。そのために実際の対談のときに話せなかった「本題」の部分は、最終稿を作る過程でかなり書き足すことになってしまった。しかし、そのおかげで、逆に、普通に科学哲学について解説する際にはまず話題にのぼらないような前提の部分について話を深めることができたように思う。普通は相手の分野の前提にこだわって話が進まないといえば哲学者が他の分野の方に対してやって嫌がられるところであるが、ここではその逆が起きているわけである。その意味で、須藤さんのこの本での役回りは「メタ哲学者」とでもいうべきものになっているかもしれない。

須藤さんがこの対談について今どういう感想をお持ちかはわからないが、私の最後の方のコメントでも書いた通り、私から見ると須藤さんにはずいぶん哲学のことを知ってもらえたし、それに応じて須藤さんの科学哲学批判の矛先も当初から比べてどんどん鋭いものになっていった。これは大変大きな「歩み寄り」だと私からは思える（逆説的な言い方だが、相手に同意することばかりが「歩み寄り」ではない）。この種の歩み寄りに価値を見出すかどうかで須藤さんと私で意見がずれるのは、実は本文の趣旨ともなっている学問観の違いみたいなものが背景にあるのかもしれない。

もし読者の中に、本書で初めて科学哲学というものを知ったという方がいらっしゃったら、いくつか注意しなくてはいけないことがある。本書は科学哲学全体のバランスのとれた解説書にはなっていない。特に後半は須藤さんと私で意見が食い違いそうな話題を意図的に選んで議論しており、サモン流の因果過程の分析のような、全体からするとかなりマイナーな話題に大きな紙幅を割いている。もっとバランスのとれた初学者向けの解説書としては、戸田山和久『科学哲学の冒険』（NHKブックス、二〇〇五年）、森田邦久『理系人に役立つ科学哲学』（化学同人、二〇一〇年）、伊勢田哲治『疑似科学と科学の哲学』（名古屋大学出版会、二〇〇二年）などを読んでいただければと思う。

また、それとも関連するが、ここで私の側の発言として開陳されている科学哲学観、哲学観、学問観などは私の個人的見解である。若手の科学哲学者の皆さんからは「古臭い考え方をしているなあ」と思われているかもしれない。特に、物理学の哲学や生物学の哲学では、若手の方々が中心となって分野の垣根を超えた交流が進んでいる。私のような科学哲学の独自性へのこだわりはそうした若手の皆さんには共有してもらえないかもしれないし、むしろそれで科学哲学という分野が発展していくのならどんどん前へ進んでいってほしいと思う。

本書の議論がどのくらいの興味を引くかというのはよくわからない。ただ、学問というものへの見方の対立という意味では、ある種の普遍性のある話題は取り出せたのではないかと思う。

最近、ツイッターなどの便利なメディアができて、これまであまり接触の無かった分野間の人たちが急に直接対話をする機会、それを第三者が目にする機会が増えているように思う。しかし、そういう接触は必ずしも幸せな異分野交流にならず、喧嘩別れのようになっているのもよく見かける。これはある意味当然で、本書が全体としていい例となっているように、学問観などの基本的な前提が違う人同士が有意義な会話をするのは大変時間と手間がかかるものなのである。大事なのはいろいろな背景や考え方の存在への想像力と結論の一致を性急に求めない忍耐力というか「気の長さ」であろう。この本をきっかけとして、いろいろなところで「気の長い」対話が盛り上がっていけば、望外の幸せである。

編集者の朝田さんには、企画立案、対談のセッティング、構成案の作成、入稿前から入稿後にいたる内容や表現の調整と、通常の編集者の仕事の範囲を超えて大変なお世話になった。著者二人がそれぞれ勝手なことを言うので大変困らせたであろうことは想像に難くない。本当に感謝の念にたえない。

二〇一三年一月

増補対談

終わりなき対話のその先で

初版刊行から八年、科学者と哲学者の間にあった視点のズレや、学問観の違いは、変化したのだろうか。須藤論に一〇〇％納得するという人から、真正面から疑問を呈する人まで、一八〇度違う感想のあった異分野の研究者どうしの徹底対談を、ここから新たに続けていく。今回は、初版をうけて、谷村省吾氏（理論物理学者）と松王政浩氏（科学哲学者）から質問を投げかけていただき、それらに答えながら対話を進めた。

科学とは、研究とは、役に立つとは……。常に、誰もが異なる立場を取りうる話題を、共に考え語り、議論を深めていく。

「物理学者の常識」は「科学の常識」？

須藤　最初にお断りしておくと、八年前に何を話したかすっかり忘れています。私の基本的な考え方は変わっていないと思っているものの、ひょっとしたら知らない間にちょっとずつ変わっているかもしれません。とはいえ、自分の考えが変わっていたら変わっていたで、全然問題ないと思っています。

そもそも、八年前の対談以降、科学哲学者の価値観はそれなりに理解できたので（合意したわけではありません）、あまりこの種の疑問を考えたことがないんですね。

伊勢田　私の方はこの本を出して以降、いろいろな人からいろいろなリアクションを受けてきました。「須藤さんが言っていることに一〇〇％賛成します」という人もいれば、「須藤さんはわざとわからないふりをしているのではないか（そう考えないとどうしてあんな反応なのかわからない）」という人もいて、それこそ一八〇度違うコメントをいただいたこともあります。

実際、理系の学生どうしでこの本について話していても、すごく意見が割れたという話も聞きまして、そういう意味では、この本は面白がってもらえたのだろうと思っています。むしろ人文系寄りだけど「須藤さんの言っていることはよくわかる」という学生さんもけっこういます。文系・理系みたいな分け方というよりも、どちらの言っていることがよくわかるのかによって、全然印象の違う本なんだなと思いました。

須藤　それはとても嬉しいことです。私は文系の方とこの話題についてしゃべる機会はありません。そのためいただいた感想は、理系の知り合いの研究者からのものでしたが、私とほぼ同意見でした。その意味では、科学者の考え方をそれなりに代弁したのだと思ってはいます。

伊勢田　今回、哲学者側の松王政浩さんからのコメントの中に、まさにこういう提題がありました。

本書が「科学」対「科学哲学」という構図でありながら、科学側の視点としては、概ね須藤さんの「物理学者」の視点でしか語られていません。「物理学者、哲学者にモノ申す」と言ったほうがいいくらいです。異分野の科学者間でいかに科学観が異なるかという確認も無しに、「物理学の常識」だけで判定されては、科学哲学のフェアな評価はできないのではないでしょうか。

松王

須藤　うーん、たしかに物理学者が科学者代表みたいな顔をしてけしからんという気持ちはわからないでもないけれども、「物理学者の常識」の中に「科学者の非常識」といえるケースが本当にあるのでしょうか。にわかには信じられないのですが。

伊勢田　たとえば生物学者は、物理学者とずいぶん距離感があるでしょうね。第4章で出てくるように、因果について「光円錐の中にあるものはすべてが原因であり結果である」というような捉え方をする生物学者の方に会ったことはありません。科学の方法論とかのイメージもたぶんちょっと違うんだろうと思うんですね。生物学ですと、非常にローカルなモデルを作ってローカルな現象を説明するような、ある意味でパッチワークみたいな感じで全体ができているというのに対して、物理学はまず基本的な法則があって、基本的にはその法則がすべてを説明する。それが一応基礎になっている。自分が対象としている領域のイメージとして、基本法則みたいなものをまず設定できるのか、それともローカルなモデルのパッチワークで紡いでいくのかという、イメージの差は大きいのかなという気がします。

須藤　物理学者の立場からは、生物学者と物理学者の方法論は違うかもしれないが、それは科学観そのものの違いではないと思えます。生物学者も物理学のように要素還元的方法で説明したいけど残念ながら生物はそう簡単ではない。だから必然的に現象論的方法を避けられない。そんな立場ではないのかな。

物理学者と生物学者が、異なる科学観をもっているとは思えないのですが……。

伊勢田　物理学の方から見るとそう見えるけれども、生物学の方から見るとそれはまた違って見えていそうに思います。

須藤　そうか、本当に違うのかなあ。

伊勢田　物理学を一つの科学の規範として、進化論を中心に生物学を体系化しようというようなことが試みられた時期もありましたが、今はたぶんそういうイメージはもたれていないと思います。

ただし、「物理の常識は必ずしも科学の常識ではない」といった言い方だと、物理学とは別の科学があるように聞こえるけれども、そうではなく、物理学の考え方も一つの科学の常識だけれども、それだけが科学の常識というわけではない、ということなのかなと思います。

それに、そもそもこの本は、「科学」を代表する人と「科学哲学」を代表する人が対論しているというつもりの本ではなく、科学者の間でも多様な見解があり、科学哲学者の間でも多様な見解がある中で、その一人どうしが話しているというつもりです。

須藤　それはそのとおりです。物理学者があたかも科学者代表かの如く振る舞って放言しているのに違和感をもつ人はいるかもしれませんね。

伊勢田　むしろ、我々の意見の違いを突き詰めていく本ですね。そういう意味では科学全般と哲学全般の意見の違いみたいなものを期待して読むと、たしかに期待はずれになるところはあると思います。

須藤　つまり、「the科学者」が「the哲学者」にモノ申すのではなくて、「a科学者」が「a哲学者」に、ですよね。

伊勢田　たしかに。

改めて、「科学」とは何か

須藤　そもそも現場の科学者は、自分の研究が（厳密な意味で）科学に分類されるかどうかには、興味がないと思うのですよ。たとえば超弦理論やインフレーション理論は、通常の物理学者にとっては科学そのものですが、定義によっては狭い意味での科学というよりも検証できない理論仮説に分類されるのかもしれません。だからといって、「物理学というよりも数学ですね」と言われようが、さほど怒る理由もないでしょう。

だから科学哲学者が、ポパーやクーンの定義は、「科学者」が実際にやっている研究を包含しない場合があるから間違っている、と考えること自体に納得できないんです。「ポパー流の科学の定義」「クーン流の科学の定義」があるだけの話ですよね。それは現場の科学者の営みの部分集合を「科学」と呼んで、それ以外の部分を「科学プライム」と呼びましょう程度の話でしょう。それらの研究自体に「意味がない」とか「間違っている」といった価値観を付与しない限り、どうでも良い気がします。

伊勢田　本人が怒る怒らないという問題よりも、科学という営みを正しく捉えようとしたときに、そこに人為的な切れ目が入るのが嫌なのかなと思うのです。つまり反証可能性という一元的な基準で科学というものを捉えようとすると、どうしてもそこに直接検証可能なものの研究と、そうではない超弦理論みたいな研究の間に、今おっしゃったような「科学」対「科学プライム」のような切れ目が入ります。でも実は、検証可能な素粒子物理学をやっている人と、理論的で検証のかからない高次元のことをやっている人って、実はプロフェッションとしては地続きな営みではないですか。つまり、反証可能性を科学の定義にもってくることによって現実を歪めて見ているように見える。そこに変な切れ目が入ってしまわない方が、科学の哲学としては正しくものが見えているのではないでしょうか。

須藤　そこですよ。つまり、「科学の定義」なんて、実際の科学者にとっては不要なんですよね。私自身は「科学をやっている」と思っていますが、ポパーやクーンの定義が私の研究を科学に分類しているかどうかには興味はありません。彼らの提案する「科学」の定義とは無関係に、自分の研究の意義を信じているからです。だから、ポパーの言ったことを科学の定義とする人がいても大いに結構。そもそも私はポパーの定義に納得していません。その上で、「私のやっていることは検証できません。狭義の科学ではないかもしれません。

しかしそれは非常に根源的で数学的には意味があります」にも強く同意します。そうである限り、科学と呼ぼうが、科学Ⅰ、科学Ⅱ、科学Ⅲと呼ぼうがどうでもいいことです。

伊勢田　ポパーの場合、科学でないとみなすことに否定的なニュアンスがあるかどうか微妙なところです。たとえば彼は当初「進化論は科学ではない」としていましたが、このときは「科学ではなく、形而上学だが、発想法として役に立つ」というような中立的な捉え方をしています（あとで指摘をうけて進化論も反証可能であり科学であると意見を改めています）。一方、マルクス主義については「あれは科学ではない。だからだめなんだ」のようなかなり否定的な意味合いで「科学ではない」という言葉を使っていました。難しいですね。ポパーに関しても両面あるので。

ポパーがフロイト精神分析とかマルクス主義を批判するのに自分の反証可能性を使っていなければだいぶ印象が違っていたと思うんですね。攻撃に使ってしまったせいで、彼の「科学」と「科学ではないもの」の境界線に強い規範的な意味ができてしまった。もしかしたらそこがいちばん問題だったかもしれません。

「科学ではない」と「非科学的」の間で

伊勢田　私の場合は、検証可能かどうかよりも、言明のステータスが明示されていることのほうが大事だと考えています。つまり推測なら「推測ですよ」と。ただの計算上の結果なら「計算の上ではこうなります」と明示されているのが大事です。特に薬品の試験とかのときに問題になるんだけど、まだ何も証拠がないのにあたかも証拠があるかのように言って提示するのは、これは科学の範囲を超えてしまう。でも「まだ証拠がないけどこういう可能性があります。こういうふうに推測されます」であれば十分に科学の範囲に収まるというふうに、ある言明そのものよりも、言明についての但し書きですね。証拠の状況とか適用範囲とか、そういう但し書きが明示されていることによってそれは科学の範囲内の言明になる。それがきちんと明示されていないとか、あるいはある意味で誤った表示がされているとか、証拠がないのに証拠があるかのように表示されていると、それは科学の範囲外にいってしまう。

そういう捉え方をしていて、こういうのを須藤さんはどういうふうに考えられるのか。谷村さんからは、まさにこういう問いもありました。

マルチバースの科学的反証可能性についてはどうお考えでしょうか？　谷村

マルチバースそのものについて「直接の証拠はないけれども、人間原理などから考えると、マルチバースがあると考える一つの理由はありますよ」という形で提示されている限り、これは科学の範囲に入るのかなと私は思うのですが、いかがでしょうか。

須藤　私個人は、マルチバースは反証可能ではないと思っています。したがって、反証可能性を科学の定義とするポパーの提案でほぼ満足している私にとって、マルチバースは通常の「科学」ではありません。しかしながら、私はマルチバースには強い興味をもっていますし、「科学的に考える」意義が高いテーマであると信じています。これは、私が書いた本（『不自然な宇宙』講談社、『ものの大きさ』東京大学出版会）でも明言しています。

伊勢田さんのおっしゃったことも、ほぼ同じではないでしょうか。

伊勢田　そうですね。言葉遣いへのこだわり以外の部分は、ほぼ意見の違いはないということかなと思いますね。

須藤　むしろ科学哲学者の方が、大切で意義があるものだけを科学と呼ぼう、科学に分類されないものは価値がない（低い）という、暗黙の価値観をもってるんじゃないのかな。少なくとも私は、自分の研究が、カ学だろうがア学だろうがイ学だろうがどうでも良いです。その面白さと意義は共有してもらえると思っているから。

伊勢田　ただ、たとえば非科学的という言葉はやっぱり明確にネガテイブなニュアンスがありますよね。

須藤　そうそう、たしかにそうなんですよ。これは日本語のニュアンスの問題ではないでしょうか。本来は、科学的と、科学とは矛盾するという意味での非科学的以外に、科学では割り切れないものという意味の三番めの言葉があるべきです。科学的以外のものをすべて非科学的と定義するならば、本来は、科学と矛盾するとも矛盾しないとも言えないものを含むべきですよね。たとえば、文学とか美学とか。

伊勢田　そういうふうに非科学的という言葉を定義しなおすというか使いなおすことはで

きるけれども、現状において非科学的と言われたらドキッとしますよね。

須藤 そうです。ただし私が言っているのは、単に科学に対して中立的な事象を示す単語が日本語にないと言っているわけ。

伊勢田 そうか。否定的というニュアンスはないけれども科学ではないものを指す言葉が要る、と。

須藤 そうそう。それが一緒くたになっているからちょっと誤解を生む。

伊勢田 たしかにそうかもしれないですね。

須藤 この本の対談での私の主張は、科学哲学は「非科学的」ということです。ただしそこには、私が知っている科学とは明らかに矛盾するという意味での「非科学的」と、(狭義の)科学とは無関係という意味での「非科学的」の双方が含まれます。伊勢田さんと議論した問題の多くは前者、あるいは後者かつ私が価値を見いだせない部分だと思います。一方、倫理学などは後者の例であり、仮に「非科学的」と形容したとしてもそこには否定的な意味は全くありません。マルチバースも同じで、科学ではないと言いましたが、それは科学と矛盾するという意味での「非科学的」ではなく、従来の科学の先にあるより深く重要な対象であると考えています。

英語圏では、大学の学部生の専攻をサイエンス・メイジャーとノンサイエンス・メイジャーに分けます。ノンサイエンス・メイジャーは日本語でいうと文系なのであって、決して非科学と訳すべきではない。つまり、英語では価値中立的にノンサイエンスという単語が理解されているのだと想像します。それに対応する良い単語が日本語にはないように思えます。

伊勢田　定着している言葉はないですね。哲学の議論ではそういう概念が必要になることがあって、科学外的とかそういう言葉を無理やり作ってあてることはあります。

須藤　でも日本語で「科学外」と言われたらやはりネガティブな感じがしません？

伊勢田　非科学的よりはそんなにネガティブじゃないかなと思います。

須藤　非科学的は明らかに「科学と矛盾する」という意味で、「間違っている」というニュアンスが強いよね。

伊勢田　そうなんです。でも非科学的という言葉があてはめられる対象には、別に科学と矛盾しているわけではないものも入っているので、意図せざる否定的なニュアンスがついてしまうということですね。

scientific philosophy か、philosophy of science か

須藤　そういえば、そもそも伊勢田さんとのすれ違いの根本は、私が科学哲学という単語の意味を全く誤解していたことにあると思っているんです。私は科学哲学というのはずっと scientific philosophy だと思っていたんですよ。だから科学哲学がやってることは scientific ではないと批判していた。ところが科学哲学とは実は philosophy of science なんですね。

伊勢田　今はそうですね。

須藤　であれば、これは哲学者が科学をネタにして勝手に哲学をするという分野、さらに

下品に言えば、unscientific philosophy of science なんだから、それはそれでよろしい。それに対して科学的でない、さらには「非科学的」だと科学者が文句をつけるのは大人げないのかもしれません。たとえば優れたSFに「この部分は物理法則と矛盾している」なんて突っこむのは明らかに愚かな行為ですよね。

伊勢田　実は、scientific philosophy という言葉自体はもとから存在する言葉です。論理実証主義という立場が一九二〇年代くらいにできたときに、それまでの哲学というのは形而上学とかいうよくわからないことをやっていたけれど、これからはデータを用いるなど哲学自体も変わっていかなくてはいけないとした人たちがいて、それらを scientific philosophy と呼んでいました。ただ、その中核であった、ライヘンバッハという哲学者が亡くなった後は、どちらかといえば philosophy of science という言葉のほうが生き延びて、scientific philosophy という言葉を積極的に使う人はいなくなりましたね。

須藤　そういう立場は、科学をよくしようとかそういうものではないし、それこそ「鳥類学は鳥に役立つか」と同じく、それに対して価値を認めるかどうかという興味の問題に帰着するよね。

伊勢田　そういうことに興味がある／ないというのは、まさにそうですね。

須藤　とはいえ、これは前回の対談で私が繰り返した主張をなぞってしまうだけかな。

伊勢田　なぞるのも別に悪くない。哲学者の中で、今須藤さんがおっしゃったようなscientific philosophy をやりたいという人はどんどん増えてはいるんですよ。なので実際に自由意志の話をするときでも、これだけ脳神経科学が発達しているんだから脳神経科学をベースにこの議論をしなくては意味がないと言う人はもちろんたくさんいて、それは大きな派閥になりつつある。今後たぶん科学者とのコラボレーションのようなものは増えてくるのではないかなと思います。

「議論を始める」地点はどこにすべきか?

伊勢田 科学者と哲学者の立場といいますか「学問」観について、ここでの場合は、須藤さんと私の前提について、改めて問う質問もいただきました。

> 須藤さんの態度は、「そんな昔の話と違って、現代の物理学は確固たる基盤の上に成立している」(科学史の中で現代科学は特別な地位にある)と見えるが、これはまさに科学的実在論の核となる主張の一つであり、反実在論から批判を受けている点である。「現代科学が特別である」と考えることの根拠は何なのでしょうか。
>
> 松王

須藤 たしかにこれは重要な指摘(誤解?)かもしれない。私は現代科学が特別で、全く誤りがないなどとは主張していません。むしろ、科学とは常にその時点での最良の近似に過ぎず、厳密な法則（摂理）を追求し続けるエンドレスな営みだと考えています。一方で、現代科学は過去に比べるとその基盤が非常に強固となっており、それを知らずに思いつく程度の反論は容易に棄却できます。その意味では、現代科学の最先端を知ることなしに、単に昔ながらの哲学的疑問を呈するだけでは不毛だと思います。第4章のビリヤードの例で言いましたように、三〇〇年も前の話を、今さら持ち出して、それで話をするのはいかがなものか、というわけです。哲学者はそこらへんがよく理解できていないので、いつまでたっても昔のところの呪縛に引きずられているだけではないかと。

もっとも、哲学の人は決して比喩なのではなく、現代的な文脈を超えた本質的なものを抽出して話をしているのだと主張しているんでしょうね。

伊勢田　哲学者の答えまでまとめていただいた感じですけども、まさにそうだと思います。そこはこの本の中でずっと平行線をたどっていたところですよね。哲学者がビリヤードボールのようなシンプルな例を出すのは、因果のいちばんの根本の問題がそこに詰まっていると思うからです。

須藤　そこに根本的なズレがずっとあって、きっと平行線なんですよね。ある出来事が起こり次に何が起こるかを考えた場合、それらに対して「一つの原因＝一つの結果」はありえないどころか、実際には、原因と結果が明確に区別できる事象などほぼないので、物理学者はその種の単純な二分法的な考えはとらないと思います。

谷村さんからも、原因と結果について、こんな指摘がありました。

物理的過程の連鎖の詳細をつきとめられなくても、原因と結果を結ぶ何らかの機序があることがある程度の確度で期待できていなくてはならないのではないかと考えますがいかがでしょうか。

谷村

伊勢田　もちろん哲学者がもっと複雑な例を使わないわけではなくて、考えたい話題によってはむしろもっと事例を複雑にしていくわけです。ただ、因果というのが我々の頭の中にしかないのか、それとも世界の中にあるのかみたいな話をしたいときには、ビリヤードくらいシンプルなところまでいかないとうまく話せないという感じなんだと思います。話したい話題に合わせてモデルを使っているという感じですね。

　ここのズレは、哲学者が話したい話題が、物理学者にはおよそ興味をもてない話題だということだとも思います。

須藤　そのとおりでしょうね。哲学者の興味と科学者の興味がかなり違うことまではわかる。でも、では科学哲学者は一体何を知りたいのかが理解ができない、あるいは共感できないです。私のことを「わざとわからないふりをしているのか」とまで言った方もいたようですが、本当にわからないんだね……。

伊勢田　本の中のやりとりをそのまま繰り返す感じになりますね。でも今の話の発端になった質問は、「現代の物理学は違うのだ」というときに「何がそんなに違うの？」「その違いは本当に意味のある違いなの？」と問うていく。これは実在論でやっている議論で、実在論論争で科学的実在論側に立つ人は「我々はこの世界について明らかにする手法を学んできて、一九世紀頃の科学はエーテルなどの怪しいものを仮定してしまい大失敗したけども、さすがに二一世紀の今はそんな大失敗は起きにくくなっています。それは科学そのものが過去の失敗で学んできたからです」のような議論をしているんですね。

須藤　そこまではいいですよ。

伊勢田　そのときに反実在論側の人は「我々が納得するように、変わったということを論証してください。エーテルのような過去の過ちを今、犯していないと言える根拠は一体何なのか」と切り返す。

須藤　そこらへんもわかりますし、決して現在の物理学が間違いをしていないと主張しているつもりもありません。将来、より深い摂理を突き詰めた段階で現在を振り返ると、それはやっぱり近似に過ぎなかったことが判明するだけの話でしょう。現時点で「本当にいいんですか？」と漠然と問いかけるのではなく、より具体的に論じてもらわないと。そして、そのような具体的な問題提議は、物理学者のなかでは日常茶飯事なのです。というか現在の物理学を超えた新たな物理学を発見することこそ大目標なのです。哲学者はそのために具体的な指摘はしてくれていません。

伊勢田　そうですね。科学的実在論の立場も近似という考え方を使って「今の科学理論は近似的に正しい」という言い方をします。それに対して反実在論は「近似的に正しいとすら本当に言えるのか」ということを問題にしていて、エーテルと同じレベルの間違いが今あるのかないのか問う。

須藤 それは哲学者の人に言われなくても、まさに物理学者が行っている研究そのものですよ。

伊勢田 実在論、反実在論論争は、物理学者に考えを改めてもらおうというよりは、物理学者が明らかにしたと主張するこの世界のイメージにどういうスタンスで我々は接したらいいのかについての論争だと思うんですね。なので、「今の科学理論もそのくらいの大間違いはしているかもしれないので、うまくいっているけどあまり深入りはしないで、大間違いがどこかに入っているものかもしれないものとして距離をとっておこう」みたいな接し方でいいよとおっしゃるなら、反実在論者は「それだったら俺たちの言っていることは認めてもらった」という感じになるんですね。

須藤 認めてもらったかどうかなどは、本当にどうでもいいことです。すでに物理学が取り組んでいることを、あえて反実在論とか実在論とか大げさな言い方をすることで不要な誤解を生んでいるだけではないか、と思えるのです。

伊勢田 本文の中でも何度かご説明しましたけど、反実在論が科学の何かを否定しているわけではないんですね。「今行われている科学のこれを放棄しろ」とか「あそこの考えを変えろ」とか、そういう立場では全くない。そういう意味では、少なくとも「心改めろ」みたいな意味における大声ではないんですよ。

科学的実在論vs反実在論論争はどうなりましたか?　谷村

という問いを、谷村さんからいただいていますが、須藤さんとお話ししたときにご紹介した反実在論の立場というのは、八〇年くらいからの論争で、最初の頃の議論を紹介したせいもあって若干古めではあって、今はあまり観察可能性の概念をすごく頑張って論争するという人はほとんどいなくなりました。科学の歴史を振り返って、振り返った歴史と比較しながら今の科学を考える立場になりつつあります。

八年前に須藤さんと対談した後、科学哲学はなんでこんなことをやっているのか私も気になるようになって、歴史を振り返り始めたんです。これは『科学哲学の源流をたどる』(ミネルヴァ書房)という本にもまとめました。

現在、科学者側から見るとよくわからない反実在論者と呼ばれる立場の先祖を調べたら、一九世紀頃には科学者側にも、「原子の概念は〝机上のお話〟だよね」という考えの人は多かったんですね。マッハ、ヘルツ、キルヒホッフ、ポアンカレ……、分野としては、現象的な法則を扱う人たちが多いと思います。それに対してボルツマンなどの「原子はあります」という立場の人もいて、科学者たちの間で論争していました。この論争は、二〇世紀はじめにペランの原子の存在証明があって、ポアンカレのような大物が「しかたない。原子の存在を認めようか」となって収束していったわけです。これらは今の科学哲学者がやっている反実在論とちょっと性格の違う反実在論や実在論だったかなとは思いますが、少なくとも原子の存在を疑いますというのはけっこう最近まで科学者でもその立場があったことは言えると思います。

その後ウィーン学団という人たちが出てきて科学哲学が始まったと言われるわけですが、だから時系列で見ると、科学者たちにとって目に見えないものが少なくとも原子に関してはありますということが確定したところで、今我々が知っている科学哲学が始まった、という整理がありえます。科学哲学者の道と科学者の道が分かれたのはわりと最近で、二〇世紀初頭だったと言ってよさそうです。それが私がたどり着いた一つの結論なんですね。

最近では、反実在論側のカイル・スタンフォードという人が、我々の想像力は限られていることを踏まえて、思いもしないような対案があることを常に意識しながら今の科学理論を見るべきだと言っています。それが今、反実在論側のいちばん影響力がある立場になっていて、そうすると目に見える／見えないというところは実はあまり重要な論点ではなくて……。

須藤　だとすれば、やはり、反実在論などと大声で叫ぶこと自身があまり意味がないんじゃないかと思いますけどね。

科学の歴史を振り返るというようなことで言えば、それは物理学の教科書に、ワンパラグラフ書けばいい程度の話ではないかな。もはや論争の論点がだんだんなくなってきた気もしてきました。

伊勢田　物理学の教科書においてはワンパラグラフ書けばいいことであるかもしれません

が、それを哲学者が論争するのは哲学の勝手なわけなのです。

須藤 今回、伊勢田さんの話を聞くと、反実在論の「反」がおかしな表現だけなのかも、と思いました。私が聞いていた極端な反実在論者はやはり論外です。ただ、物理学あるいは物理法則集が、世界の厳密な表現なのか、あるいは近似に過ぎないのか、という見方を、それぞれ実在論と反実在論と評していると「するならば」、定義の問題だけかなとも思います。すでに述べたように、私はいつの時点であれ、物理法則集はやがて書き換えられるはずの近似だと考えます。仮にその立場を反実在論と呼ぶのだと「すれば」、同じ主張かもしれません。それにしても、かつて私が耳にした、原子は存在しないなどの反実在論の例は、今やバカバカしくてお話にならないレベルだと思います。

哲学はやっぱり何をしているのか？　社会の役に立っているのか？

須藤 哲学的なマインドをもって科学を研究することはとても大切だと思っています。最前線では、科学者の職人化が進み、自分の研究を科学全体に、さらに社会のなかにどう位置づけるか考える暇がなくなっています。philosophy of science をやっている人が科学的観点を欠きながら職業的に哲学をしていると批判しましたが、同様のことが科学者にもいえますね。

伊勢田 そうですね。職業的なといいますか、社会における立ち位置については、松王さんからもコメントがあります。

いまのパンデミックについて状況や問題を整理して、有効な施策に結びつけるといったことが、科学哲学への期待のひとつとしてある。科学哲学者はこの期待に応えられるか。科学哲学の射程はいかほどか。　松王

須藤　これはぜひ伺いたいです。科学哲学について、本文中でも「何のためにやるんですか？　目的は何ですか？」としつこく問いかけましたが、まだ納得できていません。科学哲学者が社会から隔絶された領域内に閉じこもって遊んでいるのではなく、科学とは何か、さらにその役割を社会に発信しているのだとすれば、まだ納得できる。

伊勢田　哲学者がアクチュアルな問題について貢献したいと思うこと自体はよいのですが、当該の問題についての「土地勘」がないのに口をはさむとろくなことがない、というのが私の率直な感想です。より一般に、ある主張が一般論・抽象論としては正しいけれどもこの特定の事例のこの局面においては的外れ（どころか場合によってはむしろ有害）といったことはよく起こりますし、「良心的」な哲学者はそういう主張をやってしまいがちだと思います。それをよく踏まえた上で慎重にやるのであれば、科学哲学的知見は有用でありうると思います。私自身も京都大学の公開講義「立ち止まって考える」の中で、科学的な情報をよりわけるのにどういうことに注意したらいいかのアドバイスや、なぜ対立する立

場の間で話が通じないのかの分析を科学哲学が提供できる、というようなことを話しました。

須藤　私としては、科学哲学者各人がどうしているかではなく、科学哲学学会というかな、科学哲学者が集団として「社会に向けて何かこういう役割を果たすのが、我々が科学哲学をやっていることの意味だよね」という考えを共有されているのかを知りたいんです。それが私が問い続けている科学哲学の意味に対するある種の答えになるかなと思います。

伊勢田　なるほど。それに関して言えば、科学哲学という分野全体としてそういう認識はないと思いますね。

須藤　そうですか。そうではないかなと予想していたので驚きはないですが。

伊勢田　個人として、それこそ須藤さんのように、あるいは私自身もそういうレクチャーをするというように、個人として「自分は科学哲学という研究をしている者として、こういうことについて発言をしなくては」と思う人ももちろんいる。でも「科学哲学を研究している人にとっては、それが直接社会にどう影響するのかと訊かれても、すぐに直では関わってこないですね。間接的にいろいろなところで関わってくるところは当然あるでしょうけれども、すぐにそれが社会に還元できるという内容ではない。科学哲学というのはある種、科学というものにいろいろな角度から興味をもって哲学しているいろいろな人たちの集まりなので、そこで何か一つの社会問題についての一つの方向性を出すというのはなかなか難しいかなと思います。

須藤　わかりました。それは私が考えている、philosophy of science という狭い意味での科学哲学者のメンタリティと一致していると思います。ま、それはそれでいいのでしょう。

学問の手法への疑問

須藤　この philosophy of science については、社会への影響のことだけでなく、学問としての手法の点に、谷村さんからコメントがありました。

> 哲学界にある「寛容（チャリティ）の原則」の態度は、異分野の人が交流するときには表立って意識すべきことであって、同類分野の研究者は基本的には切磋琢磨すべきライバルであり、チャリティを前面にもってくることはないと思います。伊勢田さんは、哲学界において寛容の原則は好ましい形で実現していると思っておられるでしょうか？
>
> **谷村**

須藤　まず伊勢田さんに質問。「寛容の原則」とは何のことですか？

伊勢田　これ自体もいくつか違う意味の使われ方があるんですけれども、ここで谷村さんがおっしゃっているのは、哲学のテキストを読むときに、「意味不明なことを言っている」

と切り捨ててしまうのではなく、むしろ「この人の書いている文章は、ちゃんとしたことを言っているとしたらどんなことを言っているのだろう」という観点から読む態度のことだと思います。

寛容の原則（私は「思いやりの原理」と訳します）の捉え方は人さまざまです。デイヴィッドソンという哲学者の場合は非常に哲学的な原理として思いやりの原理が出てきます。我々は他者の発言を理解できるのが当たり前だと思っていますが、よく考えれば相手が自分と同じ意味で言葉を使っているとは限らないわけで、常に他者の発言には多様な解釈の余地が存在します。外面的行動だけからは相手の発話の意味を一つに確定できないので、我々は相手の内面について一連の仮定をたてて発話を解釈します。その中心となるのが、相手は適度に合理的で、自分とだいたい同じような信念や欲求を持っている、という仮定です。これが「思いやりの原理」の哲学的な用法です。

実際的な文脈では、相手の発話の意味が全く定まらないということはないにしても、いくつかの解釈の余地があるということはあるでしょう。（というより、事前に言葉の意味や用法について細かく合意をとっていない限りは、そういう余地は常に存在するでしょう）。そういう際に、相手がばかばかしいことを言っているという方向の解釈を採用して頭から否定するというのは簡単ではありますが、全く建設的ではありません。そういう批判をうけても「お前は人の言うことを全く聞いていないな」という反応が返ってくるだけです。なので、建設的な対話をする上ではできるだけ自分からみても筋が通ったものになるように相手の発話を解釈する必要があります。これが実践的な文脈における「思いやりの原理」の用例です。

須藤　なるほどね。ひょっとしたら本人はそんなことは言ってないかもしれないけど、もっと建設的に解釈してあげようと。

伊勢田　そうですね。たとえば古典とされる哲学者の議論なんか今から見ると間違ったことばかり書いてあったりするわけですね。そもそもいろいろな知識が間違っていたり、すごい偏見で書かれていたりするわけですけど、その中で「この部分を取り出すと、この人はわりとちゃんとしたことを言っているじゃないか」と、それを軸にして読むと今読んでも意味があるかたちになる。そういう読み方のことを指します。

須藤　それは科学でも同じだと思います。重要な研究であれ、原論文を読むと、今から見ると間違っていることがたくさんある。しかし、その中に時代を画する提案や結果が初めて記述されているわけです。また、科学者はずっと昔の研究は教科書で学ぶのであり、原論文を読むことはほとんどない。たとえばニュートンやアインシュタインの原論文を読んだことのある人はきわめて少ないでしょう。おそらくそこにも今から見れば多くの間違いがあるに違いありません。だからといって、それらの論文の価値が損なわれることはありません。つまり、我々が通常読む教科書の記述は、すでにそのような「寛容の原則」に従って再構成されたものと言えるかもしれません。

これに対して、哲学者は過去の原典を直接読むのでしょうから（誠実だと評価するか、あるいは進歩がない学問だからこそそれができると揶揄するかは別として）、現代的な評価軸のもとに適切なフィルターを掛ける必要があるのでしょう。

伊勢田　そういう面はもしかしたらあるかもしれませんね。哲学だってもちろん、教科書の中の記述みたいなものは「思いやり」を発揮して意味のあるかたちにきちんと組み立ててあるものが教科書に載りますから。たとえば教科書に載っていたカントの紹介には、カントが論じている神様に関する話題は隅のほうに追いやって、「我々がおたがいを人格として大事にするのは重要だ」とか、今読んでもすっと入ってくるところをメインで紹介してある。そういうのは「思いやり」の一つの例かなと思いますね。

谷村さんは「思いやりある」読み方は「批判的な」読み方と対立するものだという印象を受けたようですが、私の考えでは両者は補い合うものです。相手に批判的な検討をまじめに聞いてもらおうと思うなら、まず相手の主張をばかばかしい主張としてではなくできるだけ筋の通った主張として再構成する必要があります。

須藤　それは理解できます。おそらく哲学者と科学者では論文の書き方が違うと思うんですよね。特に、物理学では体系がしっかりしているので、適当なことを書くとほとんどは間違いになってしまいますから、論文の記述は慎重とならざるを得ません。たとえばthink, expect, hopeといった主観的見解はできるだけ排除すべし、と教え込まれます。一方で、哲学はそのような好き勝手な言説であれ、興味深い指摘があるならそれでよし、と加点方式的な立場なのでしょう。

ちなみに、現在の標準模型を超えた素粒子モデルは無数に提案されていますが、それらの仮説のほとんどは最終的には間違いに決まっているわけですから、もしも一〇年後にそれらの原論文を読むとすれば「寛容の原則」が不可欠でしょう。

伊勢田　そうですね。物理学者が「思いやり」を意識しなくていい理由の一つは、物理学の論文の書き方のルールが非常にはっきりしているからではないかと思います。はっきりしたルールに基づいて、「このルールに従って、ここはだめだ」というのが言いやすい。それに対して哲学の論文というのは、そういう意味でのはっきりしたルールがあるわけではないというか、あまりルール化されていない問題について手探りして入っていくみたいなものが多いため、そういう意味では、まだ具体的に言語化できていないんだけれども、それをなんとか頑張って言語化しようみたいなものがけっこうあったりしますね。その努力はできるだけ買ってあげようみたいな感じです。

谷村さんからは、論文に対するコメントもいただきました。

> 研究成果の発表媒体として書籍や論文がありますが、研究者にとっては、あるいは、市民にとっては、どういう形態が望ましいと考えられるでしょうか？　厳しい査読を受けて質保証されている知識の蓄積・流通形態と、査読されていなくて玉石混淆であり内容の価値判断は読み手に任せる形態とを、はっきりと棲み分けて使い分けた方がよいのではないでしょうか。
>
> **谷村**

伊勢田　多様な発表の媒体にはそれぞれ長短があり、目的に応じていろいろなものを組み合わせるべきだと私は思います。特に人文系の研究は、想定する読者が同業者でないようなものを書く機会も多く、それには「査読誌」は不向きでしょうね。

そもそも「査読」というシステムは、研究のパターンがある程度固定されていて研究の質の評価がある程度機械的にできるような領域で発達したもので、これまで誰も考えてなかったような問題について一から考える、といったテーマの論文には不向きです。哲学の論文にも両方のパターンがあって、前者のパターンの論文は査読を経て査読誌に掲載すればよいですが、後者のパターンはむしろ出版後の評価によって評価が定まるようなしくみの方が望ましいように思うのです。

須藤　私はこの件では谷村さんよりも哲学側に共感しているように思えてきました。しかし、実際はむしろ逆で、哲学にそこまで期待しても無理だから、と突き放す失礼な態度なのかもしれません。

伊勢田　ただ、哲学において思いやりの原理がうまく機能しているかというと、私は、たぶん谷村さんが考えているのと逆の意味において、あまり楽観的ではありません。つまり、自分と異なる立場を十分に理解しようとせずに頭ごなしに否定するような議論のしかたが哲学でも残念ながらよく見られると感じています。

科学哲学をどう教育するか、どう学ぶか

伊勢田　須藤さんがこの本の対談の最後に提案されたのは、今我々がやっているような科

学哲学というよりは、もっと物理学の基礎論とかそういうところに迫るようなものを哲学者と物理学者で共同して授業として提供してみるのも面白いんじゃないかということで、それは意味があると思います。

時間の向きとか量子力学の解釈とかといった話題は、学生にとってもそこについて話を聞くのはとても面白いだろうと思いますので、それは単純にありうるのかなと思いますね。それは私自身がやっていた科学哲学の授業では踏み込みません。空っぽの容れ物として空間をイメージすることに意味があるのかなどは、実際に私の授業でも紹介するんです。ただそれはメインではなくて、私の授業のメインはどちらかというと「科学の方法論のいちばん基本的なところまで遡るとどういう理屈に沿っているか、ちゃんと考えたことある?」というような話をするんですね。それはたぶん科学の方法について一度も考えたことがない学生には考える機会になると思うんです。これは悪いことではないですね。

須藤　前回の対談において、これだけがおたがいに一致した点でしたね。しかし、松王先生が問われているように、二人が想定している科学哲学教育とは具体的に何なのかまでは論じていませんでした。

研究には直接役立たなくても、将来研究者となる(あるいは専門の知識をもった社会人となる)学生への教育として、科学哲学が十分よい刺激となることが考えられる。既存の科学者ではなく、「新しい科学者像」について考える中で、科

学哲学が（クリティカル・シンキング以外の部分でも）「役立つ」可能性はあると思う。　松王

最近の科学者の多くは、自分の研究が社会においてどのような役割を果たすのかといった視点を欠いているように思います。細分化された科学研究の現場では、何であれ最先端を追究しないと業績にならないのも事実です。だからこそ学生には、そもそも科学の目的は何か、世界一を目指すのはいいがその先には何があるのか、と考える機会を提供したいと思います。それこそが私の期待する科学哲学の講義です。

伊勢田　そうですね。須藤さんの『ものの大きさ』の最初に「宇宙論が何の役に立ちますか？」という質問に対して、「一〇〇年後に役に立ちます」といった答えは実は迎合した答え方で、「それ自体に価値がある」と突っぱねてほしいというようなことを書かれていました。要するに必ず何かの役に立たなくてはならないという研究のあり方は、否定的に見ていらっしゃるような感じがするんです。

須藤　そう考えています。物理学にも、明らかに生活を便利にすることに役に立つ分野があります。その場合、「どんな意味があるの？」と問う必要はありません。狭い意味での「役に立つ」学問の価値は自明です。一方で、天文学者が遠くの天体を見ることの価値、素粒子物理学者が新たな粒子を発見する価値は、役に立つかどうかという観点からは評価できません。我々が芸術作品を鑑賞した時の感動と同じく、それ自身が役に立つとは思え

ません。私はそれを指して、valuable（価値を評価できるほど意義がある）を超えたinvaluable（もはや価値づけられないほど深い意義をもつ）と表現しています。「一〇〇年後にはそこから派生した結果が役に立ちます。だからこれは無駄ではない」というのが、陳腐な正当化ですが、それでは結局、狭い意味での「役に立つ」という点だけが評価軸になっています。私はそれには同意できない。

伊勢田　そうですね。

須藤　いわゆるビッグサイエンスには莫大な研究費が必要ですが、芸術家は大金などもらっていない。したがって、天文学や素粒子物理学を芸術と同列に扱うのは公平でないかもしれません。さらに、あまり前提知識がなくともそれぞれのレベルに応じて楽しめる芸術と、ある程度の知識なしにはちんぷんかんぷんで、楽しむどころか不愉快になるかもしれない科学とは違いますね。

伊勢田　今の話のなかで哲学はどうなります？　哲学は何かの役に立ったほうがいいですか？

須藤　「こんなことは考えたことがなかった」「そんなものの見方は知らなかった」といった感銘を与え、それが人々のその後の人生に何らかの影響を与えるのであれば、広い意味で「役に立つ」と評価できると思います。そしてそれは科学にはできない、哲学の相補的な意義でしょう。倫理学はそのような例かもしれません。

でも初版の対談で出てきたような、（私に言わせれば）話にならないような科学哲学の例は、「役に立つ／立たない」以前に意義はないいんじゃないかと思うんです。

伊勢田　それはオーディエンスの取り方の差もあると思います。科学哲学者にとっては、科学者だけがオーディエンスというわけではないので、科学者からはそんなふうに見られるかもしれないけども、でもたとえば他の哲学者であったりもっと他の人たちから見ると「ああ、なるほどな」と思ってもらえたりするところはあります。

須藤　でも科学哲学というからには科学者に何らかの影響を与えてほしいと思うんです。その意味では、若いときは興味がなくとも、年をとるにつれて科学史の話を面白く聞いたり読んだりする科学者は多いですね。直接自分の研究には影響ないものの、それに至る背景を理解すると楽しい。歴史というのはそういうものかもしれないけどね。

伊勢田　科学史の研究には、そういうトリビア的なこともあるけれども、よくやるのは、ある科学者自身の分野の過去の歴史がけっこう間違っていたりするわけですね。

須藤　たしかに間違って理解されていることは多いと思いますよ。むしろ、都合の良いように勝手に話を盛って歴史的経緯を歪めて伝えている例を、私はいくつも知っています。

伊勢田　そうすると、今後の科学の発展に何をすればいいのかのイメージを間違ってしまう可能性があります。特にいいとこ取りだけして科学の歴史を捉えると、すごい科学が合理的に発展してきたように思ってしまうわけですが、実際に科学の歴史を見るとものすごい大失敗をいろいろなところでやりながら、そのなかで、ある一つのラインが生き延びてきたみたいなことがよくあります。

科学の歴史をきちんと振り返らずに考えると、科学は合理的に発展していくのでこのまま同じことをやっていけばいいと思うかもしれないけど、実はそうではなく、「失敗ＯＫ」

でやらないといけないということがわかる。そういう意味では、科学の歴史はやっぱり科学者の皆さんに知っておいてほしいというのか。

須藤　それはそのとおりです。あれ、これまた意見が合って面白くないんだけどなあ（笑）。科学者が自分達の成功体験だけをつないで「こんなふうに科学は動いていった」というふうに、歴史を意図的に現代科学の勝者側へと歪めさせていることはありますね。

私が学生だった四〇年前に世界中でそれなりに流行していた仮説が間違っていた（あるいは興味がもたれなくなった）という例はけっこうあります。でもそれらは今では誰も語らないんですよね。意図的に隠蔽しているわけではなく、今さらそんなことを教科書や論文に書いても無駄だから。その結果、歴史が歪められてしまう。そんなことが実はたくさんあります。

伊勢田　そうですね。

＊＊＊

須藤　今回の対談では二人のすれ違いが減ってしまい、読者につまらなく思われないか心配なほどです（笑）。

伊勢田　初版を出した時に、「この話を取り上げたらもっと須藤さんにも哲学の意義がわかってもらえて話がスムーズにいったに違いないのに」みたいな反応はいろいろいただいてきたのですが、「この本の趣旨がそうじゃないので」と答えてきました。スムーズに

「これについては意見が一致しますね」と言うための本ではそもそもなく、むしろ「ここについて、とりあえず全然話が食い違っているけど、もしかしてうまく話していったら共通理解もあるのかな」みたいなところをあえて攻めている本なんですよね。そういう意味では、意見が合うところが見つかるのもおかしなことではないですし、また意見が合わないとしても、話したことに意味がないわけでもないと思います。

須藤　そうですね。今回は、前回の対談で平行線だった議論を蒸し返すことはしませんでした。とはいえ、自分の基本的な考え方は変わっていないことは改めて確認できたように思います。

今回の対談に掲載した松王政浩氏と谷村省吾氏からの問いについては、河出書房新社ホームページの本書の内容紹介ページにて、全文をお読みいただけます。

提題者プロフィール

松王政浩　まつおう・まさひろ
北海道大学大学院理学研究院教授。
著書に『科学哲学からのメッセージ』、訳書にソーバー『科学と証拠』など。

谷村省吾　たにむら・しょうご
名古屋大学大学院情報学研究科教授。共著書に『〈現在〉という謎』があり、その「補足ノート」は谷村氏のホームページにて読むことができる。
▼http://www.phys.cs.is.nagoya-u.ac.jp/~tanimura/time/note.html

須藤靖　すとう・やすし

1958年、高知県安芸市生まれ。東京大学大学院理学系研究科教授。
著書に、『一般相対論入門』『ものの大きさ』『三日月とクロワッサン』『主役はダーク』『宇宙人の見る地球』『情けは宇宙のためならず』『この空のかなた』『不自然な宇宙』など。

伊勢田哲治　いせだ・てつじ

1968年、福岡県福岡市生まれ。京都大学大学院文学研究科准教授。
著書に『疑似科学と科学の哲学』『哲学思考トレーニング』『倫理学的に考える』『科学哲学の源流をたどる』など。共編著に『科学技術をよく考える』など。

本書は、2013年に弊社より刊行した『科学を語るとはどういうことか』に対談「終わりなき対話のその先で」を増補したものです。

科学を語るとはどういうことか

科学者、哲学者にモノ申す　増補版

2013年6月30日　初版発行
2021年5月20日　増補版初版印刷
2021年5月30日　増補版初版発行

著者　須藤《すとう》靖《やすし》　伊勢田《いせだ》哲治《てつじ》

装丁　寄藤文平＋古屋郁美（文平銀座）
発行者　小野寺優
発行所　株式会社河出書房新社
〒151-0051
東京都渋谷区千駄ヶ谷2-32-2
電話　03-3404-1201（営業）
03-3404-8611（編集）
https://www.kawade.co.jp/
印刷・製本　中央精版印刷株式会社

Printed in Japan　ISBN978-4-309-25427-2